골절도 한의원에서!

접골탕 이야기

최영진 지음

최영진

〈접골탕〉과 〈접골탕 2.0〉을 개발한 경희다복한의원의 한의사이다. 경희대에서 박사과정을 밟고 있을 때 골절로 인해 절망에 빠진 환자들이 의외로 많다는 것을 알게 되었고, 부러진 뼈의 회복 기간을 줄여줄 수 있는 한약을 만들겠다는 일념 하나로 지금까지 왔다. 국내외 논문은 물론 동의보감을 비롯한 각종 한의학 고전을 참조로 하여 한약재를 선정하였고, 약효를 확인하기 위해 여러가지 실험도 진행하였다. 현재 미국과 한국에 10개의 특허를 등록하였으며, 한국 한의약 진흥원 정부 과제로 골절 치료 신약 개발 과제를 수행 중이다.

Blog : blog.naver.com/dabokhan365

서문

인류학자 마가렛 미드 (Margaret Mead, 1901~1978)는 인류 문명의 첫 징조로 생각하는 것이 무엇인가?라는 질문에 "부러졌다가 회복된 대퇴골"이라고 대답하였습니다.

15000년전 골절 후 치유된 사람의 대퇴골을 문명의 첫 징후로 소개하였습니다. 15000년전이면 석기시대입니다. 이 시기에 대퇴골이 골절되어 스스로 움직일 수 없을 때 누군가 돌봐주지 않으면 위험으로부터 도망칠 수도 없고, 음식을 섭취할 수도 없었을 것입니다. 부러진 대퇴골이 다시 유합된 흔적은 골절된 동료를 안전한 곳으로 옮기고 함께 생활하며 회복할 수 있도록 돌봐준 누군가가 있었다는 증거이며 이것이 어려운 상황에 처한 다른 사람을 돕는 문명의 시작이라고 하였습니다.

골절은 이렇게 인류의 역사와 함께 해온 질환입니다. 한의학에서도 당나라 때 저술인 외대비요에 골절이라는 진단명과 치료법이 제시된 이후로 약물을 통해 골유합을 촉진하고자 하는 시도는 계속되어 왔습니다.

이 책에서는 2배 빠른 골절 치료 효과를 실험에서 확인하여 접골탕을 처음 특허 등록한 이야기, 또 접골탕으로 골절을 치료한 다양한 사례들, 2.5배 빠른 효과를 보인 접골탕 2.0을 개발하고 미국과 한국에 모두 특허 등록한 과정, 한약 제제로 만들어가는 과정 등이 소개되어 있습니다.

블로그에 게시된 글을 책으로 옮기는 과정에서 일부 내용이 반복되어 실리게 된 점 읽으시는 분들께 양해를 부탁드립니다.

CONTETNS

Part 1. 접골탕 소개

경비골 골절 치료 사례와 미국 특허 등록된 접골탕을 소개 드립니다

미국 특허청 (USPTO, United States Patent and Trademark Office)로부터 특허 등록 절차를 마쳤다는 등록 통보서 (ISSUE NOTIFICATION)를 받았습니다.

이는 접골탕 2.0 처방이 미국 특허청 심사관들에게 신규성과 진보성을 인정받았다는 의미 있는 결정입니다.

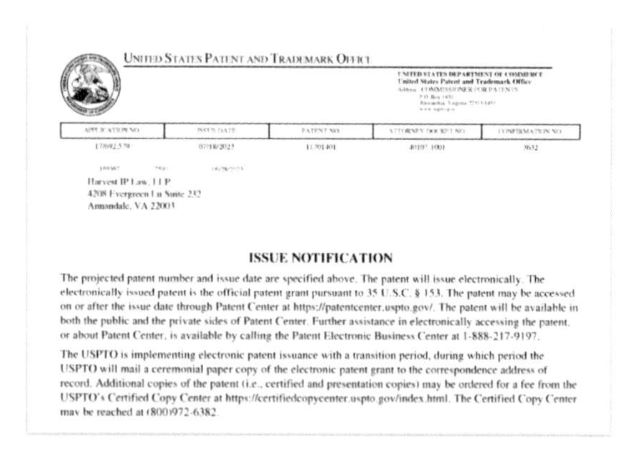

UNITED STATES PATENT AND TRADEMARK OFFICE

UNITED STATES DEPARTMENT OF COMMERCE
United States Patent and Trademark Office
Address: COMMISSIONER FOR PATENTS

APPLICATION NO.	ISSUE DATE	PATENT NO.	ATTORNEY DOCKET NO.	CONFIRMATION NO.
17/692,570	07/18/2023	11,701,401	40197-1001	3632

Harvest IP Law, LLP
4208 Evergreen Ln Suite 232
Annandale, VA 22003

ISSUE NOTIFICATION

The projected patent number and issue date are specified above. The patent will issue electronically. The electronically issued patent is the official patent grant pursuant to 35 U.S.C. § 153. The patent may be accessed on or after the issue date through Patent Center at https://patentcenter.uspto.gov/. The patent will be available in both the public and the private sides of Patent Center. Further assistance in electronically accessing the patent, or about Patent Center, is available by calling the Patent Electronic Business Center at 1-888-217-9197.

The USPTO is implementing electronic patent issuance with a transition period, during which period the USPTO will mail a ceremonial paper copy of the electronic patent grant to the correspondence address of record. Additional copies of the patent (i.e., certified and presentation copies) may be ordered for a fee from the USPTO's Certified Copy Center at https://certifiedcopycenter.uspto.gov/index.html. The Certified Copy Center may be reached at (800)972-6382.

[접골탕 2.0 미국 특허 등록 통지서]

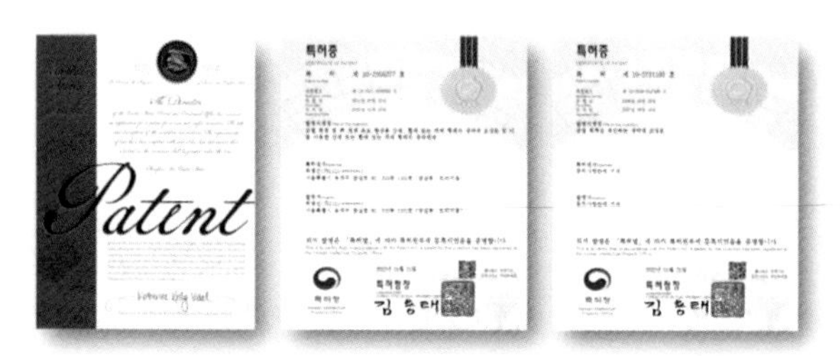

골절 치료 관련 미국 특허 1, 한국 특허 2 등록
- 경희다복한의원 -

이로써 골절 치료 연구를 시작한지 17년 만에 의료인 본고장인 미국에서 특허 등록까지 완료하게 되었습니다.

올해는 집중적으로 골절 치료를 시작한지 17년째가 됩니다. 골절 치료 한약을 처음 학계에 보고한 것은 2007년 전국 한의학 학술대회였습니다.

아래의 포스터를 보시면 2007년 당시 2배 빠른 치료 효과를 보고하였습니다.

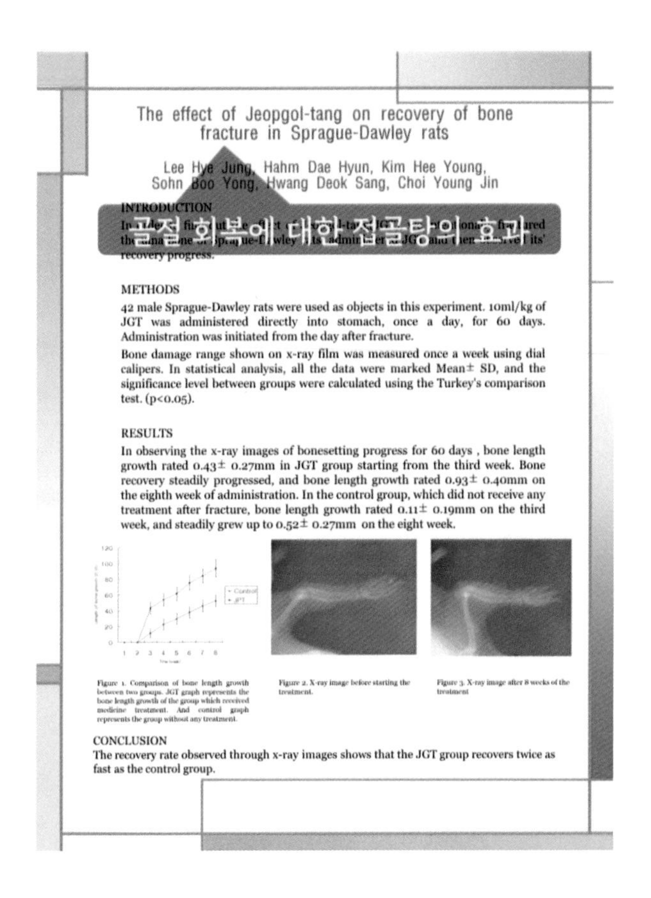

The effect of Jeopgol-tang on recovery of bone fracture in Sprague-Dawley rats

Lee Hye Jung, Hahm Dae Hyun, Kim Hee Young, Sohn Boo Yong, Hwang Deok Sang, Choi Young Jin

INTRODUCTION

In [illegible] fractured the [illegible] Sprague-Dawley [illegible] JGT and then [illegible] its' recovery progress.

METHODS

42 male Sprague-Dawley rats were used as objects in this experiment. 10ml/kg of JGT was administered directly into stomach, once a day, for 60 days. Administration was initiated from the day after fracture.

Bone damage range shown on x-ray film was measured once a week using dial calipers. In statistical analysis, all the data were marked Mean± SD, and the significance level between groups were calculated using the Turkey's comparison test. ($p<0.05$).

RESULTS

In observing the x-ray images of bonesetting progress for 60 days , bone length growth rated 0.43± 0.27mm in JGT group starting from the third week. Bone recovery steadily progressed, and bone length growth rated 0.93± 0.40mm on the eighth week of administration. In the control group, which did not receive any treatment after fracture, bone length growth rated 0.11± 0.19mm on the third week, and steadily grew up to 0.52± 0.27mm on the eight week.

Figure 1. Comparison of bone length growth between two groups. JGT graph represents the bone length growth of the group which received medicine treatment. And control graph represents the group without any treatment.

Figure 2. X-ray image before starting the treatment.

Figure 3. X-ray image after 8 weeks of the treatment

CONCLUSION

The recovery rate observed through x-ray images shows that the JGT group recovers twice as fast as the control group.

이후에도 정부 연구과제 3건, SCI 해외 논문 1건, KCI 논문 1건을 발표했고, 국내 특허 1개를 추가로 등록하였습니다.

2022년부터는 한국 한의학 진흥원의 연구 과제로 선정되어 골절 치료 신약 개발을 위한 R&D 과정도 진행하고 있습니다. 곧 관련 성과가 발표될 예정입니다.

한 의 신 문

접골탕, 한의약산업 선진화 지원사업 연구과제 선정

치료기간 단축 등 효과 확인...골절치료 한약제제의 심도 있는 연구 기대

주혜지 기자 hjoo@akom.org　　등록 2023.06.27 13:02

최영진 경희다복한의원장(**사진**)은 '골절치료한약 접골탕 2.0 처방'이 한국한의약진흥원이 주관하는 한의약산업 선진화 지원사업에 2년 연속 선정돼 최근 연구협약을 체결했다고 밝혔다.

한의약산업 선진화 지원사업은 한의약 관련 기업의 신제품·신기술 개발에 대한 기술 지원을 통해 한의약산업 활성화 유도를 목적으로 매년 한국한의약진흥원이 진행하는 정부 R&D 사업이다.

접골탕 2.0은 지난해 1차년도 과제를 성공적으로 마무리해 높은 평가를 받았고, 올해에도 연속 선정돼 골절치료 한약제제에 대한 보다 심도 있는 연구를 진행하게 됐다는 설명이다.

[한국 한의학 진흥원 신약 개발 연구과제 선정]

이렇게 2006년부터 골절 한약을 연구 개발하고, 계속 계속 업그레이드를 해오다가, 2022년에 2.5배 빠른 치료 효과를 보인 접골탕 2.0을 발표하였습니다.

그리고 그 성과를 미국 특허청에서도 효과를 인정받아 미국 특허 등록에 성공하였습니다. 이는 새로운 2.0 처방의 신규성과 진보성을 미국 특허청이 확인했기 때문입니다.

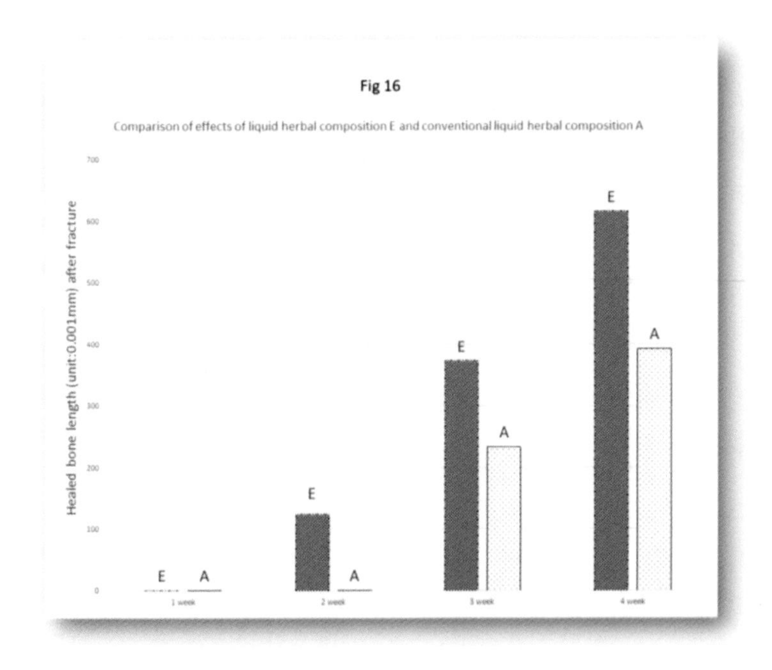

미국 특허청에 보고된 기존 접골탕 vs 접골탕 2.0
4주간 실험하여 57% 개선된 효과 입증

이로써 경희다복한의원에서는 골절 및 체력 관련 한약으로 미국 특허 2개와 한국 특허 4개를 보유하게 되었고, 보다 더 과학적인 치료로 인정받을 수 있게 되었습니다.

골절 치료 중이신 분들은 병원에서 골진이 빨리 나와야 한다는 이야기를 다 들어보셨을 것입니다.

골진이라는 단어 자체가 뼈의 찐한 액체라는 의미이고, 정확한 의학 용어로는 연성 가골 (soft callus)입니다.

골절의 회복 단계는 염증기, 복원기, 재형성기의 순서로 이루어집니다. 골절 직후 염증기에는 신생 혈관이 생성되고 혈종이 만들어집니다.

그리고 복원기가 되면 혈종이 연성가골(골진)로 변하고, 또 가골이 진짜 뼈로 변화하는 과정으로 이어집니다. 따라서 골진이 빨리 나와야 골유합이 빨라지는 것입니다.

접골탕은 골진 생성을 촉진함으로써 골유합이 빨라지도록 하는 효과가 있습니다.

치료사례

중족골 골절과 경비골 골절 치료 사례를 소개 드리겠습니다.

중족골 다발 골절 (지연유합)

30대 초반 여자 환자분이셨습니다. 발등에 있는 중족골 2번 3번 4번이 동시에 골절된 중족골 골절 (다발 골절)로 수술을 받으신 환자였습니다.

22년 7월에 골절되었고, 6개월이 넘게 지났지만 뼈유합이 완전하지 않아 지연유합으로 진단받았고, 불유합의 가능성까지 안내받은 상태였습니다.

재수술은 꼭 피하고 싶었기 때문에 저희 한의원에서 중족골 골절 한약 치료를 시작하였습니다. 8주간 한약을 복용하고 완치되어 핀제거 수술까지 무사히 완료하였습니다.

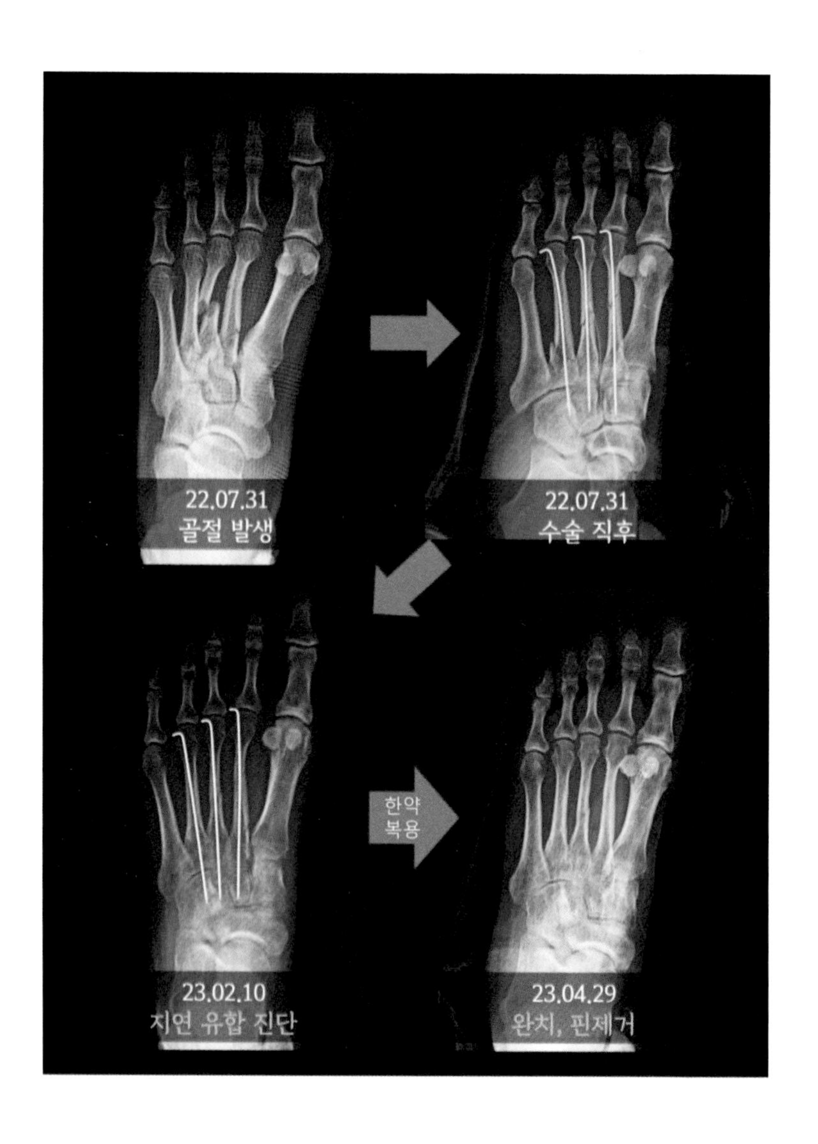
22.07.31
골절 발생
22.07.31
수술 직후
23.02.10
지연 유합 진단
한약
복용
23.04.29
완치, 핀제거

경비골 골절

정강이에 있는 경골과 비골이 동시에 골절되면 경비골 골절이라고 부릅니다.

다리 쪽으로 골절이 되면 보행이 어려워지기 때문에 생활 속에서 불편함이 많은 골절입니다.

이 환자분은 23년 1월 19일에 경비골 골절로 수술을 받으셨고, 수술 직후부터 한약 복용을 시작하였습니다.

연속해서 꾸준히 한약 치료를 계속하셨고, 3개월이 지난 시점부터 목발 없이 보행이 가능해졌습니다.

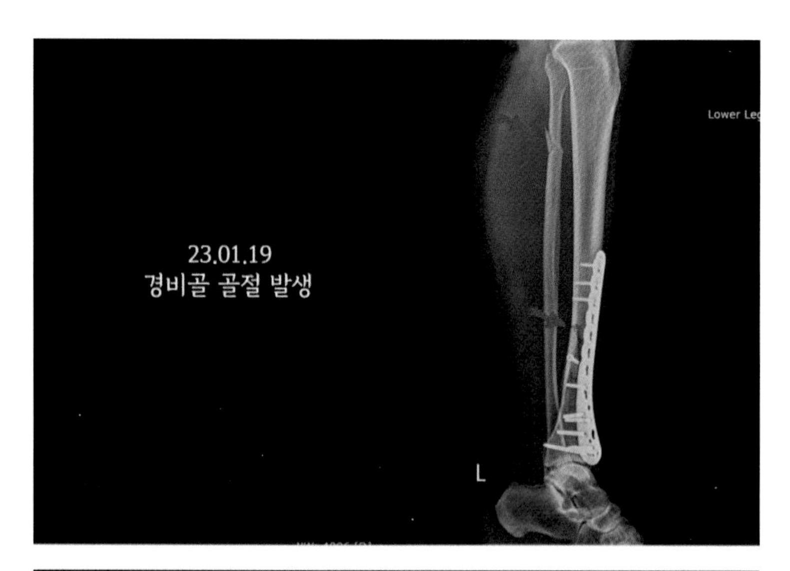
Lower Leg
23.01.19
경비골 골절 발생
L

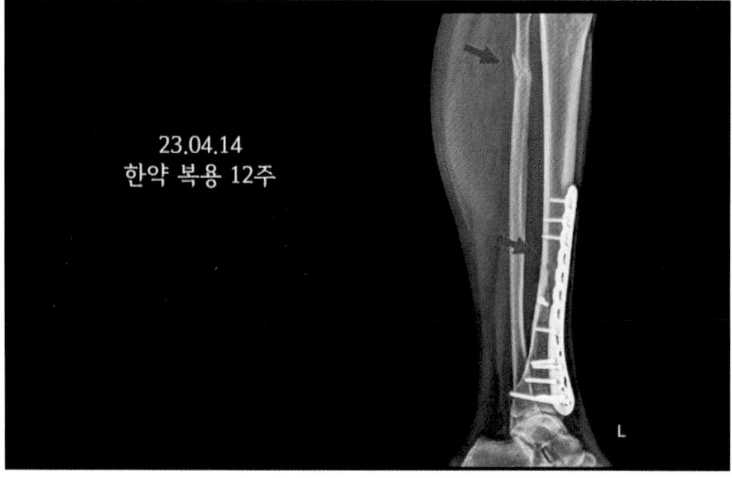
23.04.14
한약 복용 12주
L

저희 한의원을 방문하시는 환자분들 중에는 오늘 말씀드린 경비골 골절 외에도, 갈비뼈 골절이 가장 많고, 다음으로 중족골 골절 환자가 많습니다.

물론 뼈 부위에 상관없이 골절에는 접골탕이 효과가 있습니다.

골절을 치료하는 한의원은 많지만, 저희 경희다복한의원에서는 과학적 연구를 바탕으로 접골탕 2.0을 처방하고 있습니다.

이제부터 미국 특허 등록된 접골탕을 만나보실 수 있습니다.

접골탕 치료 x-ray 경과와 미국 특허 등록 결정

날씨가 따뜻해지면서 야외 레저 활동이 많아지고, 불가피하게 부상을 당하는 분들의 숫자가 늘어나고 있습니다.

부상에는 가벼운 염좌나 타박상도 있지만 골절을 당해서 회복하는데 오랜 시간이 필요한 분들도 있습니다. 접골탕은 골절 회복 기간을 줄여주는 경희다복한의원의 특허 처방입니다.

최근에는 기존 처방을 업그레이드하여 접골탕 2.0 처방이 개발되었습니다. 이는 기존 처방의 2배빠른 효과를 뛰어넘어 2.5배 빠른 효과를 보여주었습니다.

[접골탕 2.0 효과 비교]

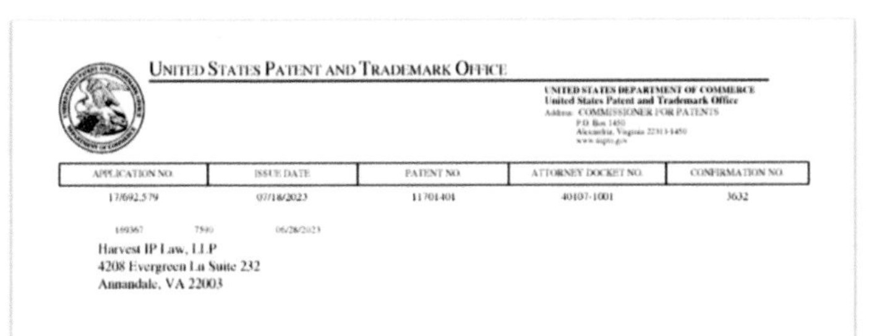

UNITED STATES PATENT AND TRADEMARK OFFICE

UNITED STATES DEPARTMENT OF COMMERCE
United States Patent and Trademark Office
Address: COMMISSIONER FOR PATENTS
P.O. Box 1450
Alexandria, Virginia 22313-1450
www.uspto.gov

APPLICATION NO.	ISSUE DATE	PATENT NO.	ATTORNEY DOCKET NO.	CONFIRMATION NO.
17/692,579	07/18/2023	11701401	40107-1001	3632

169367 7590 06/28/2023

Harvest IP Law, LLP
4208 Evergreen Ln Suite 232
Annandale, VA 22003

ISSUE NOTIFICATION

The projected patent number and issue date are specified above. The patent will issue electronically. The electronically issued patent is the official patent grant pursuant to 35 U.S.C. § 153. The patent may be accessed on or after the issue date through Patent Center at https://patentcenter.uspto.gov/. The patent will be available in both the public and the private sides of Patent Center. Further assistance in electronically accessing the patent, or about Patent Center, is available by calling the Patent Electronic Business Center at 1-888-217-9197.

The USPTO is implementing electronic patent issuance with a transition period, during which period the USPTO will mail a ceremonial paper copy of the electronic patent grant to the correspondence address of record. Additional copies of the patent (i.e., certified and presentation copies) may be ordered for a fee from the USPTO's Certified Copy Center at https://certifiedcopycenter.uspto.gov/index.html. The Certified Copy Center may be reached at (800)972-6382.

- 4주간의 한약 경구 투여 후 무처치 대조군에 비해 2.5배 빠른 효과를 확인했습니다.
- 이는 기존 접골탕의 2배 빠른 효과를 넘어서는 것으로 두번째 특허를 등록하였습니다.
- 한약의 효과는 개인별로 다르게 나타나며, 소화불량 등의 부작용이 있을 수 있습니다.
- 접골탕 2.0 처방은 특허 조성물에 환자의 상태에 따라 한약재를 가감하여 조제하는 맞춤한약입니다.
- 경희다복한의원에서만 처방받으실 수 있습니다.

저는 15년 이상 골절을 집중적으로 치료해왔습니다. 지금까지 골절 한약 복용으로 환자의 상태가 개선된 치료 후기를 x-ray 등 영상자료 위주로 소개해드리겠습니다.

1. 갈비뼈 골절

갈비뼈는 12쌍 24개가 있습니다. 심장, 폐 등 내부 장기를 보호하는 역할을 합니다. 외부 충격 없이도 골프나 테니스 등 운동에서 전거근 부착부의 피로골절도 발생합니다.

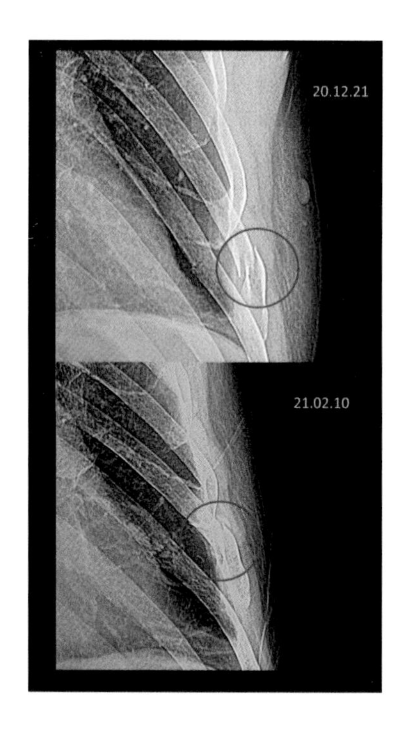

2. 제5중족골 기저부 골절

발목을 삐긋한 것 같은데 발등뼈가 골절되었다는 진단을 받는 경우가 있습니다. 제5중족골 기저부 골절인 경우가 대부분입니다.

이 뼈의 끝단에는 인대가 붙어 있어 뼈를 잡아당기는 힘이 작용합니다. 그래서 골절 후에 더 벌어질 수 있어 초기 4주간 집중적인 관리가 필요합니다.

이 환자분도 출근길에 골절이 발생하였고, 바로 골절 치료 한약을 복용하였습니다. 그리고 어쩔 수 없는 해외 출장으로 4주 후에는 골절면이 더 벌어졌습니다.

다행이도 간격이 3mm이하였기 때문에 수술은 피할 수 있었고, 계속 한약을 복용하여 완치되었습니다.

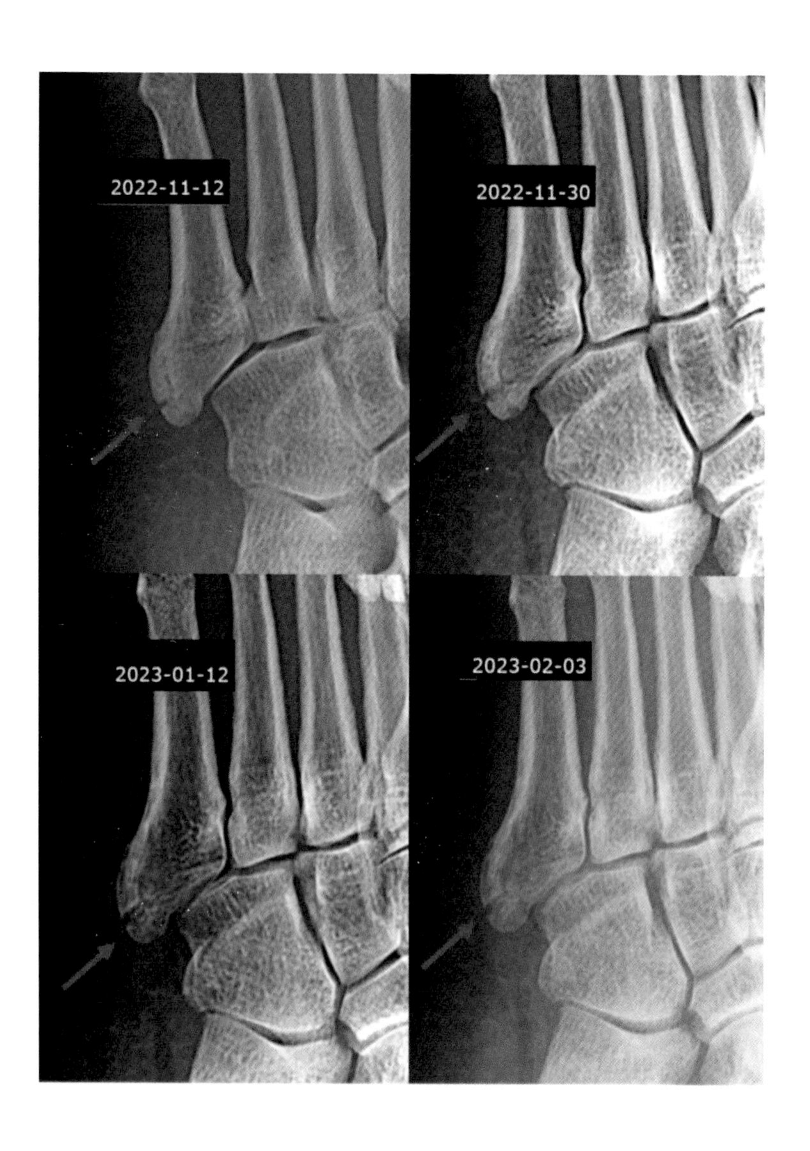
2022-11-12
2022-11-30
2023-01-12
2023-02-03

3. 제5중족골 피로골절

피로골절은 특별한 외상없이 같은 동작이 반복됨으로써로 발생하는 충격이 누적되어 생기는 골절입니다. 운동선수나 행군을 많이하는 군인들에게 많이 발생합니다.

이 환자분은 축구선수였는데, 진단 후 6주가 지났지만 골유합의 징후가 없어 수술을 권유받고 고민 중에 저희 한의원에 내원하셨습니다.

접골탕 복용으로 수술없이 완치되었고, 지금은 열심히 훈련하고 시합에 출전하고 있습니다.

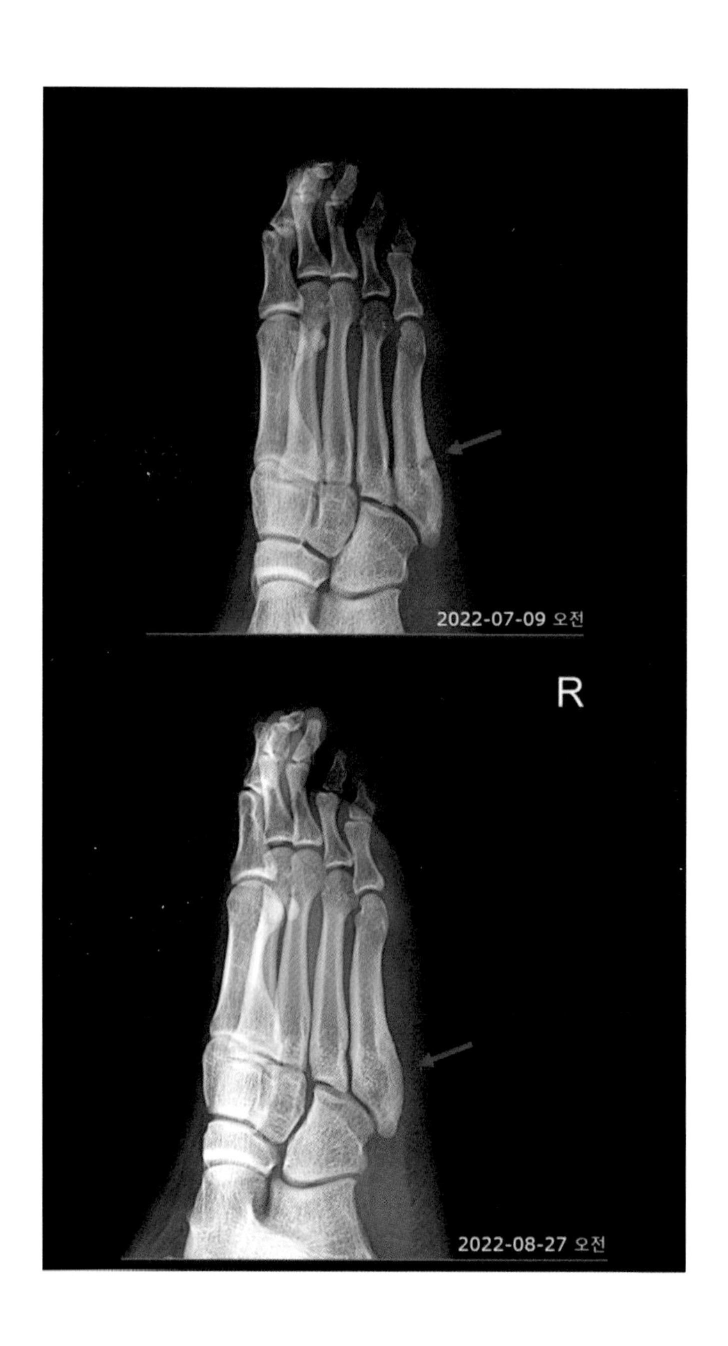
2022-07-09 오전
R
2022-08-27 오전

4. 복숭아뼈 양과 골절

발목에 있는 바깥 복숭아뼈와 안쪽 복숭아뼈가 동시에 골절된 경우 입니다. 발목 불안정성이 커지기 때문에 관절염이 후유증으로 남을 수도 있습니다.

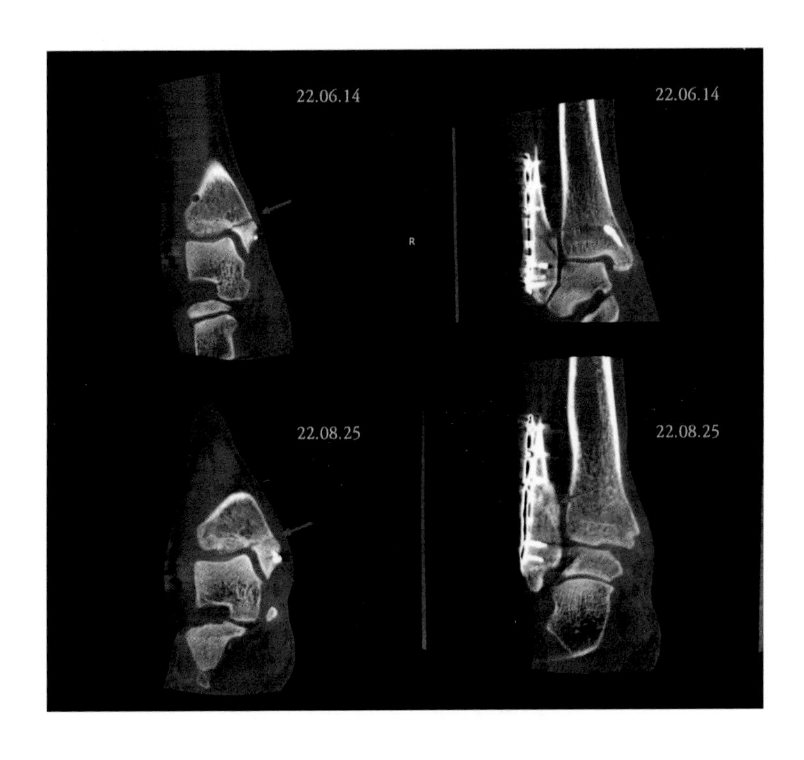

5. 어린이 요골 골절

자녀분이 다치면, 특히 골절이라면, 부모님 마음은 걱정으로 가득합니다. 10세 남자아이가 놀이터에서 그네를 타다가 넘어지면서 요골 골절로 수술을 받았습니다.

아이가 손을 못쓰니 답답함을 많이 느껴 저희 한의원에 내원하셨습니다. 다행이 성장판 손상은 없는 상태였고 한약 복용으로 빨리 완치되었습니다.

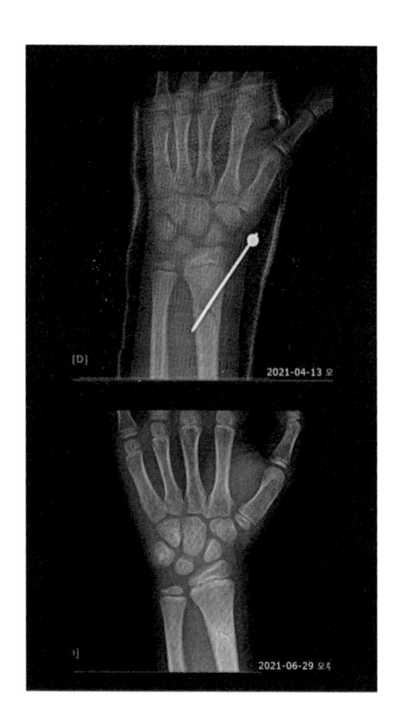

6. 수지 접합술 이후 한약 복용

산업 현장에서 불의의 사고로 손가락이 절단되는 안타까운 일들이 있습니다. 최대한 빨리 접합 수술을 받아야 합니다.

하지만 감염의 가능성이 높고 고에너지 손상으로 개방성 골절이 발생했기 때문에 회복이 늦은 경우가 많습니다. 수지 접합술 이후에도 한약을 복용하시면 빨리 회복됩니다.

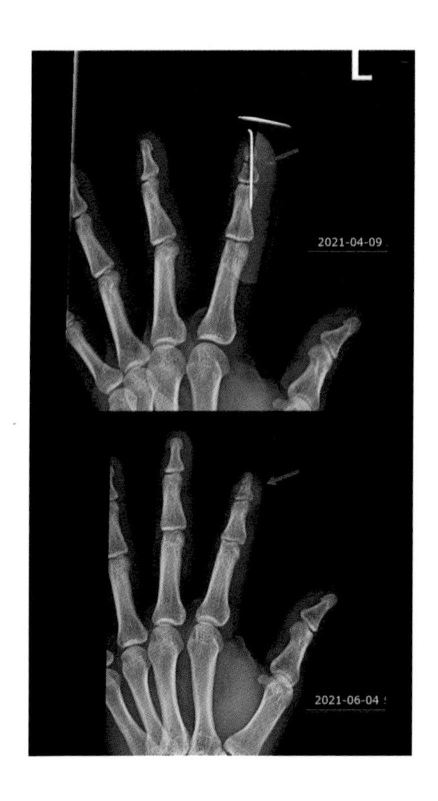

7. 대퇴골 골절

대퇴골은 우리몸에서 가장 큰 뼈로, 상체의 체중을 좌우로 나누어 지댕하는 뼈이고 골다공증을 가지고 있는 어르신분들에게 자주 골절이 발생합니다.

이 환자분은 대퇴골 골절 수술 후 5개월이 지나도록 골유합의 징후가 없었고, 1달만 더 지켜보고 호전이 없으면 재수술을 하자고 권유받은 상태였습니다.

1달동안 가만 있을수만은 없어서 저희 한의원에 내원하셔서 한약 치료를 시작하였고, 1달 후 골진 생성이 확인되어 수술은 안해도 된다는 진단을 받았습니다.

그 이후에도 한약을 계속 복용하여 완치되었고, 핀제거까지 완전하게 끝내셨습니다.

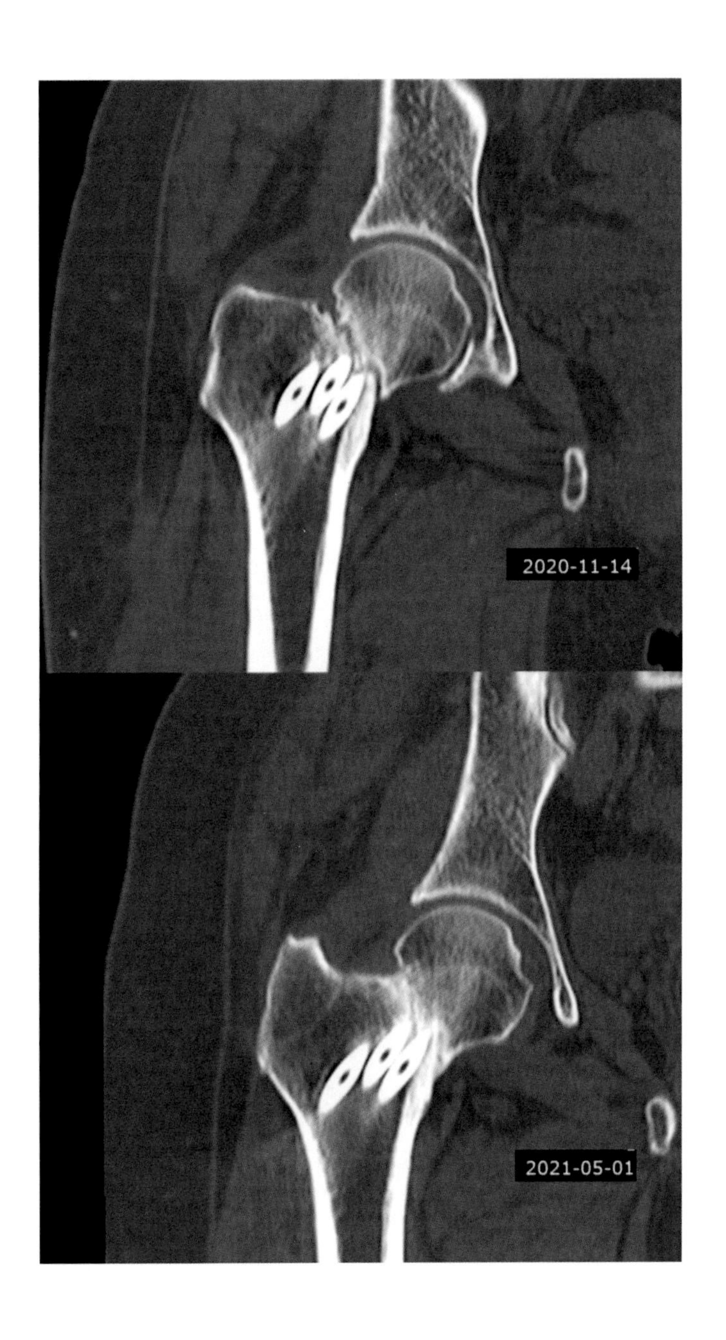
2020-11-14
2021-05-01

8. 쇄골 골절

우리 몸의 뼈중에서 가장 많이 골절이 일어나는 뼈가 쇄골입니다. 쇄골은 수술하지 않으면 불유합의 가능성이 높기 때문에 대부분 수술 후에 저희 한의원으로 오시는 분들이 대부분입니다.

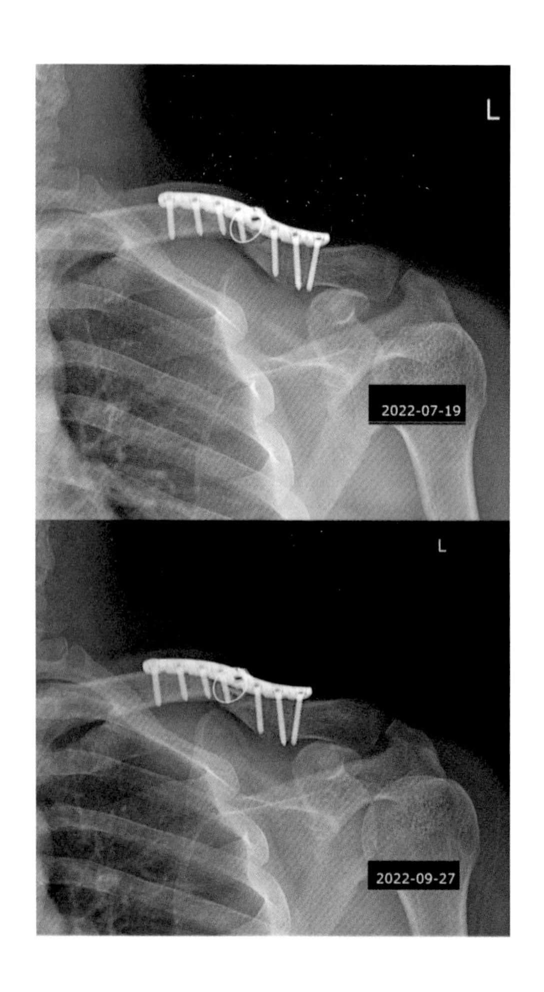

9. 날개뼈 골절

날개뼈 골절은 흔하지는 않지만, 높은 곳에서 낙상을 당할 때 등으로 떨어지게 되면 날개뼈 골절이 생기게 됩니다. 날개뼈는 두께가 2.06mm 밖에 안되는 곳이 있을 정도로 얇은 뼈입니다.

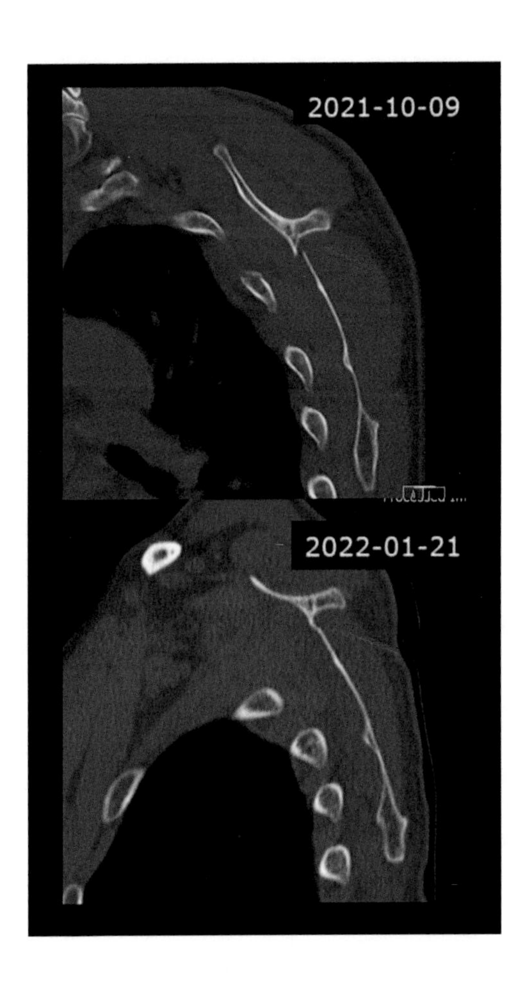

10. 손가락 골절

손가락의 미세골절은 비교적 많은 편입니다. 이 환자는 중학교 2학년이었는데, 성장판까지 손상이 와서 부모님의 걱정이 많았습니다. 지금은 완치되어 잘 생활하고 있습니다.

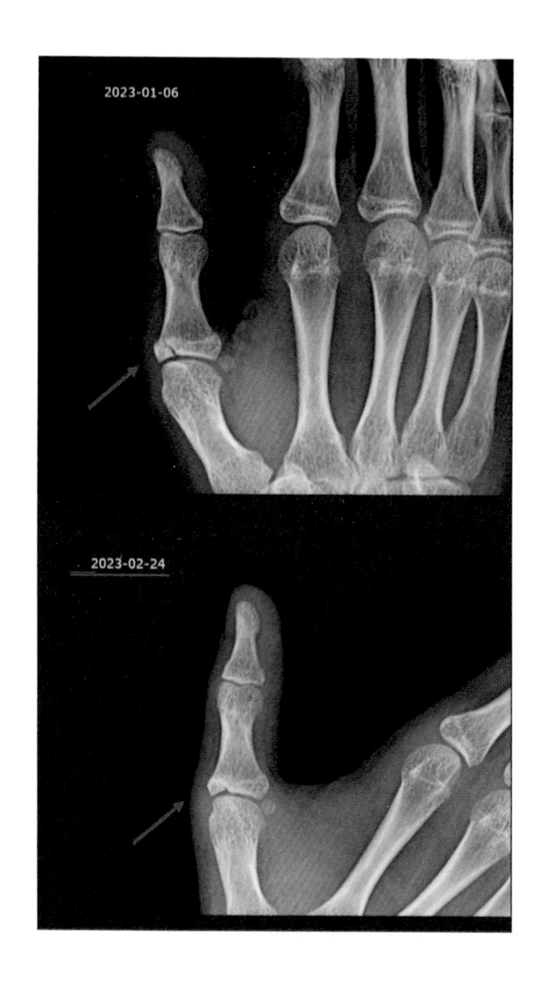

11. 발가락 골절

이 환자분은 새끼발가락 골절이 발생하였는데도 불구하고 쉴 형편이 안되고, 깁스도 할 수 없는 상태로 계속 걸어다니면서 일을 하셔야 하는 상황이셨습니다.

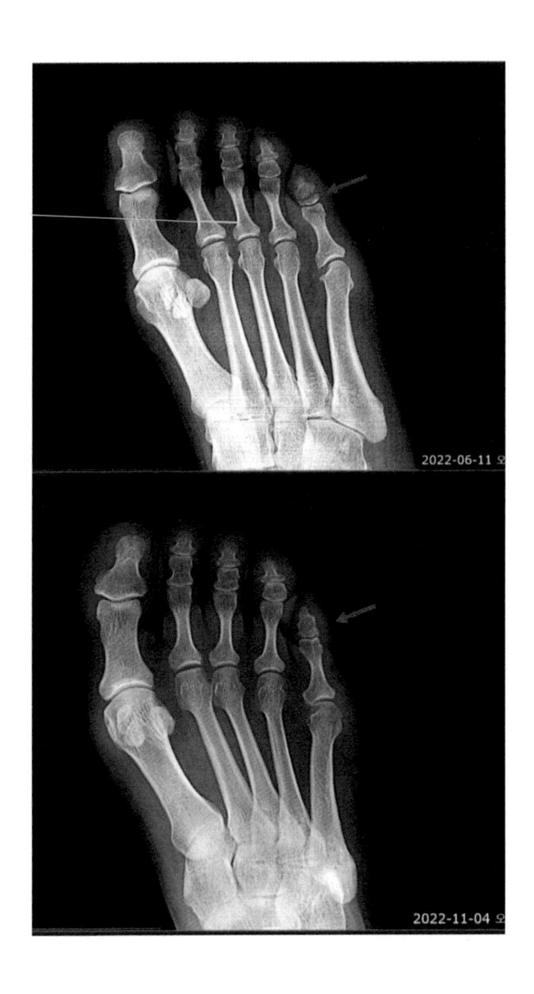

골절 후 5주 가량 지났지만 더 골절면이 더 벌어져서 수술을 권유받았는데, 개인 사정상 계속 일을 하셔야만 했습니다.

여러가지 방법을 검색해 보시다가 한약 복용을 결심하고 저희 한의원에 내원하였습니다. 한약을 계속 복용하시고 완치되어 수술을 피할 수 있었습니다.

우리나라 골절 환자는 1년에 243만명 가량이 발생하는데 평균적으로 하루에 6700명 정도입니다. 5000만명 인구로 생각해 보면 20명 당 1명이 1년에 한번씩 골절로 병원을 찾는 샘입니다.

지금 이 글을 보시는 분들도 아마 골절 환자이시거나 보호자일 것입니다.

저는 2006년 전국 한의학 학술대회에서 골절 한약 치료의 과학적 근거를 발표한 이후 꾸준히 연구해 왔습니다.

골절 치료 관련 국내 특허 2개를 등록하였고, 미국 특허청에서도 특허 등록 허가서를 발부 받았습니다. 이제 최종 등록을 위한 행정적 절차만을 남겨두고 있습니다.

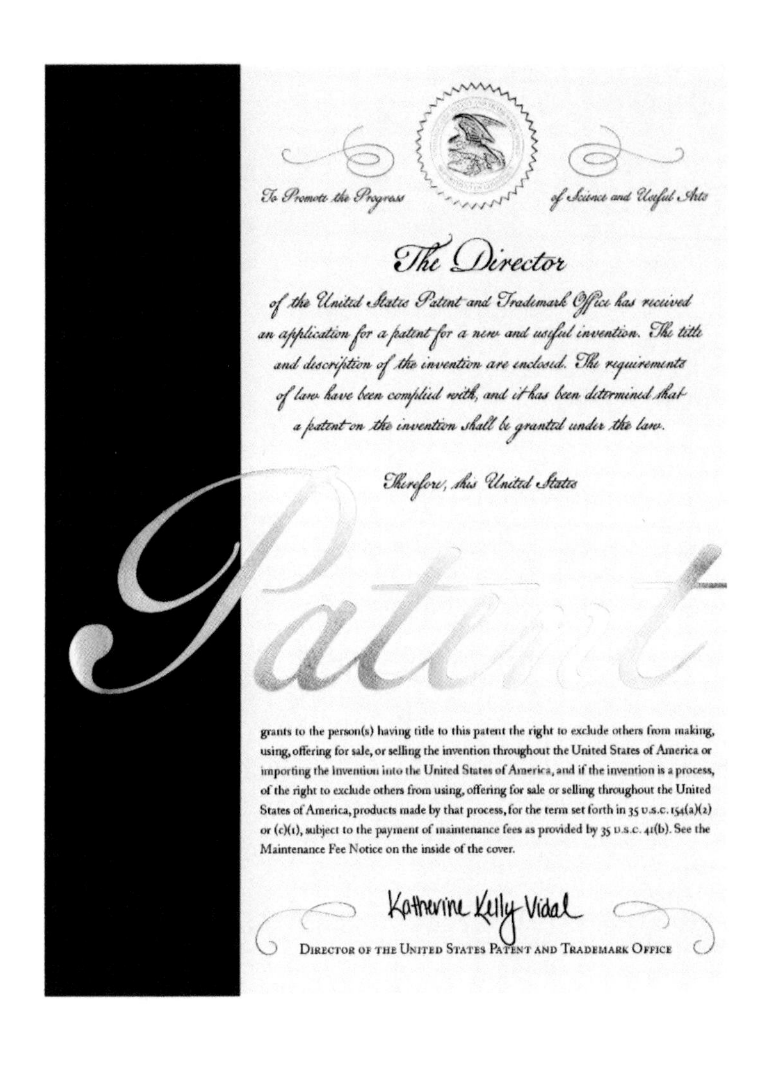
To Promote the Progress of Science and Useful Arts

The Director

of the United States Patent and Trademark Office has received an application for a patent for a new and useful invention. The title and description of the invention are enclosed. The requirements of law have been complied with, and it has been determined that a patent on the invention shall be granted under the law.

Therefore, this United States

Patent

grants to the person(s) having title to this patent the right to exclude others from making, using, offering for sale, or selling the invention throughout the United States of America or importing the invention into the United States of America, and if the invention is a process, of the right to exclude others from using, offering for sale or selling throughout the United States of America, products made by that process, for the term set forth in 35 U.S.C. 154(a)(2) or (c)(1), subject to the payment of maintenance fees as provided by 35 U.S.C. 41(b). See the Maintenance Fee Notice on the inside of the cover.

Katherine Kelly Vidal

Director of the United States Patent and Trademark Office

이에 더해 성공적인 치료 성과를 해외 SCI 저널 및 국내 KCI 논문으로 발표할 만큼 풍부한 임상 경험을 가지고 있습니다.

접골탕 지연유합 치료 논문이 SCI 국제학술지에 발표되었습니다!

오늘은 제가 정말 오랫동안 기다렸던 반가운 소식을 전하고자 합니다.

그간의 경희다복한의원의 접골탕 치료성과를 〈경희대학교 한의과대학 이향숙 교수팀〉과 공동으로 분석하여 세계적권위를 가진 국제학술지 (SCI) Explore: The Journal of Science & Healing에 2022년 3월에 발표가 되었습니다.

이번 연구는 〈"Individualized herbal prescriptions for delayed union : A case series": 개인맞춤 접골탕으로 골절 지연유합을 치료한 임상증례 시리즈〉로, 지연유합 환자들에 대한 접골탕 투여가 효과가 있음을 인정받았습니다.

Explore 000 (2022) 1–7

Contents lists available at ScienceDirect

Explore

journal homepage: www.elsevier.com/locate/jsch

Case Report

Individualized herbal prescriptions for delayed union: A case series

Jiyoon Won[a,1], Youngjin Choi[b,1], Lyang Sook Yoon[c], Jun-Hwan Lee[d,e], Keunsun Choi[f], Hyangsook Lee[a,*]

[a] Department of Science in Korean Medicine, College of Korean Medicine, Graduate School, Kyung Hee University, 26 Kyung Hee Dae-ro, Dongdaemun-gu, Seoul, South Korea
[b] Kyunghee Dabok Korean Medicine Clinic, Seoul, South Korea
[c] Department of Korean Medicine, School of Korean Medicine, Pusan National University, Yangsan, South Korea
[d] KM Science Research Division, Korea Institute of Oriental Medicine, Daejeon, South Korea
[e] Korean Convergence Medical Science, KIOM School, University of Science and Technology (UST), Daejeon, South Korea
[f] CNS Orthopedic Clinic, Seoul, South Korea

개인 맞춤 접골탕 한약으로 골절 지연유합을 치료한 임상 증례 시리즈

경희다복한의원 최영진 (제 1 저자)

ARTICLE INFO

Keywords:
Herbal medicine
Fracture
Delayed union
Case series

ABSTRACT

... patients and professionals. Active treatment ... surgery is common but not entirely risk-free. This ... treated with herbal decoction.
Participants Three patients had trapezoid and 3rd metacarpal bone fractures, 2nd, and 5th metatarsal bone fractures ... patients were diagnosed with delayed union by an independent orthopedic surgeon ... tomography (CT) scan/radiographic imaging and fracture duration without a healing process. ... herbal decoction, Jeopgol-tang, with individually added herbs based on symptom manifestations, twice daily for 56, 85 and 91 days with no additional interventions except for a splint that they had been wearing since fracture diagnosis.
Outcomes Improvement of delayed union was evaluated using radiographic imaging or CT during treatment with Jeopgol-tang.
Results After taking herbal medicine, callus and bony bridging were confirmed on follow-up imagings and the patients described their experience with pain reduction at an interview after recovery.
... investigation to ...

Introduction

Fracture healing can be delayed or fail in some cases. As bone union period varies according to the site and type of fracture, there is no consensus on definition of a fracture nonunion or delayed union.[1–4] Nevertheless, nonunion is typically defined as a fracture that continues for a minimum of 9 months without signs of healing for three months and delayed union as no radiological evidence of healing after approximately three months.[5–8]

While estimates vary according to the anatomical regions, nonunion occurs in about 5 to 10% of all fractures under the usual treatment,[9] and over 100,000 fracture cases are identified as nonunion each year in the US.[10] Non-invasive treatments, such as plaster cast, nutrition, medication change, smoking cessation, and external stimulation methods, e.g., ultrasound or pulsed electromagnetic fields, are considered first if a delayed union is suspected.[1,2] Operative methods such as plate and screw fixation, intramedullary nailing, external fixation, and bone graft are typically applied to nonunion cases.[3,11–16]

However, operative treatments come with a risk of complications such as infection, neurovascular injury, or implant-related problems requiring an additional surgery.[1,11] Therefore, patients often seek non-operative treatment approaches, which may be actively used at the delayed union stage to prevent development to nonunion which necessitates surgery. Because conventional medical treatment methods that could be applied at delayed union are rather limited, including plaster casts, extracorporeal shock wave therapy, and non-steroidal anti-inflammatory drugs (NSAIDs), patients with delayed union may then consider complementary and integrative medicine/

Abbreviations: AE, adverse event; CARE, consensus-based clinical case reporting; CIM, complementary and integrative medicine; CT, computed tomography; NRS, numeric rating scale; NSAIDs, non-steroidal anti-inflammatory drugs; QoL, quality of life; TEAM, traditional East-Asian Medicine; VAS, visual analogue scale

* Corresponding author.
E-mail addresses: (J. Won), (Y. Choi), (L.S. Yoon), (J.-H. Lee), (K. Choi), (H. Lee).

[1] These authors contributed equally to this work.

https://doi.org/10.1016/j.explore.2022.03.001

Explore: The Journal of Science & Healing
Available online 8 March 2022 (SCI, IF 1.775)

발표한 저널은 Explore: The Journal of Science & Healing (SCI, IF 1.775)입니다. 2022년 3월 온라인판에서 찾아보실 수 있습니다.

발표된 증례들은 골절 발생 후 3개월이 지나도록 회복 징후가 없는 상태에서, 한약복용으로 재수술 없이 완치가 된 사례들입니다.

이번 국제학술지(SCI) 논문게재는 2007년부터 시작된 골절치료 연구성과를 해외에서도 인정받은 큰 연구성과입니다.

골절치료를 위해 경희다복한의원을 찾아주시는 환자분들이, 보다 신뢰하고 복용하실 수 있는 연구결과를 공유할 수 있어 참 기쁘네요.

대한민국에서 처음으로 골절치료사례로 해외저널에 논문을 기재한 한의사가 되었습니다.

SCI 급 논문의 상징성?

일반인 환자분들이 SCI 급 논문이 뭔지 많이 물어보십니다.

신문 또는 뉴스를 통해서 국내외 연구진들의 연구결과가 SCI 저널에 논문을 게재되었다는 소식을 들어본 적이 있을 겁니다.

보통 논문을 발표하면 저널에 게재를 하게 되는데, 전세계에는 수많은 다양한 수준의 저널이 존재합니다.

그 많은 저널 중에서 SCI 저널은 특별히 엄격한 기준을 통과한, 수준이 높은 과학저널들의 목록이라고 할 수 있습니다.

뛰어난 저널 중에서도 우수한 저널을 선택해 놓은 것이기 때문에 굉장한 상징성을 갖고 있습니다.

모든 논문을 쓰는 사람들의 최고의 목표인 만큼 저에게도 큰 의미가 있습니다.

앞으로도 많은 골절치료에 대한 임상사례를 바탕으로 SCI 저널에 계속 도전해보려고 합니다.

연구를 처음 시작할때는 잘 몰랐습니다.

뼈가 부러지면 당연히 '시간이 지나기를 기다리면 된다'고 생각하였는데.........아니더라고요.

뼈가 오랫동안 붙지 않아 고통을 겪는 환자분들을 많이 보았고, 오랜 회복기간 동안 합병증으로 인해 더 심각한 상황으로 가는 환자들을 많이 봐 왔기에 더 좋은 치료제를 위해 좀 더 심도있는 연구를 하게 되었습니다.

지난 15년간의 골절치료 데이터가 쌓여 최근에는 좀 더 많은 연구성과를 낼 수 있었습니다.

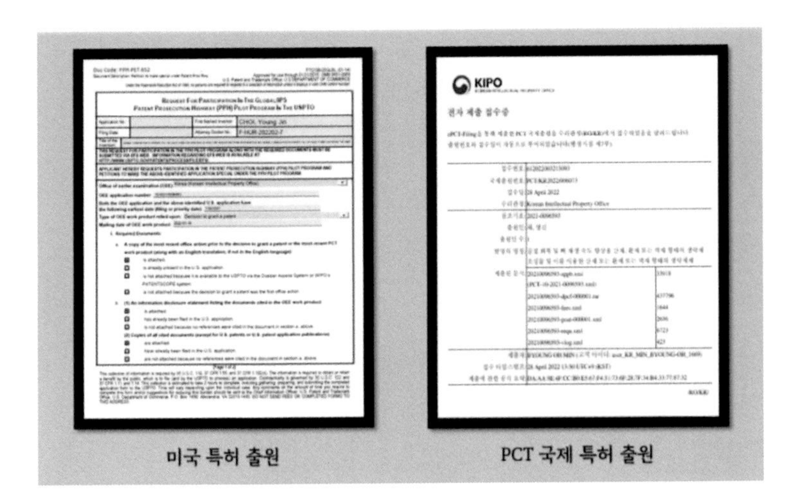

미국 특허 출원 PCT 국제 특허 출원

지연 유합이란?

골절 유합이 늦어지는 이유는 여러가지가 있습니다.

당뇨나 골다공증 등 기저질환이 있는 경우, 골절 당시 충격이 커서 분쇄골절로 뼈조각이 손실된 경우, 환자가 고령인 경우가 대표적입니다.

통상적으로는 3개월 가량이 지났는데 회복이 안되거나 호전의 기미가 없으면 지연유합으로 진단합니다.

더 나아가 골절 후 6개월이 지난 상태에서 더이상 호전되지 않고 3개월이 더 지나면 (골절 후 9개월) 불유합으로 진단하고, 재수술을 고려해야 합니다.

제 3 중수골 CT Image

(3rd metacarpal base Fracture)

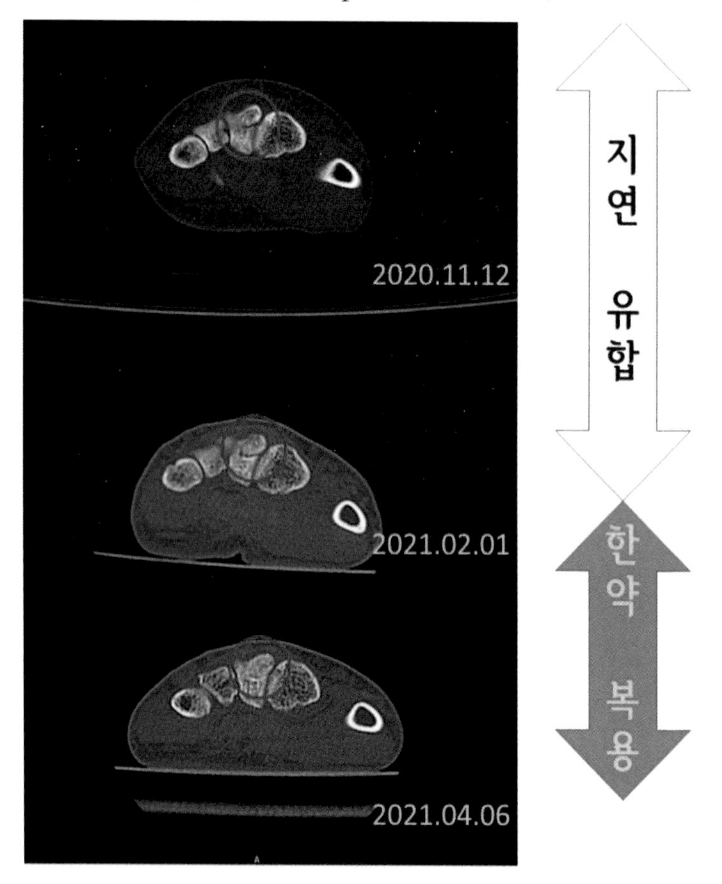

이렇게 장기간 뼈가 붙지않는 불유합 환자는 전체 골절환자의 5~10% 입니다.

따라서 불유합 진단을 받기전 지연유합 상태라면 빠른 회복을 위한 적극적인 치료를 모색해야 합니다.

골절 환자를 치료할 때 지연유합 환자의 약 18%정도는 불유합으로 이어지기 때문에,

한약 치료를 통해서 불유합으로 악화되는 것을 막아 재수술 없이 완치된 사례들이 심사를 거쳐 의학적 의미를 인정받으면서 SCI 저널에 논문으로 발표되었습니다.

앞으로도 끊임없는 연구를 계속하여 과학적 근거를 갖춘 치료로 환자분들과 함께 하겠습니다.

〈뼛속까지 뼈만 생각〉하는 경희다복한의원이 되겠습니다.

접골탕 57% 효과 개선으로 새 특허 등록하였습니다

경희다복한의원에서는 2007년 처음으로 골절치료 회복한약을 연구하여 2배 빠른 회복속도를 증명하고 특허 등록(제10-0731160)을 마친 바 있습니다.

하지만, 여기서 멈추지 않고 더 좋은 처방을 통해 치료효과를 극대화하기 위해서 지속적으로 연구해왔습니다.

그 결과, 2022년에 개선된 효과를 인정받아 골절치료 관련한 두번째 특허 (제 10-2355277) 를 등록했습니다.

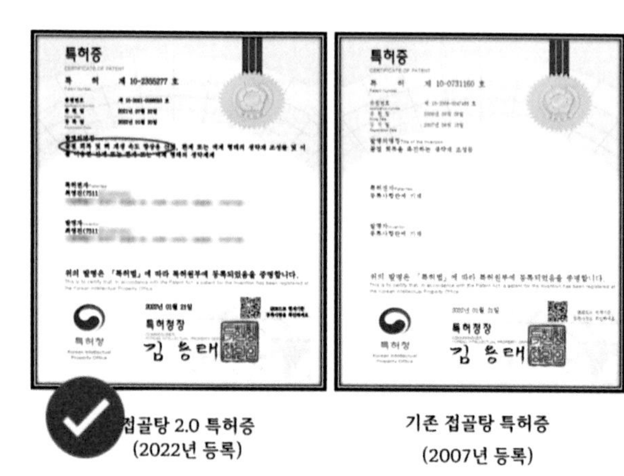

특허증

특 허 제 10-2355277 호

특허청장 김용래

특허증

특 허 제 10-0731160 호

특허청장 김용래

접골탕 2.0 특허증
(2022년 등록)

기존 접골탕 특허증
(2007년 등록)

'접골탕' 이름의 유래 (2007년~)

제가 골절치료한약 처방을 처음으로 발명한 2007년도에 뼈(骨)를 잘 붙이는(接) 한약(湯) 이라는 의미를 부여하여 '접골탕'이라는 고유한 이름을 지었습니다.

가끔 쌍화탕이나 보중익기탕처럼 몇백 년 전부터 쓰인 '일반명사'가 된 처방으로 알고 계시는 환자분들이 계셔서 제가 "그때 이름을 참 잘 지었구나" 하고 생각할 때가 있습니다. :)

오늘은 2007년에 개발된 기존 처방과 업그레이드된 처방의 효과 비교 실험 결과를 말씀드리겠습니다.

무턱대고 좋다고 말하고 싶지 않았습니다.

그러기엔 지금은 인터넷 등에 이미 많은 정보가 세상에 알려져 있고, 확실한 근거 없이 환자분에게 약을 처방하는것은 옳지 않습니다.

그래서 제가 선택한 방법은 임상경험 뿐만아니라 '과학적인 실험으로 골절치료효과를 증명하자' 입니다.

그냥 뼈에 좋다는 약재를 적당히 배합해서 처방하는 것이 아니라, 여러가지 실험을 통해서 그 효과를 철저히 비교 연구하고 그 기술력을 인정받는 것이 특허권을 등록하는 방법이었습니다.

저의 첫번째 과학적 검증은 2007년 특허 등록이었고, 두번째 검증은 얼마전 2022년 1월 기존처방보다 57% 효과가 개선된 처방으로 골절치료한약에 대한 2번째 특허를 등록이었습니다.

특허권을 등록하기 위해 가장 중요한 요건 : 진보성

이번에 가장 중점적으로 집중했던 부분이 〈진보성〉 부분이었습니다.

특허법

[시행 2021. 11. 18.] [법률 제18409호, 2021. 8. 17., 일부개정]

특허청 (특허심사제도과) 042-481-5397
특허청 (특허심사기획과) 042-481-5395

제29조(특허요건) ① 산업상 이용할 수 있는 발명으로서 다음 각 호의 어느 하나에 해당하는 것을 제외하고는 그 발명에 대하여 특허를 받을 수 있다.

1. 특허출원 전에 국내 또는 국외에서 공지(公知)되었거나 공연(公然)히 실시된 발명
2. 특허출원 전에 국내 또는 국외에서 반포된 간행물에 게재되었거나 전기통신회선을 통하여 공중(公衆)이 이용할 수 있는 발명

② 특허출원 전에 그 발명이 속하는 기술분야에서 통상의 지식을 가진 사람이 제1항 각 호의 어느 하나에 해당하는 발명에 의하여 쉽게 발명할 수 있으면 그 발명에 대해서는 제1항에도 불구하고 특허를 받을 수 없다.

〈특허법 29조 2항〉에 따르면,

그 발명이 속하는 기술 분야에서 통상의 지식을 가진 사람들이 둘 이상의 이미 공개된 기술을 상호 조합하여 발명한 쉬운 기술적 진보만으로는 특허를 받을 수 없습니다.

새로운 기술이 아니면 특허권을 주어 보호할 필요가 없기 때문에 상당한 기술적 진보성이 필요하다는 것입니다.

따라서 기존의 처방들을 단순히 결합하는 방법이나 비슷한 효능으로는 등록요건이 되지 않고 현저한 효능의 개선이 있어야 합니다.

* 특허는 출원은 쉽게 하지만 등록은 어렵습니다.

저도 지금까지 10건 넘게 특허를 출원하였지만, 등록은 이번이 6번째인 이유는 그만큼 진보성을 입증하는 것이 어렵기 때문입니다.

이번에 첫 번째 특허를 받을 때보다도 더 오래, 그리고 더 많은 연구를 했던 이유였습니다.

현저한 효능 개선에 대한 과학적 검증

뼈에 좋은 한약재들은 간단한 검색만으로도 골쇄보, 속단, 당귀, 인삼 등을 찾아볼 수 있지만, 한의학 고전을 살펴보면 다양한 종류의 약재들이 있습니다.

이러한 문헌 자료와 현대적 연구 논문을 참고해서 여러 가지 처방을 만들고, 효과를 비교하는 실험을 시작하였습니다.

동의보감에 수록된 골절 치료법

진교의 파골세포 분화 및 골 흡수 유전자 억제기전 연구
양규진, 김재현, 김민선, 류광현, 문진호, 이혜인, 정혁상, 손영주 KOREAN JOURNAL OF ACUPUNCTURE 제 37권 제 2호 2020-06-27

갈화(葛花)와 진피(陳皮) 추출물로 이루어진 복합물의 에스트로겐 활성과 파골세포 분화억제효과
조호성, 이보영, 이원경, 이준호, 박동춘, 최창일, 진무현, 노석선, 주영승 大韓本草學會誌 제 35권 제 3호 2020

연교의 파골세포 분화 및 골 흡수 억제 기전 연구
염지환, 김재현, 김민선, 김상우, 신화정, 정혁상, 손영주 KOREAN JOURNAL OF ACUPUNCTURE 제 36권 제 2호 2019-06-27

호두복합추출물이 골수유래대식세포의 파골세포 분화에 미치는 효과
공해진, 강재희, 유화연, 이현 동의생리병리학회지 제 33권 제 3호 2019-06-25

녹제초 추출물이 파골세포 분화 및 골 흡수에 미치는 영향
박정식, 임형호 한방재활의학과학회지 제 29권 제 2호 2019-04-30

한수대보원이 포유동물인 생쥐 모델에서 골 손실 및 RANKL 유도 파골세포 분화에 미치는 영향
장시성, 류홍선, 전찬용, 황귀서 대한한방내과학회지 제 40권 제 1호 2019-03-30

MC3T3-E1 조골세포주와 RAW 264.7 파골세포주에서 길경을 함유한 한약재 추출물의 항골다공증 효과
정재인, 이현숙, 김형준, 김용민, 김수현, 유동진, 김은지 大韓韓方婦人科學會誌 제 31권 제 4호 2018

혈부축어탕이 파골세포 분화 및 골흡수에 미치는 영향
장새별, 유동열, 유정은 大韓韓方婦人科學會誌 제 30권 제 4호 2017

파골세포 활성 억제에 관한 현대 한약 연구

검증 방법은 수술로 골절을 유발하고 각각 한약을 투여하면서, 매주 x-ray로 뼈 간격을 측정하여 회복되는 속도를 비교해 보는 것입니다.

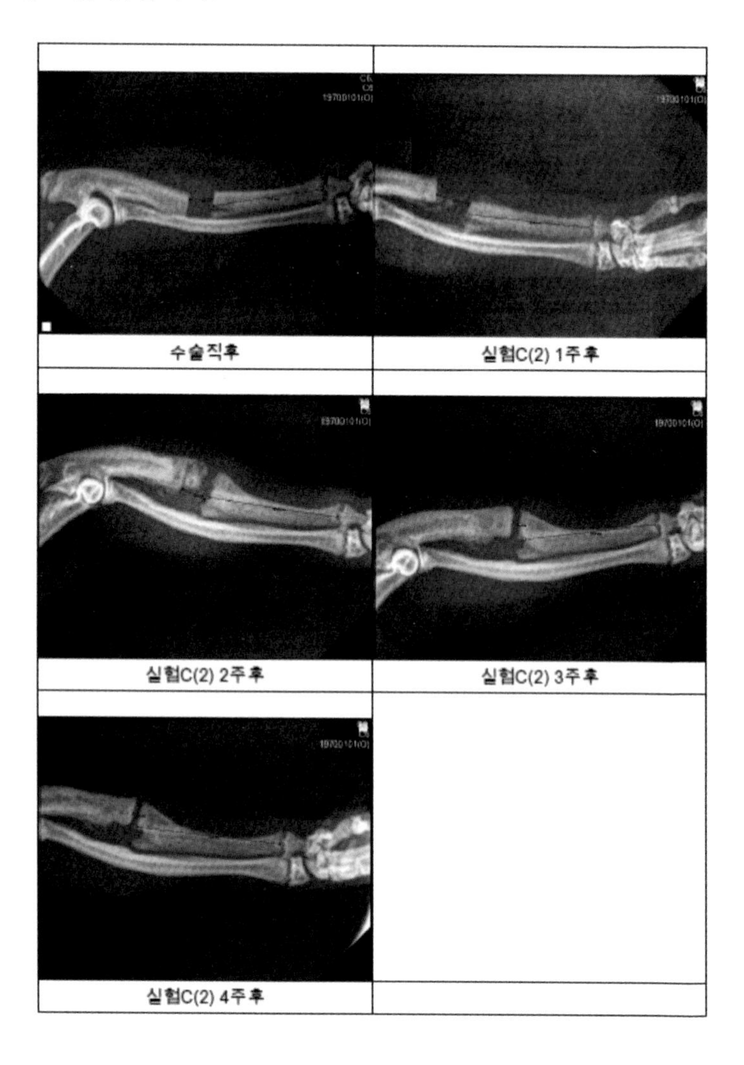
수술직후
실험C(2) 1주후
실험C(2) 2주후
실험C(2) 3주후
실험C(2) 4주후

4주 동안 무처치군, 기존 처방군, 새로운 처방 복용군으로 총 6가지 실험군으로 연구가 진행되었습니다.

그 결과를 그래프로 나타내었습니다.

접골탕 2.0처방을 구성하기 위한 처방 효과 비교

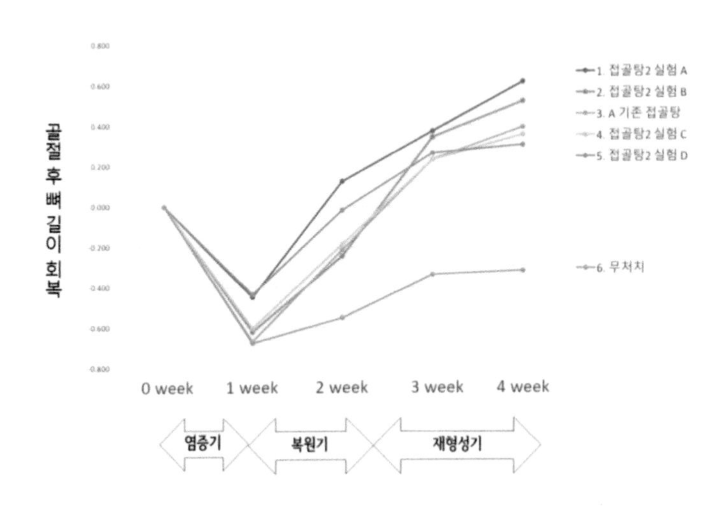

- 모두 5가지 처방으로 비교 실험 실시
- 후보 처방 모두가 무처치에 비해 우수한 효과
- 1번 처방과 2번 처방은 기존 접골탕에 비해 더 우수한 효과
- 가장 효과 좋은 1번 처방을 접골탕 2.0으로 선정

- 2007년 접골탕1 특허 등록 이후 2022년 접골탕2.0 기능 개선 특허 등록
- 기존 접골탕 특허 등록 번호 : 제 10-0731160 호
- 접골탕 2.0 특허 출원 번호 : 제 10-2355277 호

골절을 유발하고 처음 1주일은 골절 상태가 악화되는 것이 자연스러운 과정입니다. 이때를 염증기라고 합니다. 파골세포의 활동이 많아지고 염증이 발생하기 때문입니다.

접골탕 2.0 의 탄생 (2022년)

기존 골절치료한약을 처방한 실험군과 무처치군은 초기 악화가 많이 진행되었지만, 새로운 처방 중 1번과 5번 실험군은 초기 악화를 많이 완화시켰습니다.

이는 지금까지 연구한 파골세포 활성 억제 효과가 있는 한약재를 추가하고 증량했기 때문입니다.

그리고 4주가 지난 시점에서 비교해 보면 한약을 투여한 모든 실험군에서 무처치군에 비해 유의한 효과가 있었고, 2가지 처방은 기존 처방에 비해 우수한 효과를 보였습니다.

특히, 1번 처방 실험군은 4주 후에도 기존 골절치료한약 처방에 비해 더 좋은 효과를 보였습니다.

4주간의 실험이 끝나고 가장 효과가 좋은 〈1번 처방〉을 업그레이드할 수 있었습니다.

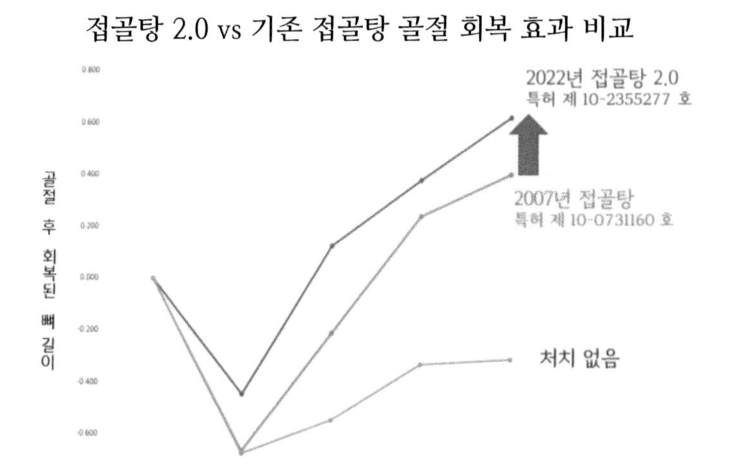

실험 결과, 2022년 개발된 접골탕 2.0은 골절 초기 악화를 막아주고, 4주 후 회복 속도도 기존 접골탕에 비해서 57% 빨랐습니다.

새 처방 vs 기존 처방 : 57% 효능 개선 효과

두 처방만을 비교해 보니 57%의 골절 회복 효과 개선이 있었고, 이러한 효과로 골절 회복 효과로 2번째 특허를 등록하였습니다.

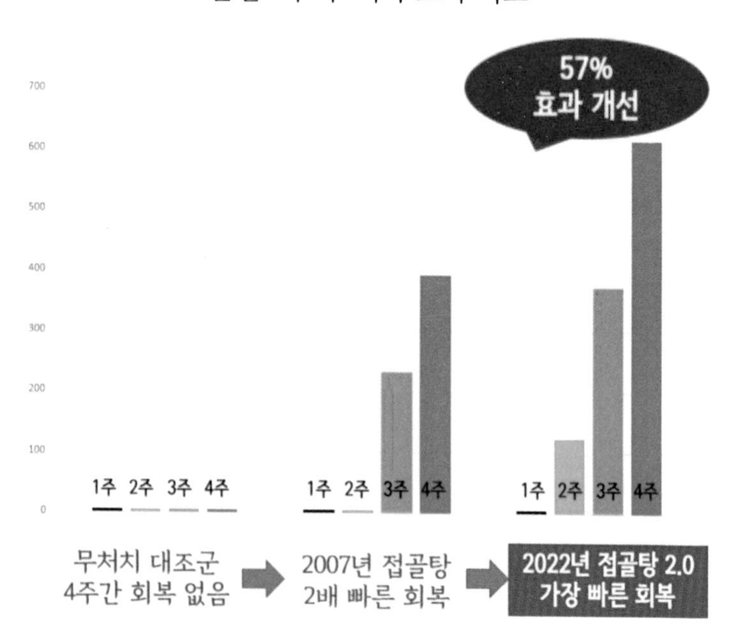

2007년에 처음 만들어진 접골탕이 15년간의 연구로 57% 효과가 개선이 되었습니다.

이번 특허 등록으로 골절치료한약에 대한 과학적 검증에 대한 신뢰를 높이는 계기가 되었습니다.

골절치료를 하면 할수록, 골절사고로 인해 큰 고통을 받는 환자분들이 생각했던 것보다 훨씬 많다는 것을 알게 되었습니다. 이 처방으로 환자분들이 더 빨리 생활 현장에 복귀할 수 있도록 도와드릴 수 있게 되어 너무 감격스럽습니다.

사실 개인병원을 운영하면서 연구까지 병행하는 것이 쉽지만은 않았습니다.

그렇지만, 보다 신뢰할수있는 연구결과를 통해 환자분들이 더 빨리 생활현장에 복귀할 수 있도록 도와드리고 싶었는데 그 결실을 맺게 되어 너무 감격스럽네요.

과학적 검증을 통한 처방으로 환자분들이 더욱 신뢰하고 한약을 복용할수 있도록 앞으로도 노력하겠습니다.

57% 효과 개선된 접골탕 2.0은
경희다복한의원에서만
처방받으실 수 있습니다.

빠른 골절 회복을 위한

접골탕 선택 확인사항

	경희다복 한의원
1. 다양한 골절 회복 사례를 공개하고 있는가?	✓ yes
2. 접골탕을 처음 개발한 한의사인가?	✓ yes
3. 특허를 보유하고 있는가?	✓ yes
4. 관련 논문을 발표하였는가?	✓ yes
5. 운동선수 도핑 검사를 통과 하였는가?	✓ yes
6. 전국 학술대회에서 발표하였는가?	✓ yes
7. 처방이 접골탕2.0으로 업그레이드 되었는가?	 yes

(한약의 효과는 개인별로 다를 수 있습니다. 소화불량 등 부작용이 있을 수 있으니 전문가와 상담 후 결정하세요)

골절 한약을 찾을 때 체크 포인트

한의원에서 골절 한약을 처방한다는 것을 알고 계시나요?

예로부터 인류는 골절상을 당할 위험에 늘 노출되어 있습니다. 사냥이나 전쟁 중에 골절의 위험은 제법 높은 편입니다.

한의학에서 골절을 치료한 기록은 당나라 때의 한의학 서적인 외대비요에 최초로 등장합니다. 서기 752년의저작이니 지금으로부터 1300년전부터 골절을 치료하고자 하는 노력이 동아시아에서 시작되었습니다.

명나라때 저술된 경악전서에는 “무릇 골절 환자를 치료할 때 가장 먼저 해야 할일은 뼈를 제위치로 돌려 놓는 것이다(凡損傷骨折者, 先須整骨使正)"라고 하여 현대의 도수정복술에 해당하는 치료법을 제시하였습니다.

이후에 전쟁으로 인한 부상자의 피부를 절개하고 뼈를 바꾸었다는 수술에 관한 언급도 있지만, 동아시아권에서는 마취법이 발달하지 못해 수술 등 외과적 시술은 드물었고,

한약재를 이용해서 골절 후 골유합이 빨리 이루어지는 처방들이 많이 고안되었습니다.

한의학에서는 신주골(腎主骨)이라는 이론을 바탕으로 선천지기인 신장을 보강하는 한약재로 골절을 치료해왔습니다.

골절 한약을 연구한 다빈도 처방 약재 네트워크 분석 논문을 보면 백작약, 감초, 천궁, 생강, 당귀, 숙지황, 백출, 백복령, 진피, 구판, 녹용, 육종용, 현호색, 우슬 등이 많이 사용된 것을 알 수 있습니다.

골절 회복 단계

골절 치유는 염증기, 복원기, 재형성기로 순서로 이루어져 있습니다.

골절 초기 염증기에는 움직임을 최대한 줄이면서 휴식을 취해야 하고, 복원기의 시기에는 체중 부하가 없는 상태에서 간단한 움직임을 시작할 수 있습니다.

재형성기는 파골세포와 조골세포의 활동이 조화를 이루는 시기로 평생에 걸쳐 진행되는 늙은 뼈세포가 젊은 뼈세포로 대체되는 과정입니다.

[골절 치유의 단계]

염증기 복원기 재형성기 순서로 진행되며, 각 단계는 서로 겹치며 순차적으로 진행됩니다.

한의학적으로는 골절 초기 염증기에는 당귀와 천궁으로 어혈을 제거해야하고, 복원기에는 속단과 우슬을 증량해서 강근골해주어야 하고, 재형성기에는 보골지, 토사자로 보간신(補肝腎)해주어야 더 효과적입니다.

접골탕 2.0 체크 포인트

이러한 연구를 바탕으로 2022년에 새로 개발된 접골탕 2.0 처방이 있습니다. 2.5배 빠른 회복 속도를 과학적 실험으로 증명하여 한국과 미국에 특허 등록하였고, 현재 한국 한의약 진흥원과 연구 개발 과제를 수행하고 있는 골절 한약입니다.

과학적 실험 결과

2.5배 빠른 골절 회복 속도 확인

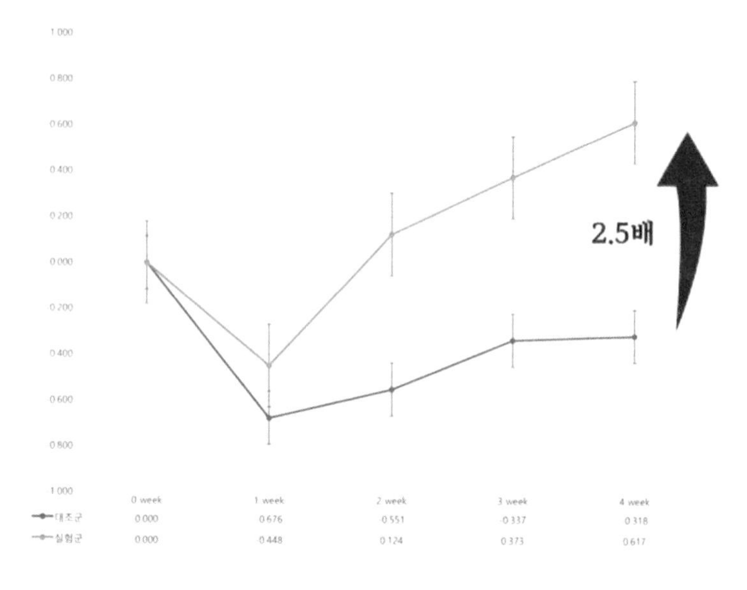

- 미국 및 한국 특허 등록
- 골절 지연 유합 임상 결과 SCI 저널 논문 발표
- 골절 치료 정부 연구 지연과제 R&D 수행 중

접골탕 2.0 치료 사례

골절 후 5개월간 호전이 없이 지연유합 판정을 받으신 환자분의 치료사례입니다. 한약 복용으로 완치되어 지금은 핀제거 수술까지 마친 상태입니다.

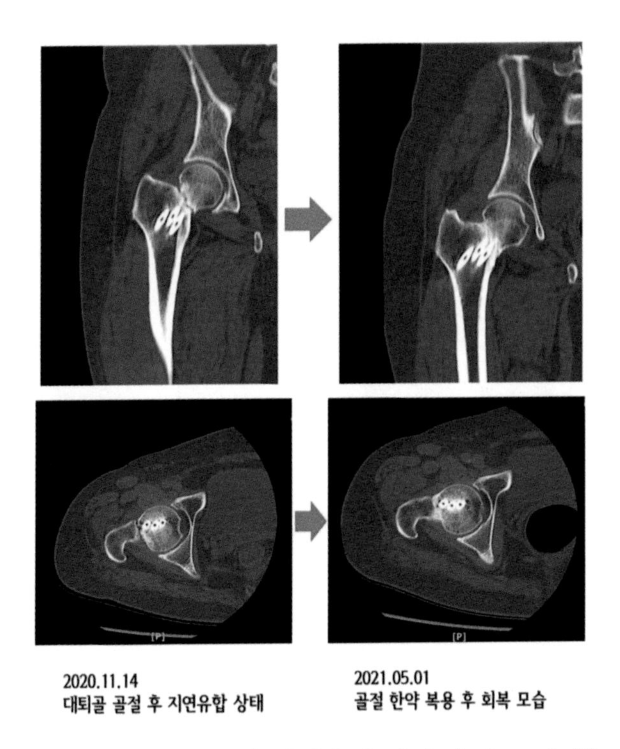

[고관절 대퇴부 골절 지연유합 환자의 치료 사례]

운동선수도 안심하고 복용할 수 있습니다.

운동선수들은 언제나 부상이 노출되어 있습니다. 혹독한 훈련과 격렬한 경기가 이루어지기 때문입니다.

그래서 뼈에 금이 가거나 부러지는 일도 부지기수인데, 운동선수는 약을 먹을 땐 항상 도핑에 대한 걱정을 해야 합니다.

하지만 저희 한의원의 접골탕은 국내외 유명 연구소의 도핑 검사를 모두 완료한 한약입니다.

골절 회복에 필요한 시간

같은 부위의 골절이라고 하더라고 환자의 나이와 기저질환에 따라서 회복기간은 달라지고, 또 같은 뼈의 골절이라고 하더라도, 손상 당시의 외부 충격의 크기에 따라서도 회복기간은 달라집니다.

일반적으로 대퇴골처럼 큰 뼈일수록 3개월 이상의 오랜 시간이 필요하고, 손가락이나 발가락 처럼 작은 뼈는 3개월 이내로 빨리 회복되는 경향이 있습니다.

골절 한약 외에도 침치료도 효과가 있습니다.

골절은 뼈가 뿌러진 상태이기도 하면서, 동시에 근육의 타박상과 인대의 파열을 겸해서 발생합니다.

회복 후에도 오랜 깁스 시간으로 인해 관절이 구축(움직임 제한)이 생기고, 근육의 볼륨이 작아지면서 근력의 약화가 필수적으로 동반됩니다.

이때 한의원에서 침치료와 골절 한약을 복용 하면 뼈도 빨리 아물고, 재활 기간도 줄일 수 있는 일석이조의 효과를 누릴 수 있습니다.

골절 부위별 침 치료 시 다빈도 혈위들을 고찰한 결과를 정리하면 다음과 같습니다.

흉복부 골절

阿是穴(Ashi points), 日月(GB24), 京門(GB25), 帶脈(GB26), 章門(LR13), 期門(LR14), 中庭(CV16), 膻中(CV17), 玉堂(CV18), 紫宮(CV19)

요배부 골절

腎兪(BL23), 氣海兪(BL24), 大腸 兪(BL25), 關元兪(BL26), 委中(BL40), 肓門(BL51), 志室(BL52), 崑崙(BL60), 陽陵泉(GB34)

상지부 골절

合谷(LI4), 手三里(LI10), 曲池(LI11), 中渚(TE3)

하지부 골절

陽陵泉(GB34), 丘墟(GB40)

두경부 골절

合谷(LI4), 曲 池(LI11), 後谿(SI3), 玉枕(BL9), 天柱(BL10), 大杼 (BL11), 完骨(GB12), 風池(GB20), 肩井(GB21), 夾脊(Ex-B2), 阿是穴(Ashi points)

골절 한약을 찾으시는 분들께 접골탕 개발자가 알려드립니다.

과학기술과 의학의 발전으로 기대 수명이 늘어나 이제는 120세 시대를 눈 앞에 두고 있습니다.

예전에는 단순히 '건강=오래 사는 것'이라고 생각했지만 이제는 얼마나 '건강하게' '오래 사는지'가 중요한 시대가 되었습니다.

특히 중년 이후의 삶은 '뼈가 얼마나 튼튼한가'에 달려있다고 할 수 있을 정도로 뼈 건강은 매우 중요합니다.

최근 저희 한의원에도 골절환자 뿐만 아니라 뼈 건강을 위해 한약을 복용하고자 하는 분들까지 문의가 많아지고 있습니다.

작년부터 접골탕 2.0 처방은 한국 한의학 진흥원의 선진화 지원 과제로 선정되어 신약 개발을 위한 연구도 병행하고 있습니다.

오천년 한의약, 새로운 백년

한 국 한 의 약 진 흥 원

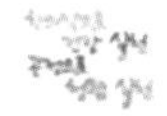

수 신 본플러스

(경유)

제 목 한의약산업 선진화 지원사업 선정결과 알림

1. 귀 사의 무궁한 발전을 기원합니다.
2. 한국한의약진흥원에서 추진하는 「한의약산업 선진화 지원사업」 지원 대상에 최종 선정되었음을 알려드리오니 사업수행에 만전을 기하여 주시기 바랍니다.

가. 사 업 명 : 골절 유합을 촉진하는 한약제제 개발

나. 주 관 기 업 : 본플러스(대표자:최영진)

다. 사업책임자 : 최 영 진

라. 교부결정액 :

마. 총 사업기간 : 협약일 ~ 2023. 11. 30.

끝.

경희다복한의원의 접골탕은 효과를 인정받아
정부 연구 과제로 2년 연속 선정되어,
신약 개발을 위한 전임상 단계에 있습니다.

한약으로 어떻게 골절을 치료하는지 대해 많이 궁금해 하시는데, 이 부분에 대해 하나씩 말씀드리도록 하겠습니다.

뼈 건강이 중요한 이유

나이가 들면 모든 기관의 기능은 자연스레 떨어지게 됩니다. 특히 골밀도는 30대 중후반부터 서서히 감소하기 시작합니다.

여성의 경우, 폐경 이후에 급속도로 뼈가 약해지게 되는데요, 주위에 조금만 돌아보면 40대 이후에 골감소증이나 골다공증 진단을 받고 약을 복용하시는 여성분들을 어렵지 않게 볼 수 있습니다.

1~2년 사이에 키가 4cm이상 줄었다면
골다공증을 의심해야 합니다.

현대인들은 과거에 비해 야외 활동보다는 실내에서 생활하는 시간이 많다 보니 비타민 D가 부족한 경우가 많고, 영양소가 풍부한 음식의 섭취가 어려워 뼈가 약한 경우가 매우 많습니다.

뼈 영양소인 칼슘의 하루 섭취 권장량은 1000mg입니다. 하지만 한국인은 보통 음식으로 400~600mg밖에 섭취하지 않는다고 합니다. 따라서 칼슘이 풍부한 우유나 멸치 등을 좀 더 챙겨 먹는게 좋습니다.

빠른 회복으로 후유증을 줄일 수 있습니다.

골절을 당해보신 분들은 아시겠지만 아주 작은 뼈에만 문제가 생겨도 기본적으로 생활하는데 많은 불편함과 어려움이 생깁니다.

손가락은 키보드 작업이나 스마트폰 터치가 불편하고, 발 쪽은 보행에 영향을 미칩니다.

특히 노인의 경우 고관절 골절이나 척추골절이 생기면 거동이 불가능하고 이로 인한 폐렴, 욕창 등 각종 합병증으로 인해 목숨을 위협받는 경우도 꽤 많습니다.

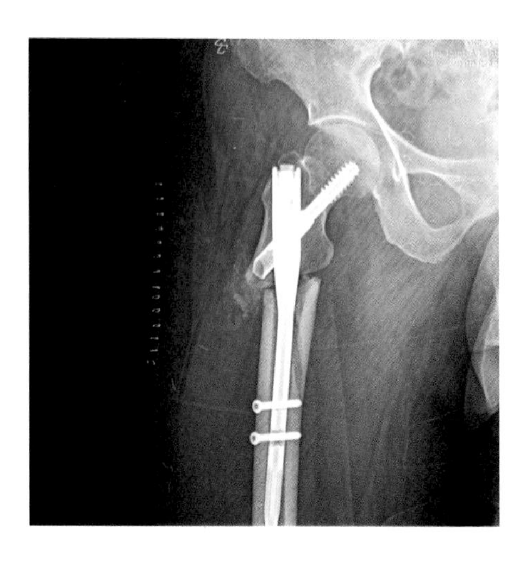

또한 골절을 겪게 되면 육체적인 불편함과 통증뿐만 아니라 심리적으로도 불안하고 우울한 마음을 갖게 됩니다.

이러한 증상은 회복 기간이 길어지면 길어질수록 더 심해질 수밖에 없습니다.

따라서 골절환자 분들에게 가장 중요한 것은 빠른 회복을 통해 후유증을 줄이고 정신 건강을 유지하는 것입니다.

한약으로 골절을 치료한다?

한의대를 졸업하고 대학원에 다니던 시절, 저는 '한약으로 골절을 치료할 수 없을까' 하는 생각을 갖게 되었습니다.

그 당시만 해도 부러진 뼈의 치료는 정형외과에서만 할 수 있다는 인식이 강했기 때문에 저의 이런 생각에 의문을 갖는 분들도 많았습니다.

하지만 부러진 뼈를 잘 맞추는 것만큼 중요한 것은 회복기간을 '단축'하는 것이라 생각했고, 연구를 계속할 수록 한약이 그 역할을 할 수 있다는 확신은 갖게 되었습니다.

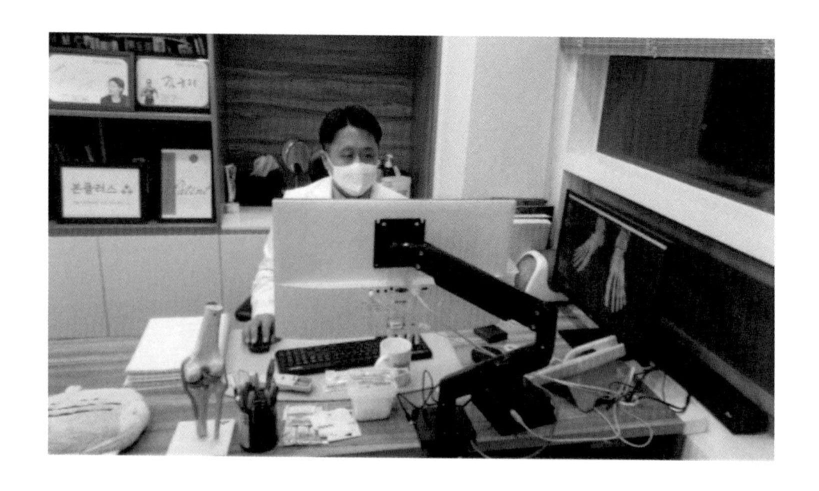

한의학에서도 이미 전쟁이나 사냥으로 발생한 골절 환자를 치료의 대상으로 삼고 있었고, 동의보감에도 골절 환자를 치료하는 방법이 설명되어 있었습니다.

저는 동의보감의 처방에 만족하지 않고 더 좋은 골절 치료 한약을 개발하기 위해 더 연구였습니다.

2006년에 골유합 속도를 2배 빠르게 해주는 한약의 효과를 학회에서 발표하였고, 2022년에는 2.5배 더 빠른 회복 속도를 보이는 접골탕 2.0 버전까지 발표하여 미국과 우리나라에 특허 등록까지 마쳤고,

이제는 한국 한의학 진흥원의 R&D 과제로 선정되어 신약 개발을 위한 연구까지 시작될 정도로 널리 인정받고 있습니다.

아무리 가벼운 골절이라 하더라도 최소 4주 이상의 시간이 지나야 뼈가 붙게 됩니다. 이런 골절환자가 1년에 243만명씩 발생합니다. 우리 주위에서 20명에 1명은 1년에 한번씩 골절을 겪습니다.

이 기간 동안 환자분은 다친 부위를 움직일 수 없기 때문에 제대로 된 일상생활을 할 수가 없고, 심리적으로도 불안한 마음이 들 수 있습니다.

저는 2006년부터 지금까지 뼈를 튼튼하게 만들어 주는 한약을 통해 골절회복에 도움을 주고 재골절의 위험을 방지하여, 골절로 인해 고통받는 환자들의 고민을 해결해 드렸습니다.

접골탕으로 골절을 치료한 사례는 아래의 링크를 참고하시면 x-ray 사진으로 확인해 보실 수 있습니다.

따라서 뼈가 약한 어르신이나 중년 이후여성, 골절이 생기기 쉬운 성장기 어린이들이 복용한다면 튼튼하고 건강한 뼈를 가질 수 있습니다.

이 외에도 골다공증, 당뇨, 갑상선 기능저하와 같은 기저 질환을 가진 분들은 회복 시간이 느려지기 때문에 더 걱정이 많이 하게 됩니다. 이런 분들도 회복속도가 빨라집니다.

접골탕의 효능

1) 골절 치료

한약으로 골절치료와 예방에 사용한지도 어느 덧 15년이라는 시간이 흘렀습니다.

그 동안 많은 환자분들이 골절한약 복용 후 건강한 모습으로 일상에 복귀하였습니다.

얼마나 복용해야 효과가 나타나는지에 대해서는 환자분의 체질과 환경, 식습관, 생활습관에 따라 다를 수 있습니다.

하지만 대다수의 경우 한약을 복용했을 때, 골진의 분비도 빨라지고 환자분의 불편한 부분이 빠르게 개선되는 것을 확인할 수 있었습니다.

3개월 이상 골진이 나오지 않아 지연유합 판정을 받은 골절 환자들을 치료한 임상 논문도 SCI 저널에 발표하여 해외에서도 인정받고 있습니다.

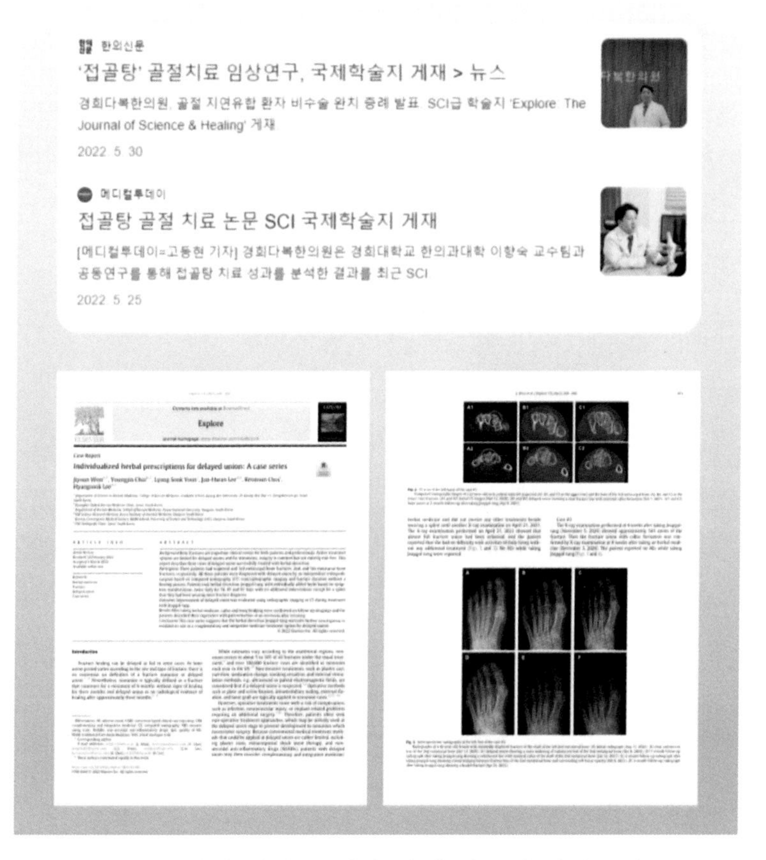

골절 후 3개월이 지나도 뼈가 붙지 않으면 지연유합으로 진단합니다. 지연 유합 상태의 환자들을 수술없이 한약으로 치료한 사례를 논문으로 발표하였습니다.

2) 골밀도 상승으로 골절 예방

골절을 예방하는 것은 넘어지지 않는 균형감각과 넘어졌을 때 뼈가 얼마나 튼튼한가에 달려 있습니다. 뼈의 강도는 골밀도로 측정하는데, 이 골밀도가 낮은 병이 골다공증입니다.

저희 한의원에서는 골밀도가 낮은 중년 남성을 치료하여 골밀도를 상승시키고 골절 위험을 낮춘 논문을 발표한바 있습니다.

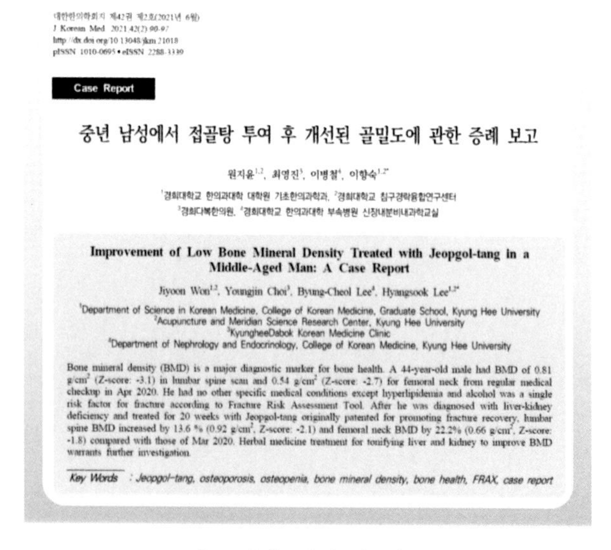

대한한의학회지 제42권 제2호(2021년 6월)
J Korean Med 2021;42(2):90-97
http://dx.doi.org/10.13048/jkm.21018
pISSN 1010-0695 • eISSN 2288-3339

Case Report

중년 남성에서 접골탕 투여 후 개선된 골밀도에 관한 증례 보고

원지윤[1,2], 최영진[3], 이병철[4], 이향숙[1,2*]

[1]경희대학교 한의과대학 대학원 기초한의과학과, [2]경희대학교 침구경락융합연구센터
[3]경희다복한의원, [4]경희대학교 한의과대학 부속병원 신장내분비내과학교실

Improvement of Low Bone Mineral Density Treated with Jeopgol-tang in a Middle-Aged Man: A Case Report

Jiyoon Won[1,2], Youngjin Choi[3], Byung-Cheol Lee[4], Hyangsook Lee[1,2*]

[1]Department of Science in Korean Medicine, College of Korean Medicine, Graduate School, Kyung Hee University
[2]Acupuncture and Meridian Science Research Center, Kyung Hee University
[3]KyungheeDabok Korean Medicine Clinic
[4]Department of Nephrology and Endocrinology, College of Korean Medicine, Kyung Hee University

Bone mineral density (BMD) is a major diagnostic marker for bone health. A 44-year-old male had BMD of 0.81 g/cm^2 (Z-score: -3.1) in lumbar spine scan and 0.54 g/cm^2 (Z-score: -2.7) for femoral neck from regular medical checkup in Apr 2020. He had no other specific medical conditions except hyperlipidemia and alcohol was a single risk factor for fracture according to Fracture Risk Assessment Tool. After he was diagnosed with liver-kidney deficiency and treated for 20 weeks with Jeopgol-tang originally patented for promoting fracture recovery, lumbar spine BMD increased by 13.6 % (0.92 g/cm^2, Z-score: -2.1) and femoral neck BMD by 22.2% (0.66 g/cm^2, Z-score: -1.8) compared with those of Mar 2020. Herbal medicine treatment for tonifying liver and kidney to improve BMD warrants further investigation.

Key Words : *Jeopgol-tang, osteoporosis, osteopenia, bone mineral density, bone health, FRAX, case report*

접골탕을 복용한 결과
요추 골밀도 수치 13.6%, 대퇴 골격 골밀도 수치 22.2% 상승
10년 이내 주요 골다공증 골절 확률, 고관절 골절 확률 감소

이러한 효과는 우리나라 제천과 평창에서 재배되는 참당귀의 decursin 성분의 파골세포 활성 억제 효과 때문입니다.

뼈는 우리 몸을 지지하고 움직이는데 매우 중요한 기관입니다.

뇌, 심장과 같이 중요한 장기를 외부의 손상으로부터 보호하는 중요한 기능을 하지만 뼈건강에 대한 사람들의 인식은 매우 낮은 편입니다.

뼈 건강은 이미 나빠진 후에 다시 되돌리기가 매우 어렵습니다.

따라서 꾸준한 운동과 충분한 영양소 섭취, 한약의 도움을 받는 것이 건강한 미래를 대비할 수 있는 비결이라 생각합니다.

접골탕 치료 후기, 해외 SCI 저널 논문 발표

골절 후 뼈가 안 붙어, 혹은 골진이 안나와서 어떻게 해야할지 고민이 많으신 환자분들이 많습니다.

의학 용어로 골절 유합이 평균적인 예상치보다 느린 경우를 지연유합(Delayed Union)이라고 합니다.

골절된 뼈마다 구체적인 진단은 달라지지만, 보통 3개월이 지났지만 아직 뼈가 안붙었을 때를 의미합니다.

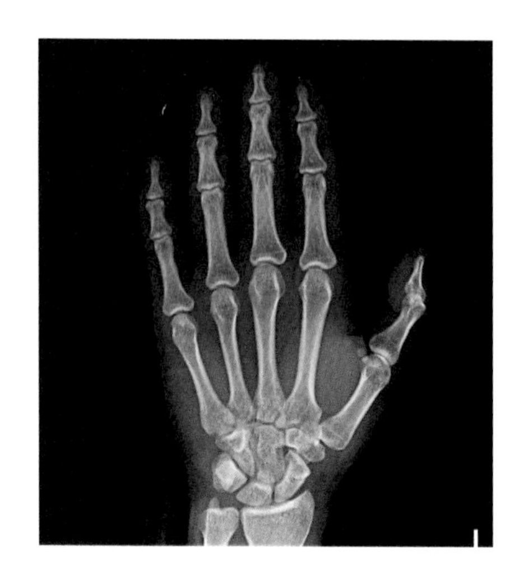

지연유합 상태에서 더 시간이 지나, 골절 후 6개월이 지나면 불유합으로 진단하고 뼈 이식 등 재수술을 고려하게 됩니다.

따라서 지연유합으로 진단 받으면 골절 유합을 위해 적극적으로 노력해야 합니다. 이때 한약을 복용하는 것은 큰 도움이 됩니다.

접골탕 한의원을 선택하실 때는 풍부한 치료 사례와 또 논문으로 발표하여 학계에서 인정받고 있는지를 살펴보시는 것이 필요합니다.

저희 경희다복한의원에서는 지연유합 상태의 환자를 완치에 이르게 하였고, SCI 저널에 국내 최초로 한약으로 골절을 치료한 사례로 발표하였습니다.

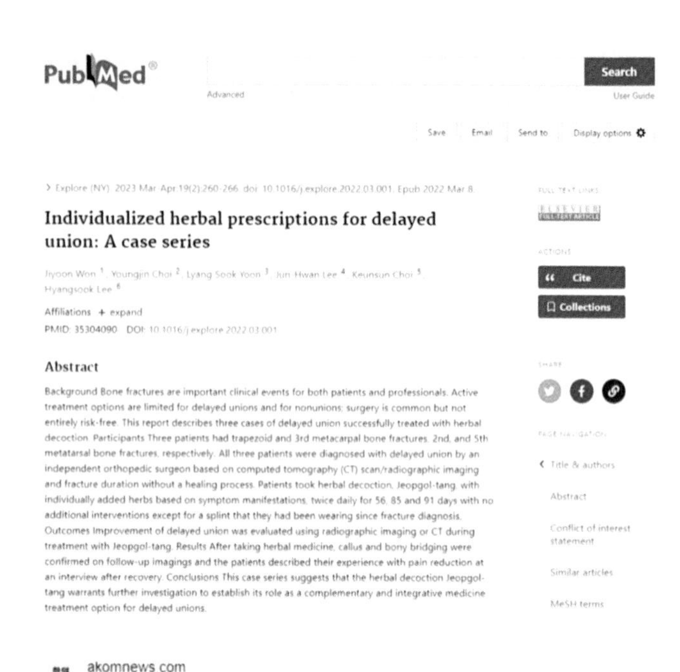

PubMed®

Advanced | Search | User Guide

Save | Email | Send to | Display options

> Explore (NY). 2023 Mar-Apr;19(2):260-266. doi: 10.1016/j.explore.2022.03.001. Epub 2022 Mar 8.

Individualized herbal prescriptions for delayed union: A case series

Jiyoon Won [1], Youngjin Choi [2], Lyang Sook Yoon [3], Jun Hwan Lee [4], Keunsun Choi [5], Hyangsook Lee [6]

Affiliations + expand

PMID: 35304090 DOI: 10.1016/j.explore.2022.03.001

Abstract

Background Bone fractures are important clinical events for both patients and professionals. Active treatment options are limited for delayed unions and for nonunions; surgery is common but not entirely risk-free. This report describes three cases of delayed union successfully treated with herbal decoction. Participants Three patients had trapezoid and 3rd metacarpal bone fractures, 2nd, and 5th metatarsal bone fractures, respectively. All three patients were diagnosed with delayed union by an independent orthopedic surgeon based on computed tomography (CT) scan/radiographic imaging and fracture duration without a healing process. Patients took herbal decoction, Jeopgol-tang, with individually added herbs based on symptom manifestations, twice daily for 56, 85 and 91 days with no additional interventions except for a splint that they had been wearing since fracture diagnosis. Outcomes Improvement of delayed union was evaluated using radiographic imaging or CT during treatment with Jeopgol-tang. Results After taking herbal medicine, callus and bony bridging were confirmed on follow-up imagings and the patients described their experience with pain reduction at an interview after recovery. Conclusions This case series suggests that the herbal decoction Jeopgol-tang warrants further investigation to establish its role as a complementary and integrative medicine treatment option for delayed unions.

FULL TEXT LINKS

ELSEVIER FULL-TEXT ARTICLE

ACTIONS

Cite

Collections

SHARE

PAGE NAVIGATION

Title & authors

Abstract

Conflict of interest statement

Similar articles

MeSH terms

akomnews.com
https://www.akomnews.com › bbs › board

'접골탕' 골절치료 임상연구, 국제학술지 게재 > 뉴스 | 한의신문

2022. 5. 30. — 경희다복한의원의 접골탕은 최영진 원장이 2007년 및 2022년 '골절 회복기간 단축'에 대한 과학적 검증을 통해 2차례에 걸쳐 특허를 등록한 처방으로, ...

mdtoday.co.kr
https://mdtoday.co.kr › news › view

접골탕 골절 치료 논문 SCI 국제학술지 게재 - 메디컬투데이

2022. 5. 25. — 최영진 원장은 "그동안의 노력이 좋은 결과로 나오게 되어 너무 기쁘고, 이번 논문을 통해 골절환자들의 빠른 회복에 도움이 될 수 있을 것으로 기대한다" ...

segyebiz.com
http://m.segyebiz.com › newsView

접골탕 골절 비수술 치료 사례, SCI 국제 학술지 게재 - 세계비즈

2022. 6. 8. — [정희원 기자] 경희다복한의원(대표원장 최영진)이 경희대 한의대 이향숙 교수팀과 공동으로 진행한 연구 논문 '개인 맞춤 한약으로 치료한 임상 증례 ...

국내 최초로 한약으로 골절을 치료한 임상 논문을

해외 SCI 저널에 발표하였습니다.

논문제목은 “개인 맞춤 한약으로 지연유합을 치료한 케이스 리포트 시리즈” 입니다.

저자 : Won J, Choi Y, Yoon LS, Lee JH, Choi K, Lee H.

제목 : Individualized herbal prescriptions for delayed union: A case series.

저널 : Explore (NY). 2023 Mar-Apr;19(2):260-266.

doi : 10.1016/j.explore.2022.03.001.
Epub 2022 Mar 8.

PMID : 35304090.

이 논문은 미국 국립 보건원(NIH)의 미국 국립 의학 도서관이 운영하는 의학 전문 데이터 베이스인 Pubmed에서도 검색해 보실 수 있습니다.

논문에 소개된 골절 지연유합 치료 후기를 CT image로 소개해 드리도록 하겠습니다. 이 환자분은 20대 남자 환자로 손목에 있는 소능형골 골절이었습니다.

다른 기저질환이 없고 건강한 상태였음에도 불구하고 지연유합 진단을 받았습니다. 아래의 CT를 보시면 아시겠지만 11월과 2월의 골절 부위에 유합의 징후가 전혀 없는 상태였습니다.

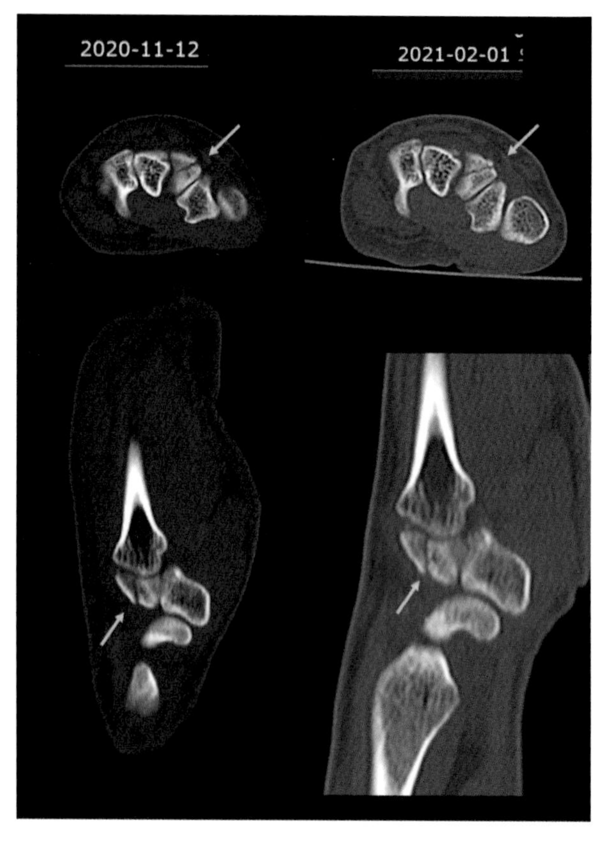

골절 발병일로 부터 3개월 가량 지났음에도 전혀 골유합이 이루어지 않아 지연유합 진단을 받아, 접골탕 복용을 시작하였습니다.

저와 상담결과 한의학적으로 간과 신장의 기운이 허약한 상태(간신구허, 肝腎俱虛)로 변증 진단하고 접골탕 복용을 시작하였습니다.

8주간 복용하고 다시 CT로 확인한 결과 골유합이 완전하게 이루어져 완치 판정을 받을 수 있었습니다.

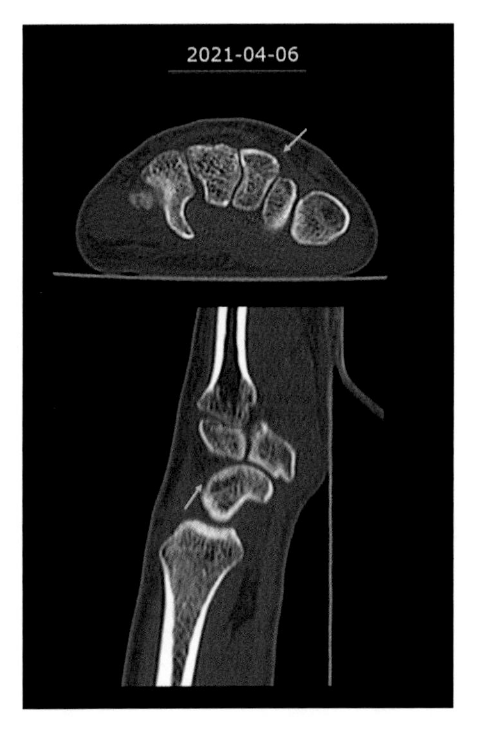

한약 복용 8주만에 CT 검사로 골유합을
확인하고 완치되었습니다.

빠른 골절 회복이 절실하신 환자분들은 꼭 지켜야할 것이 한가지 더 있습니다.

바로 흡연과 음주를 절제하는 것입니다. 특히 흡연은 불유합으로 이행될 확률을 2.7배나 높이는 아주 위험한 습관입니다.

불유합이 되면 더 큰 수술을 받아야할 수도 있으니 꼭 명심해주십시오.

이외에도 당뇨병을 앓고 계시거나, 골감소증이나 골다공증으로 뼈가 약한 고령의 환자분들 역시 회복이 느려질 수 있습니다. 이런 환자분들도 접골탕이 큰 도움이 됩니다.

접골탕을 처음 개발하여 특허를 등록한지 15년이 넘었습니다. 이제는 업그레이드한 접골탕 2.0 처방으로 2.5배 빠른 효과를 증명하여 두번째 특허까지 이미 등록하였습니다.

[접골탕 2.0 효과 비교]

- 6주간의 한약 경구 투여 후 무처치 대조군에 비해 2.5배 빠른 효과를 확인했습니다.
- 이는 기존 접골탕의 2배 빠른 효과를 넘어서는 것으로 두번째 특허를 등록하였습니다.

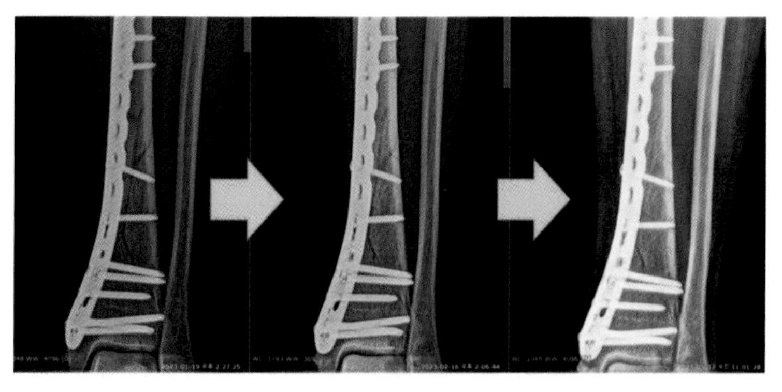

23.01.19 23.02.16 23.03.17

경비골 분쇄골절 환자 치료 경과

지금까지 미국특허와 국내 특허를 합하여 모두 5개를 등록하여 한약의 효과를 과학적으로 증명해 왔습니다.

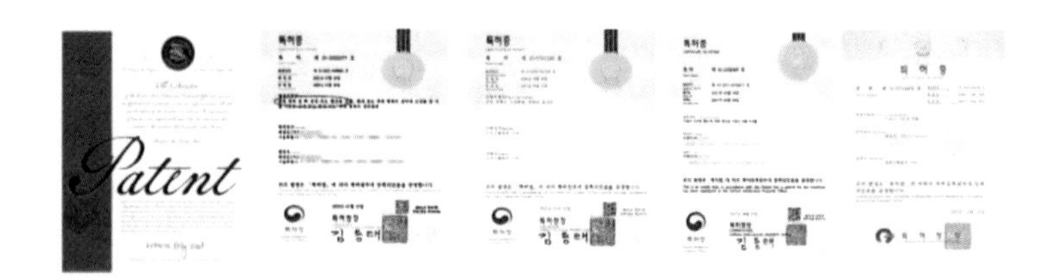

[경희한의원 5개의 국내외 특허 등록]
한의학의 과학화를 위해 연구해 왔습니다.

이외에도 다수의 논문을 발표하여 학계에서도 치료 효과를 인정받았습니다. 앞으로도 추가적인 연구와 임상을 병행하여 연구 성과를 낼 수 있도록 계속 노력하겠습니다.

Part 2. 골절 일반

골절회복기간이 너무 길게 느껴진다면 꼭 봐야 하는 글

"골절회복기간 동안 열심히 치료만 받으면 될까?"

지난 15년간 한약으로 골절치료를 돕고 있는 경희다복한의원 최영진원장입니다.

살다 보면 크고 작은 사고로 인해 뼈에 금이 가거나 부러지는 일을 겪을 수 있는데요, 골절치료의 궁극적인 목적은 사고 이전의 상태로 돌아갈 수 있도록 손상된 부위의 기능을 회복시키는 것입니다.

뼈가붙는데 소요되는 시간은 부위에 따라서 약 2주에서 길게는 12주~20주까지 소요가 되는데요.

손목골절 6-10주,
팔골절 8-12주,
다리골절 12주-16주,
허벅지뼈골절 16주-20주,
발가락골절 4주-6주 정도가 걸립니다.

보통 뼈의 크기가 클수록 더 많은 시간이 소요되며, 언급된 골절부위에 대한 일반적인 회복기간 또한 개인차(부러진 양상 및 개인 영양상태) 가 있을 수 있어 단정지어 말하기는 쉽지 않습니다.

예상했던 것보다 느린 속도로 회복되어 고민인 분들이 저희 한의원에 방문을 많이 하십니다.

특히 나이가 들어 골밀도가 떨어져 골다공증, 골감소증을 가지고 있는 분들, 당뇨환자분의 경우에는 아무래도 회복이 더딘 경우가 많습니다.

저희한의원에 방문하는 골절환자분들의 공통적인 고민입니다.

따라서 빠른 회복을 돕는 여러가지 방법을 함께 시도해보는 것이 좋은데요, 만약 부러진 뼈가 빨리 붙지 않아 일상생활에 어려움을 겪고 있는 분이라면 이 글을 잘 읽고 도움을 받으시기 바랍니다.

골절치료과정 3단계

부러진 뼈를 치료하는 과정은 크게 다음의 3가지로 나뉘어지는데요, 각각의 치료 단계를 자세히 알아보겠습니다.

1) 응급치료

응급치료시에는 부러진 부위가 흔들리지 않도록 잘 고정해 주는 것이 가장 중요합니다. 외부의 힘에 의해 뼈가 부러지면, 주변 근육과 인대, 그리고 장기의 손상이 올 수 있습니다.

따라서 매우 심한 통증과 압통이 발생하게 되는데요, 이 때 더 이상 손상이 생기지 않도록 적절한 부목 고정을 해 주어 통증을 줄여주는 것이 매우 중요합니다. 그리고 바로 빠르게 병원을 방문하셔야 합니다.

2) 본 치료

X-ray상 절단면이 깔끔한 경우, 어긋난 뼈를 바로 맞춰준 후 깁스나 보조기 등을 이용하여 단단히 고정시켜 주는 비수술적 치료를 시도해 볼 수 있습니다.

사고 후 6시간~12시간이 지나면 점점 부종이 심해지기 때문에 되도록 빠른 시간 내에 부러진 뼈를 고정시켜주어야 합니다.

하지만 절단면이 깔끔하지 않고 뼈가 여러 조각으로 부서진 경우에는 뼈를 모두 제자리에 맞춰준 후 금속판을 통해 고정해 주는 수술적 치료가 반드시 필요합니다.

3) 재활치료

뼈가 부러진 초기 단계에서는 손상된 부위를 되도록 심장보다 높게 유지하고, 체중이 실리지 않는 가벼운 운동을 통해 혈액 순환을 촉진시켜 부종의 발생을 최소화하는 것이 중요합니다.

또한 손상된 주변의 근육이 위축되지 않도록 꾸준히 힘을 주었다 뺐다 하는 운동을 시행하고 관절이 굳지 않도록 지속적으로 움직여주어야 합니다.

골절된 뼈의 70-80%정도가 회복되면 깁스를 제거하고, 본격적인 재활치료를 시작합니다.

무엇보다 환자 스스로의 적극적인 참여가 가장 중요한 치료 과정입니다.

골절회복기간을 단축해야 하는 이유?

골절회복기간은 염증기, 복원기, 재형성기의 3단계를 거치게 되는데요, 염증기에 생겼던 출혈과 혈종이 서서히 흡수되어 복원기로 진입하면 뼈가 부러졌던 자리에 골진이 분비되면서 부러진 부위의 유합이 이뤄지게 됩니다.

골진의 생성으로 뼈가 붙기 시작해서 사고 이전의 상태로 되돌아 갈 때까지의 시간을 재형성기라고 하는데요, 재형성기는 부러진 부위와 개인의 건강상태에 따라 매우 큰 차이가 납니다.

분명한 점은 이 기간 동안 다친 부위를 어떻게 관리해 주느냐에 따라서 회복이 더딜 수도, 회복이 빨라질 수도 있습니다.

간혹 '언젠간 붙겠지' 하며 그냥 기다리겠다고 생각하시는 분들이 있으신데요, 회복이 너무 느려지면 이로 인한 후유증 발생은 물론, 운동량 부족으로 인한 근육량 감소, 면역력 저하 등의 문제가 일어날 수 있습니다.

따라서 꾸준한 재활치료와 함께 골절회복기간을 단축할 수 있는 노력을 해 주어야 합니다. 또한, 한 번 부러진 부위는 재골절이 될 가능성이 매우 높습니다.

따라서 제대로 된 사후 관리는 뼈가 붙는 기간을 단축하는 것뿐만 아니라 재발의 위험성을 막기 위해서라도 꼭 필요하다고 할 수 있습니다.

빠른 회복이 필요한 운동선수들을 위한 골절치료한약 접골탕

접골탕의 시작은 제가 경희대에서 박사과정을 밟고 있을 때 골절로 인해 고통을 받고 있던 한 환자분을 만났던게 계기가 되었습니다.

그 이후에도 뼈가 제대로 붙지 않아 일상이 망가지고 절망에 빠진 환자들이 의외로 많다는 것을 알게 되었고, 부러진 뼈를 하루 아침에 낫게 할 수는 없겠지만 회복 기간을 줄여줄 수 있는 한약을 만들겠다는 일념 하나로 지금까지 왔습니다.

국내 외 논문은 물론 동의보감을 비롯한 각종 한의학 고전을 참조로 하여 한약재를 선정하였고, 약효를 확인하기 위해 여러가지 실험도 진행하였습니다.

실제로 동물실험을 통해 접골탕을 복용한 후 회복속도가 약 2배가량 빨라진다는 것을 과학적으로 증명할 수 있었고,

그 결과를 전국 한의학 학술대회에서 발표하는 영광과 함께 특허 등록까지 마치게 되었습니다.

접골탕의 효과에 대한 소문을 듣고 가장 많이 찾아오시는 분들은 바로 운동선수 분들입니다.

프로운동선수들에게 있어 부상은 청천벽력과도 같은 소식이 아닐 수 없는데요,

운동선수는 몸이 곧 자산인 만큼 부상에서 빠르게 회복하는 것이 매우 중요하기 때문입니다.

저 또한 스포츠를 즐기는 운동마니아로서 프로 운동선수들에게 도움이 될 수 있는 한약을 개발했다는 생각에 정말 뿌듯하고 감사합니다.

그래서 여기에 추가적으로 운동선수들도 안심하고 드실 수 있도록 도핑테스트 검사를 의뢰하여 문제없음을 확인하였습니다.

하지만 여기에 만족하지 않고 골절 한약의 지속적인 효과 개선을 위한 노력을 쉬지 않았고 지난 2년 동안 경희대 한의과대학 연구소와 한국한의학 진흥원과의 공동 연구를 꾸준히 진행했습니다.

이 연구를 통해 한약재가 가진 파골세포 억제 효능을 측정하여 이들의 황금비율 처방을 알아내었고 이전보다 더 업그레이드된 접골탕 2.0을 출시하게 되었습니다.

현재는 코로나-19로 인한 비대면 진료도 진행하고 있습니다. 직접 전화 및 메시지 상담으로 환자분의 증상과 상태 분석을 통해 개별처방을 하고 있으니 멀리 계시거나 거동이 불편하신 분들도 보다 편하게 상담 받아 보실 수 있습니다.

만약 지금 이 글을 읽는 분들 중에 오랜 기간 골유합이 잘 이뤄지지 않아 고생하고 있는 분이 있으시다면 골절특허 한약으로 회복기간 단축에 도움을 받아 보시기 바랍니다.

발급번호 : 2-5-2020-093479856

www.kipo.go.kr 특허청

특허증

CERTIFICATE OF PATENT

특　　허　　제 10-0731160 호
Patent Number

출원번호　　제 10-2006-0047485 호
Application Number

출 원 일　　2006년 05월 26일
Filing Date

등 록 일　　2007년 06월 15일
Registration Date

발명의명칭 Title of the Invention
골절 회복을 촉진하는 생약재 조성물

특허권자 Patentee
등록사항란에 기재

발명자 Inventor
등록사항란에 기재

위의 발명은 「특허법」에 따라 특허등록원부에 등록되었음을 증명합니다.
This is to certify that, in accordance with the Patent Act, a patent for the invention has been registered at the Korean Intellectual Property Office.

2020년 08월 08일

QR코드로 현재기준 등록사항을 확인하세요

특허청
Korean Intellectual Property Office

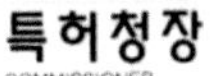

특허청장
COMMISSIONER,
KOREAN INTELLECTUAL PROPERTY OFFICE

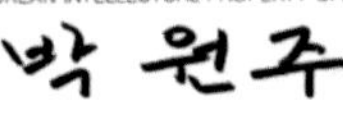

박 원 주

골절불유합에 도움을 줄 수 있는 한약이 있다면?

'주말에 운동을 하다 넘어져서
손에 골절이 생겼는데,

6개월이 지난 지금도
뼈가 잘 붙지 않고 있습니다.
어떻게 해야 할까요?'

골절치료 15년 골절치료한약을 개발한 경희다복한의원 최영진원장입니다.

질문 주신 환자분은 뼈가 부러진 후 유합이 제대로 되고 있지 않는 '골절불유합' 상태로 발전할 가능성이 높아 보입니다.

유합이라는 것은 골절 후에 뼈가 붙은 상태를 의미하는데요, 제대로 된 치유과정이 일어나지 않아 불유합 상태가 되면 손상 부위의 통증은 물론, 제대로 된 기능을 회복할 수 없게 됩니다.

따라서 골절불유합의 소견이 보인다면 되도록 빨리 조치를 취해주어야 하는데요,

많은 분들이 뼈가 부러졌던 경험이 거의 없다 보니 시간이 지나면 저절로 나을 거라고 생각하다가 치료시기를 놓치는 경우가 종종 있습니다.

따라서 이런 일을 겪는 환자분들이 없도록 불유합에 대한 모든 것을 자세히 알려 드리도록 하겠습니다.

불유합이 생기는 원인

다친 날로부터 9개월 이상 지났음에도 불구하고 뼈가 붙지 않는 상태라면 골절불유합으로 진단을 내리게 되는데요.

원인은 아래 5가지로 정리해 볼 수 있습니다.
① 사고 당시 너무 심하게 다쳐 조직이 심하게 손상된 경우
② 뼈가 부러진 곳에 혈액이 제대로 공급되지 않은 경우
③ 감염 혹은 골질환을 가지고 있는 경우
④ 뼈가 여러 조각으로 부러지면서 골편이 없어진 경우
⑤ 부러진 부위를 제대로 고정하지 않고 계속 움직인 경우

불유합은 병원에 내원하셔서 X-ray나 CT를 통해 확인이 가능한데요, 필요에 따라 혈액검사를 시행하여 손상부위의 염증 여부를 확인하여 진단하기도 합니다.

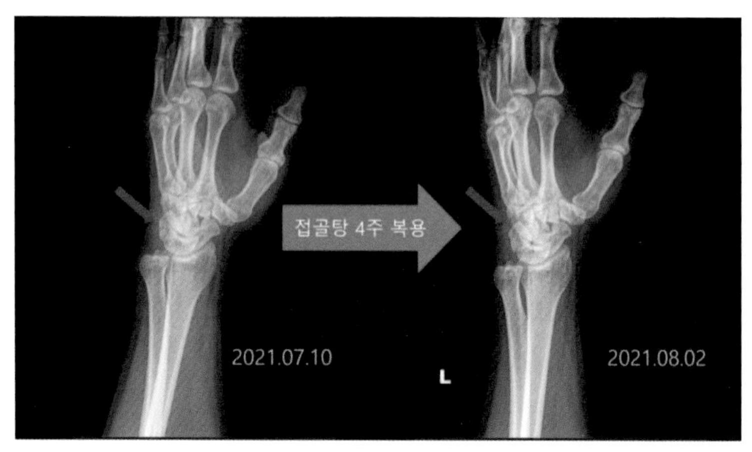

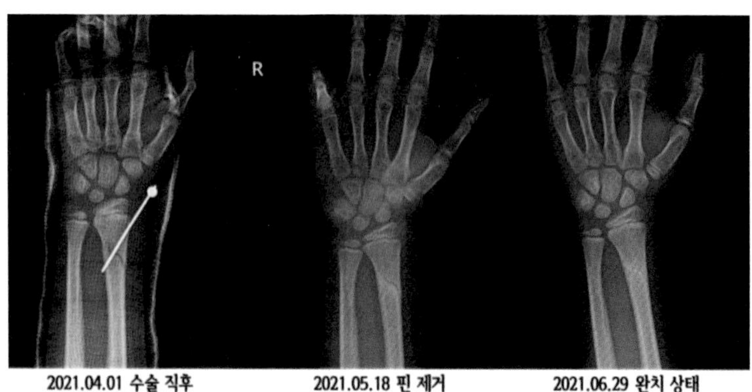

10세 남자 어린이 손목 골절 수술 후 한약 치료

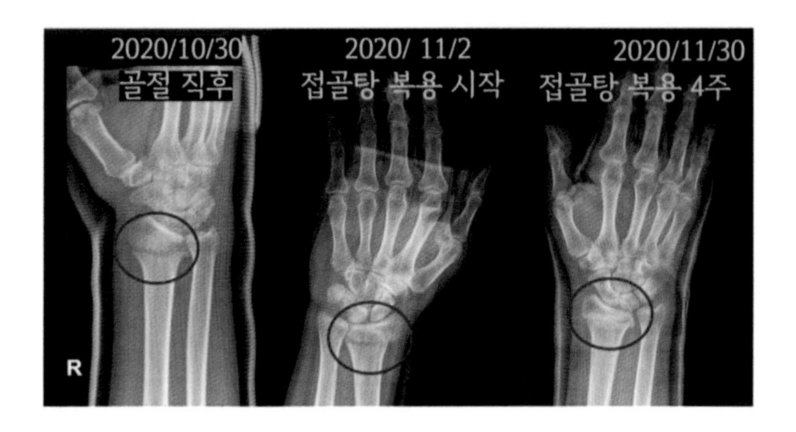

뼈가 제대로 안 붙고 있을 때 나타나는 증상

뼈가 제대로 잘 붙고 있다면 시간이 지나면서 통증도 줄어들고 외부에서 보았을 때에도 큰 문제가 없어야 합니다.

하지만 부러진 뼈가 제대로 붙지 못하고 있는 상태일 때에는 손상 부위에 국소적으로 종창이나 발적이 생기기도 하고 체중이 실리거나 움직일 때마다 심한 통증이 나타납니다.

또한 이 상태를 오랫동안 방치하게 되면 '가관절증'이 생길 수도 있는데요. '가관절증'이란 뼈가 치유되는 과정에서 골 형성이 제대로 이뤄지지 못해 부러진 부분이 움직이게 되어 마치 관절과 같은 상태가 되는 것을 뜻합니다.

골절불유합 치료방법은?

불유합 치료의 가장 큰 목표는 부상부위의 통증을 없애고 손상된 기능을 회복하는 것입니다.

불유합이 생긴 이유를 먼저 파악하여야 치료 방법이 결정될 수 있는데요,

부상 부위로 혈액 공급은 잘 이뤄지고 있으나 안정성이 부족한 경우에는 석고나 보조기를 사용해 고정만 제대로 해 주어도 치료가 가능합니다.

하지만 혈액공급도 제대로 이뤄지지 않고 뼈의 안정성도 부족한 상태라면 기존 고정물을 제거한 후 재수술을 통해 뼈를 고정하고 골이식을 해 주어야 하는 어려운 과정이 필요합니다.

참고로 비수술적인 치료방법으로는 석고 및 보조기, 전기자극, 초음파치료 등이 있고 수술적인 방법으로는 박피술, 자가골이식술, 동종골 이식술, 금속판 고정술 등이 있습니다.

골절불유합 치료에 도움을 주는 골절치료한약

따라서 뼈가 부러지는 사고를 당했다면 손상 부위에 대한 제대로 된 치료와 함께 주기적으로 회복 상태를 체크하는 것이 매우 중요한데요,

사고 후 3개월 이상 지났음에도 불구하고 뼈가 잘 붙지 않고 있다면 골절치료에 도움을 주는 한약을 복용하실 것을 권해드립니다.

저는 한의사로서 15년간 골절치료를 하고 있습니다.

어떤 분들은 왜 굳이 이렇게 어려운 일을 하냐고 물으십니다.

하지만 제대로 된 골절치료가 이뤄지지 않았을 때 추가 수술이나 뼈 이식 등의 치료가 환자분들에게 심각한 고통이 된다는 것을 잘 알기 때문에 골절한약 개발에 사명을 가지고 있습니다.

지연유합과 불유합의 가능성이 있다는 진단을 받고 절망적인 상황에서 저희 한의원에 내원하셨던 많은 환자분들이 제가 개발한 접골탕을 복용한 후 회복 속도가 빨라지고 골절불유합으로 진행되는 것을 예방할 수 있었습니다.

특히 환자분이 고령이거나 당뇨, 흡연, 골다공증과 같은 다른 원인을 가지고 있는 경우에는 뼈가 붙는 속도가 늦어질 수밖에 없습니다.

따라서 본인이 위의 경우에 해당되어 골절의 회복이 늦어질 가능성이 높다면 미리 골절치료한약의 복용을 고려해 보시는 것이 좋습니다.

2007년 첫 특허를 등록한 접골탕은 그 이후 꾸준한 연구를 통해 골절 회복에 도움이 되는 한약재의 황금비율을 찾아 추가 특허와 상표권을 출원하였고 이전보다 그 효과가 더욱 업그레이드 되었습니다.

접골탕 치료 사례 골절불유합 지연유합 한약으로 회복하기

원조 접골탕한의원, 골절치료 15년 경희다복한의원 최영진 원장입니다.

저는 이런 질문을 참 많이 받습니다.

왜 한의사가 골절치료를
15년 동안이나 하고 계시나요??

회복이 늦어지는 골절환자들이 추가적인 수술이나 뼈이식까지 가게 되는 경우를 피할 수 있게 하는 것이 "가장 큰 저의 보람" 이기 때문입니다.

골절 불유합 지연유합 환자분의 경우 골절한약 복용전후의 변화가 가장 명확하게 나기 때문에 환자분들께서 함박웃음을 지으실때, 저도 감사한 마음을 갖게 됩니다.

오늘은 지연유합 가능성이 높다는 진단을 받고, 골절한약 접골탕 복용 후, 골절 불유합으로 진행되는 것을 막아 완치된 사례들을 소개드리려고 합니다.

또한, 뼈가 붙는것이 늦어지지 않기 위해 유의사항에 대해서도 알려드리겠습니다.

많은 골절 환자분들이 같은 시기에 비슷한 부위를 다친 경우 서로 회복 속도를 비교해 보게 되지요.

"왜 저는 나이도 젊은데 저 환자분보다 회복속도가 늦을까요.....?"

회복속도는 환자의 상황에 따라 저마다 다를 수 있지만, 골절이 된 후 3개월이 지나도 골진이 나오지 않는다면 뼈가 붙는것이 정상적인 경우보다지연되는 상황을 의심하게 됩니다.

지연 유합이란?

대부분의 골절이 자연스럽게 치유되지만 여러 이유에 의해서 골절 불유합(non-union)이 발생할 수 있습니다.

이는 골절 이후 9개월이 지나고, 마지막 3개월 동안 x-ray 사진상에 변화가 없어 회복이 멈추었다면 뼈가 더이상 자연적인 방법으로는 회복하기 어렵다고 진단합니다.

환자분들이 가장 두려워 하는 순간이지요.

이런 경우에는 추가적인 수술이나 뼈이식 등을 고려하게 됩니다.

이에 반하여 골절 후 3개월 동안 완전히 회복되지 않았지만, 추가적인 처치가 없이도 치유 가능성이 있을 때는 지연유합(delayed union)으로 진단합니다.

하지만, 이러한 경우 결국에는 골절 불유합이 생기는 경우가 많아 적극적인 한약치료를 하게 되면 큰 도움이 됩니다.

지연유합, 골절한약 복용사례

골절회복이 늦어지는 상태를 한의학에서는 간신구허(肝腎俱虛)의 상태로 진단합니다.

한의학에서 "간" 은 근육을 주관하고, "신" 은 뼈를 주관하는 장기입니다.

골절 사고 당시 강한 충격으로 뼈와 근육이 큰 손상을 입어 회복이 늦어지는 상태입니다.

골절 직후부터 골절한약을 복용하는 것이 가장 좋지만, 젊은 연령층의 골절환자분들은 지연유합가능성이 크다고 병원에서 진단을 받고 나서야 저희 한의원으로 문의주시는 경우가 많습니다.

아래 사례를 보시면 아시겠지만, 생각보다 젊은 40대 이하의 환자분들도 뼈가 정상적인 상황보다 늦게 붙어 고생을 많이 하십니다.

여기 소개하는 사례들은 골유합이 지연되고 있다는 진단 이후 골절한약을 복용하여, 재수술 또는 뼈이식 등의 추가적인 처치 없이 완치된 경우들입니다.

(사례 1) 23세, 중수골, 소능형골

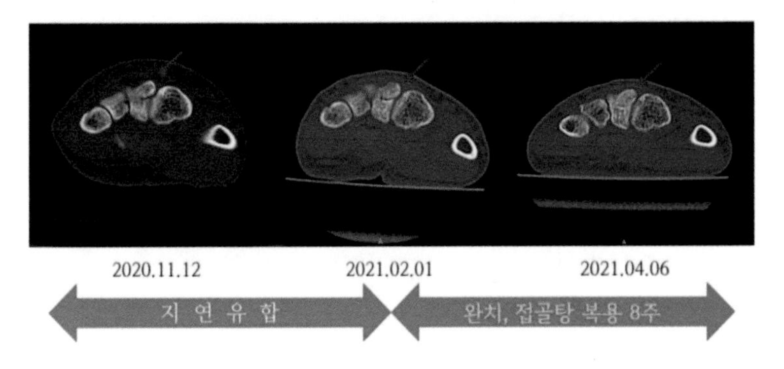

3rd 중수골 지연유합 치료 사례 CT Image (23세, 남)

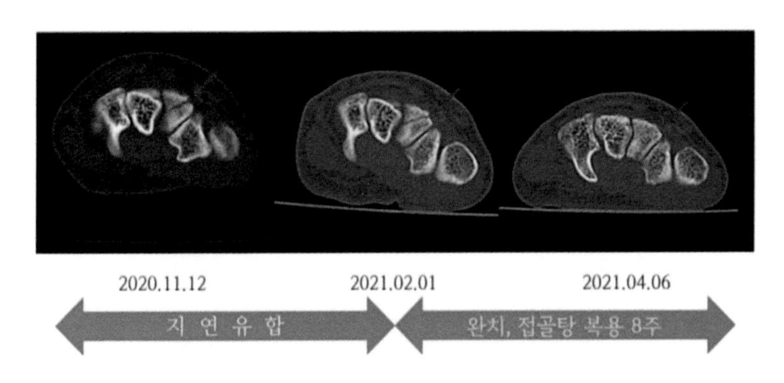

소능형골 지연유합 치료 사례 CT Image (23세, 남)

(사례 2) 40세, 중족골

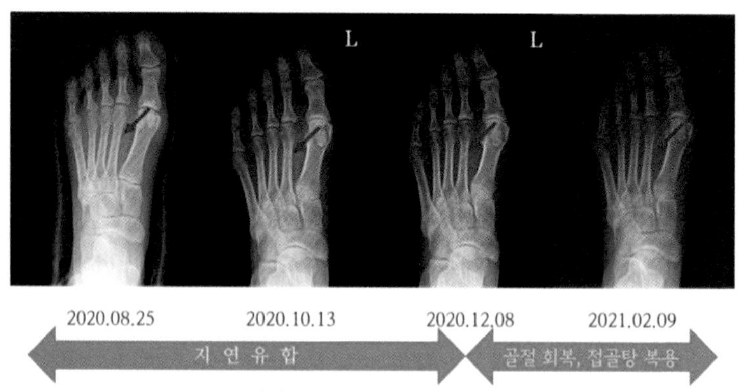

2nd 중족골 지연유합 치료 사례 X-ray (40세, 여)

(사례 3) 75세, 중족골

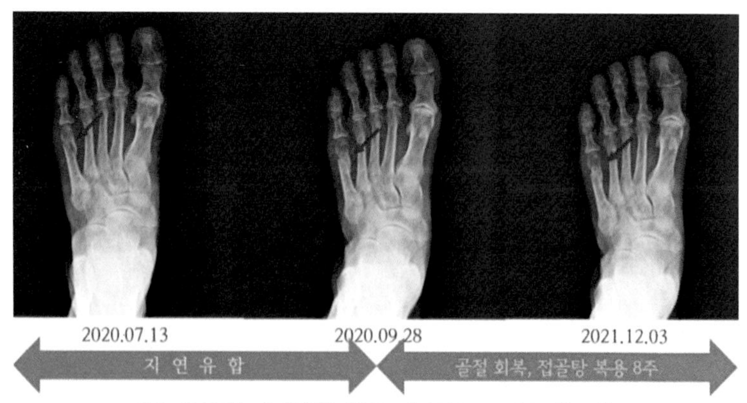

5th 중족골 지연유합 치료 사례 X-ray (75세, 여)

뼈가 늦게 붙는 원인?

골절 치유의 지연에는 손상된 뼈, 뼈의 해부학적 위치, 골절의 형태, 최초 손상에너지, 동반된 연부조직의 손상, 치료 방법 등 많은 원인이 있습니다.

(1) 골절된 뼈가 혈액순환이 잘 안되는 곳이라면, 회복이 늦어집니다.

그 예로 거골 경부, 대퇴골 경부, 손의 주상골 등은 쉽게 골절을 당하는 부위이면서, 혈류가 좋지 않아 골절 불유합, 지연유합, 무혈성 괴사 등을 포함한 합병증의 가능성이 높습니다.

(2) 골절 당시의 충격이 클수록 가능성이 높아집니다.

고 에너지(high energy) 손상이라고하는데, 골절된 뼈에 골막 손상 또는 골내막 혈류에 손상을 주게 되고, 특히 개방성 골절이 되면 감염의 가능성도 합쳐져서 골절 회복이 늦어집니다.

(3) 이외에도 뼈가 으스러져서 뼈조각이 소실된 경우에도 원인이 됩니다.

(4) 그 외 특정 약물(스테로이드 제재 등), 골다공증, 고령, 면역 저하 등도 원인입니다.

흡연, 당뇨병 그리고 혈관 질환 등은 골절치유를 지연 또는 방해하는 요인입니다.

실제로 2005년 개방성 경골 골절을 치료한 연구에서 흡연자는 비흡연자에 비하여 완전 회복될 가능성이 37% 정도 낮으며, 감염의 가능성은 약 3.7배 높았음이 밝혀졌습니다. 니코틴의 혈관 수축 효과는 골절 치유 초기의 조직 분화와 정상적인 혈관 생성을 저해하고 골아세포의 기능도 직접적으로 방해하기 때문입니다.

(출처 : Castillo RC, Bosse MJ, MacKenzie EJ, Patterson BM; LEAP Study Group. Impact of smoking on fracture healing and risk of complications in limb-threatening open tibia fractures. J Orthop Trauma. 2005;19:151-7)

고령의 어르신 중에 당뇨가 있으시면서 흡연까지 즐기신다면, 골유합이 늦어질 가능성이 아주 높아지게 됩니다.

(5) 골절 후 관리도 골절회복속도에 큰 영향이 있습니다.

깁스 이후에 많은 움직임은 골절부위의 과다한 운동을 초래하여 회복을 늦어지게 하고 유합이 안되는 상황을 초래하게 합니다.

위에 언급된 5가지 상황에 해당하여 다른 사람들보다 골절 회복이 늦어질 가능성이 많다면, 자신의 회복속도를 잘 관찰해야 합니다.

또한 골절한약 복용을 병행하여 적극적인 치료를 통해 회복을 위한 노력을 하시는 것이 필요합니다.

특히, 40대 이상의 중년 여성이라면 골절회복이 늦어질 경우에 다른 건강까지 해치는 경우가 많이 있어 미리 미리 신경을 쓰시는 것이 중요합니다.

젊은 층의 경우에도 뼈가 붙는 기간이 3개월 이상이 넘어가게 되면 우울증과 같이 마음의 질환까지 얻는 경우가 많이 있습니다.

접골탕, 누구에게 필요한가요?

이제는 골절한약의 대명사가 된 "접골탕"은 제가 2007년 단독으로 특허를 등록하였고,

특허청 등록 정보

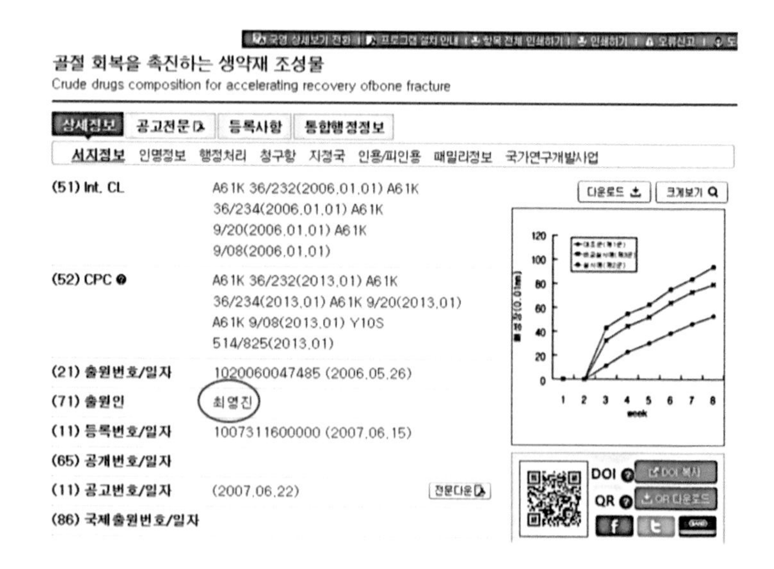

골절 회복을 촉진하는 생약재 조성물

Crude drugs composition for accelerating recovery ofbone fracture

상세정보 | 공고전문 | 등록사항 | 통합행정정보

서지정보 인명정보 행정처리 청구항 지정국 인용/피인용 패밀리정보 국가연구개발사업

(51) Int. CL	A61K 36/232(2006.01.01) A61K 36/234(2006.01.01) A61K 9/20(2006.01.01) A61K 9/08(2006.01.01)
(52) CPC	A61K 36/232(2013.01) A61K 36/234(2013.01) A61K 9/20(2013.01) A61K 9/08(2013.01) Y10S 514/825(2013.01)
(21) 출원번호/일자	1020060047485 (2006.05.26)
(71) 출원인	최영진
(11) 등록번호/일자	1007311600000 (2007.06.15)
(65) 공개번호/일자	
(11) 공고번호/일자	(2007.06.22)
(86) 국제출원번호/일자	

- 접골탕은 2006년 경희한의원 최영진 원장이 단독으로 개발하였으며, 2007년 특허청의 엄격한 심사를 거쳐 특허 등록되었습니다.
- 특허청 홈페이지에서 검색해보시면, 접골탕을 처음 개발한 경희한의원 최영진 원장을 확인할 수 있습니다.

이후 경희대학교 한의과 대학과 공동연구 등 수많은 연구 끝에 2020년 〈접골탕 2.0〉으로 업그레이드 하면서 골절치료에 가장 도움이 되는 한약재의 황금비율을 찾아 낼 수 있었습니다.

접골탕이 필요한 경우

1. 골절 치료 기간을 단축하고 싶으신 분
2. 골절된 후 오랜 시간이 지났으나 회복 속도가 느린 경우(지연유합, 불유합)
3. 골다공증, 당뇨, 갑상선 기능 저하, 저체중으로 골절 회복이 늦어질까 걱정되시는 분
4. 나이가 많아 뼈가 잘 붙지 않는 어르신
5. 피로골절로 재활 중인 운동 선수
6. 폐경 이후 뼈가 약해지기 시작하는 중년 여성

모든 환자분들의 빠른 회복을 위해 오늘도 열심히 연구하고 노력 하겠습니다.

뼈붙는기간 조금이라도 앞당길 방법이 없을까?

"뼈가 부러지고 치료를 받고 있는데
병원에서 뼈 붙는 속도가 더디다면서
지연유합이라고 하더라고요.

빨리 일터로 복귀해야 하는데
혹시 뼈붙는기간을 앞당길 수 있는
방법은 없나요?"

뼈가 부러지게 되면 온전히 붙고 정상적으로 사용할 수 있기까지 오랜 기간이 걸리는 편입니다.

그래서 그 동안 예전과 같은 편한 일상생활을 하기에는 무리가 있어서 많은 분들이 불편함을 느끼고, 뼈붙는기간을 줄일 수 있는 방법이 없을까 많이 고민하시는 편입니다.

골절의 회복 기간은 골절 부위나 범위, 건강 상태, 연령, 체질에 따라서 크게 달라질 수 있습니다. 기본적으로 6~8주를 예상하고, 뼈에 따라서는 20주 이상 걸리기도 합니다.

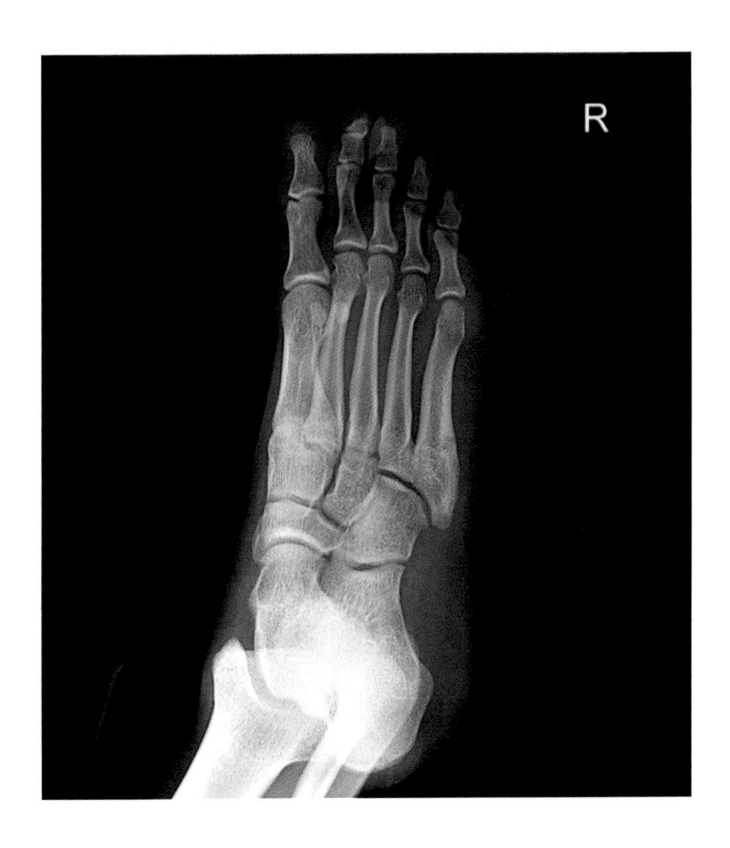

같은 뼈라도 손상 부위와 충격량에 따라서 크게 차이가 납니다. 그리고 주의해야 할 것은 깁스를 제거하더라도 완벽하게 뼈가 붙은 상태가 아닙니다라는 점입니다.

주위 관절이 굳는 것을 예방하기 위해, 재골절의 위험이 없는 70~80%정도 회복이 되었을 때 깁스를 제거하는 것이 좋기 때문입니다. 100% 완전하게 붙기 위해서는 1~2달의 시간이 추가로 더 필요합니다.

회복 진행 순서

염증기는 보통 2~4주까지 진행됩니다. 이 때는 어느 정도 골조직의 괴사가 진행되기 때문에 x-ray상 골절이 더 벌어지게 보이기도 합니다. 체중을 실지 않고 침상 안정을 취하시는 것이 좋습니다.

복원기는 가골이 형성되는 시기입니다. 가골은 육아조직이 혈종속으로 들어와서 변성과정을 거쳐 형성됩니다. 보통 골진이라고 부르고, 나중에 진짜 뼈로 변하게 됩니다. 가골이 형성되면서 통증과 부종이 없어지기 시작합니다.

가골형성이 끝나면 복원기의 마지막 단계가 되어, 관절 운동시 통증이 없고 눌러서 생기는 압통도 없어집니다.

마지막 단계는 재형성기입니다. 늙은 뼈세포는 흡수되고 젊은 뼈세포가 그 자리를 대체하면서 뼈의 항성성이 유지됩니다.

각각의 단계는 순차적으로 진행되고, 각 단계의 마지막과 그 다음 단계의 시작은 겹쳐서 진행됩니다.

누구는 빨리 붙었던 골절이라도 다른 사람은 더 시간이 걸릴 수 있는데, 만약 빠르게 일상으로 복귀해야 하는 상황이라면 어떤 방법을 통해 뼈붙는기간을 단축시킬 수 있을까요?

저는 2022년 골절 유합이 늦은 환자들을 개별 맞춤 한약으로 수술 없이 완치한 사례를 SCI 저널에 발표한 바 있습니다.

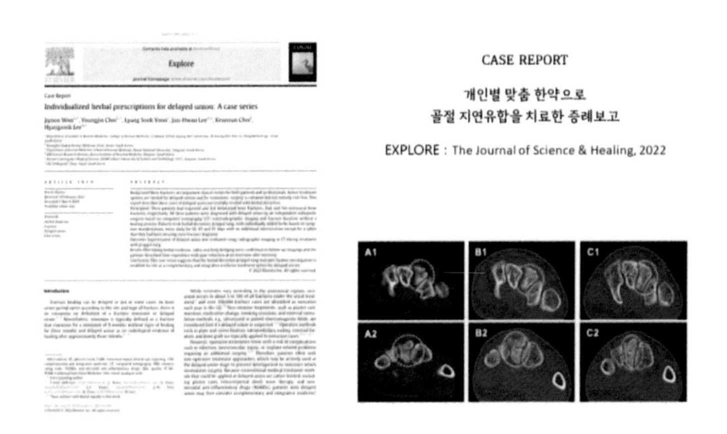

불유합 판정을 받은 환자분도 재수술 없이 한약 복용으로 회복되기도 하였습니다.

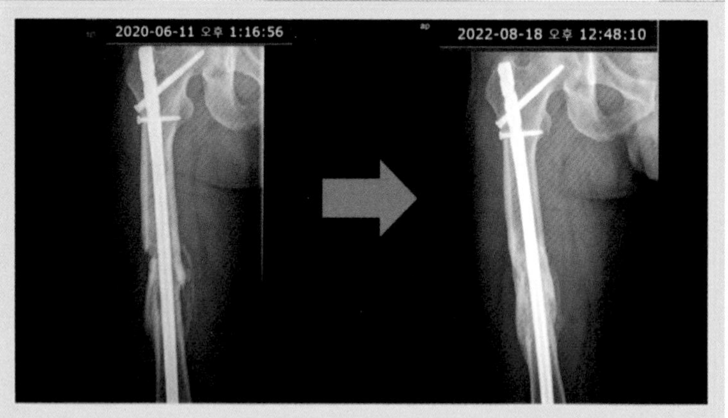

• 진단명 : 대퇴골 불유합

• 발명일 : 2019년 8월 교통사고 대퇴골 분쇄 골절 개방성.

• 한약복용기간 : 2020.08.05~2022.08.24 (25개월)

• 한약의 효과는 개인별로 다르게 나타날 수 있으며, 소화불량 등 부작용이 있을 수 있습니다. 전문가와 상의하세요.

지금부터 뼈붙는기간을 조금이라도 앞당기기 위해 도움이 되는 요소들에 대해 소개해 드리는 시간을 가져보도록 하겠습니다.

빠른 회복을 위한 행동

골절치료 후 재활과 관리는 환자분들의 적극적인 참여가 정말 중요합니다. 그러니 더 빠른 회복을 원하신다면 아래 행동을 읽어 보시고 참고해 주시기 바랍니다.

- 다친 부위 주변 근육을 능동적으로 움직이며 혈액순환을 촉진해 주어야 합니다. 예를 들어 발목 복숭아뼈 골절이라면, 발목 관절은 움직이지 않으면서 발가락을 꼼지락하면서 혈액 순환이 좋아지도록 해야 합니다.

- 근육을 너무 사용하지 않으면 위축되므로 고정한 관절 근육의 힘을 줬다 빼는 행동을 해주는 것이 좋습니다.

- 고정되지 않은 관절은 모든 운동 범위를 움직이면서 관절이 굳지 않게 해주는 것이 좋습니다.

- 담배를 피면 골형성을 억제하기 때문에 최대한 금연해주는 것이 좋습니다.

- 뼈 회복, 재생을 도와주는 조골세포 활성에 좋은 영양소를 적극 섭취해야 합니다.

골절 회복에 좋은 음식

골절을 빠르게 회복하고 싶다면 회복에 좋은 영양소를 섭취하면서 관리해주는 것이 좋습니다.

1. 단백질 : 단백질을 섭취해야 골 조직이 잘 형성됩니다.
2. 항산화제 : 비타민C나 비타민 E가 좋습니다.
3. 뼈에 좋은 영양제 : 칼슘, 아연, 마그네슘

- 홍화씨

홍화씨는 골절 회복에 도움이 됩니다. 다만 껍질에 약효성분이 많이 함유되어 있다는 것도 잊지마시고 제품을 구입할 때 꼭 확인해보세요. 평소에 골다공증, 골절 예방 목적으로 섭취하셔도 좋습니다.

- 오렌지

비타민C는 콜라겐 생성을 도와 뼈를 붙게 해주며, 소염 작용으로 회복 시 통증을 줄이기도 합니다.

- 브로콜리
풍부한 비타민K는 체내 미네랄과 결합해 뼈의 형성을 돕습니다.

- 콩과 두유
식물성 단백질과 칼슘이 풍부한 편입니다. 칼슘은 뼈에 좋은 대표적인 영양소인 만큼 골절 회복에도 좋습니다.

- 우유
우유는 뼈, 골절과 관련된 대표적인 식품입니다. 칼슘과 마그네슘이 풍부하여 성장기 어린이는 물론, 골다공증 예방과 골절 회복에도 좋습니다.

- 멸치
지방 함량이 낮고 칼슘과 단백질이 풍부해 골다공증 예방과 회복에 도움이 됩니다.

- 치즈
기본적으로 모든 유제품은 칼슘과 단백질이 풍부한 편입니다. 특히 치즈는 소화, 흡수율이 뛰어난 편입니다.

기본적으로는 뼈에 좋은 칼슘과 칼슘흡수에 필요한 비타민D가 많은 음식들입니다. 음식으로 섭취하기 귀찮으신분들은 약국에서 영양제로 구입하시는 것도 한가지 방법입니다.

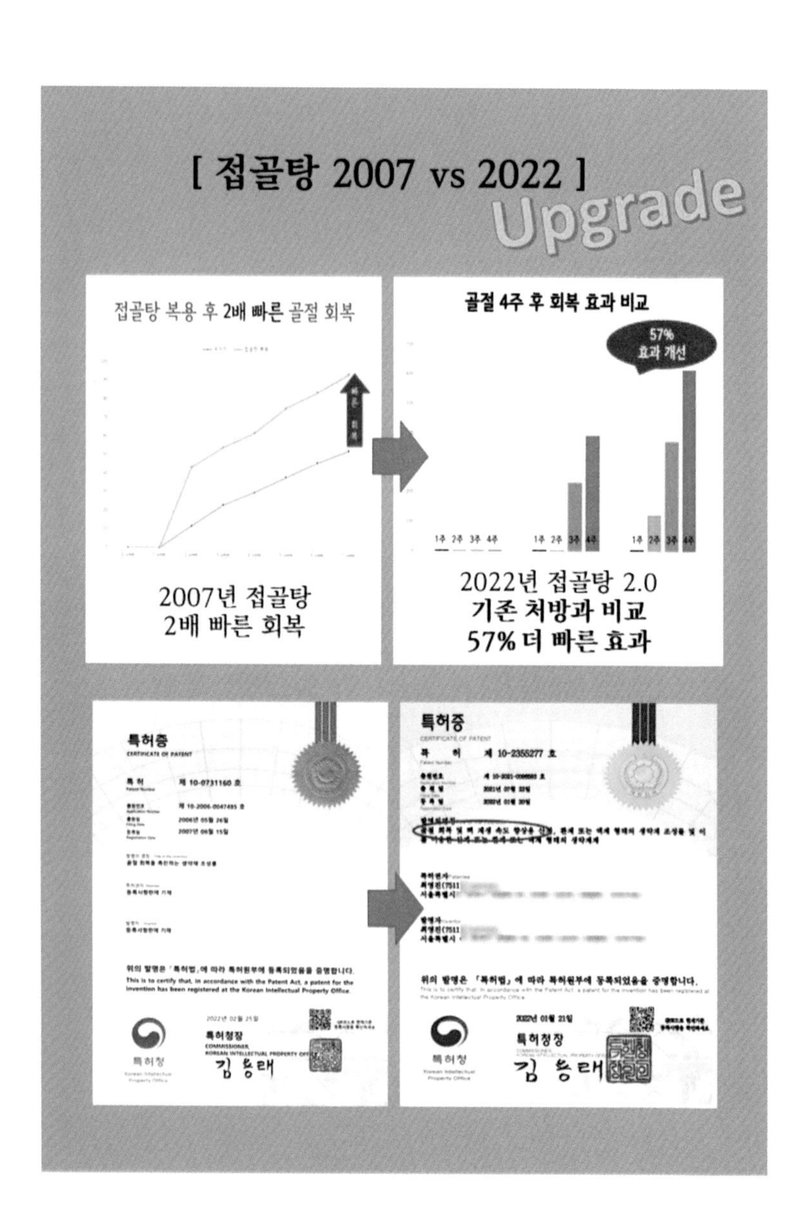
[접골탕 2007 vs 2022]
Upgrade
접골탕 복용 후 2배 빠른 골절 회복
빠른 회복
2007년 접골탕
2배 빠른 회복
골절 4주 후 회복 효과 비교
57%
효과 개선
1주 2주 3주 4주
1주 2주 3주 4주
1주 2주 3주 4주
2022년 접골탕 2.0
기존 처방과 비교
57% 더 빠른 효과
특허증
CERTIFICATE OF PATENT
제 10-0731160 호
위의 발명은 「특허법」에 따라 특허원부에 등록되었음을 증명합니다.
This is to certify that, in accordance with the Patent Act, a patent for the invention has been registered at the Korean Intellectual Property Office.
특허청장
특허청
김용래
특허증
CERTIFICATE OF PATENT
제 10-2355277 호
위의 발명은 「특허법」에 따라 특허원부에 등록되었음을 증명합니다.
특허청장
특허청
김용래

2022년에는 새롭게 접골탕 2.0으로 재탄생했으며, 기존 접골탕에 비해서 57%나 우수한 회복 효과를 보이고 있습니다.

이때 사용되는 핵심 한약재는 당귀와 천궁으로, 당귀는 조골세포 활성을 촉진해 뼈 세포를 증식 시키며, 천궁은 골절 시 생긴 어혈 제거와 근육 회복을 돕는 한약재입니다.

접골탕 2.0이 필요한 분들

만약 다음과 같은 상황에 처해 있으시다면 접골탕과 관련한 상담을 받아 보시기를 권해 드리고 있습니다.

- 골절 치료 기간을 단축시켜 빠르게 일상으로 복귀하고 싶은 분들

- 골절된지 오래 되었음에도 회복이 더디신 분들

- 골다공증, 당뇨, 갑성선 기능 저하로 회복이 늦을까 걱정이신 분들

- 나이가 많아서 뼈가 붙는 시간이 오래 걸리는 분들

- 폐경 이후 뼈가 약해지기 시작한 여성분들

- 피로 골절로 재활중이 운동선수 분들

저희 한의원에서는 오랜 기간의 임상 경험, 노하우를 바탕으로 상황에 맞게 개별 맞춤 처방을 해드리고 있습니다.

저희 한의원은 청정 한약재만을 사용하고 있으며, 품질검사 성적서를 꼼꼼히 따져가면서 안전하게 원내에서 직접 탕전하고 있습니다.

만약 뼈붙는기간을 단축시키기 위한 도움이 필요하시거나 궁금한 것이 있으시다면 편하게 방문해 주시기 바랍니다.

(한약의 효과는 개인별로 다르게 나타날 수 있으며, 소화 불량 등 부작용이 있을 수 있습니다. 한의사와 상담하세요.)

뼈골절에 좋은 음식 vs 뼈골절에 나쁜 음식?

안녕하세요? 한약으로 골절을 치료하는 최영진 한의사입니다.

오늘은 저희 한의원에 오시는 골절환자분들이 가장 자주하시는 뼈골절에좋은음식과 관련한 질문들에 대한 내용을 설명드리고자 합니다.

골절사고를 당했을 때, 환자분들은 처음에 많이 속상해 하십니다.

왜냐하면 골절은 살면서 자주 겪는일이 아니기 때문입니다.

일반적인 골절치료시에는 깁스를 하고 골절부위가 잘 회복되도록 안정을 취하면서 시간이 빨리 가기만을 기다리지요.

평소에는 빨리가던 시간들이 참~ 안간다고 느끼게 됩니다.

딱히, 골절치료에는 특별한 방법이 없기 때문입니다.

그리고, 뼈골절에 좋은 음식을 폭풍검색하게 됩니다. 모든 골절환자분들이 같은 마음일 것입니다.

Q1: 뼈골절에좋은음식은 무엇일까요?
뼈를 튼튼하게 하는 영양소는 '칼슘' 입니다.

즉, 뼈를 빨리 붙도록 하려면,
(1) 칼슘이 많이 포함되어 있는 음식을 많이 먹고,

(2) 그 음식에 들어간 칼슘이 우리 몸에 잘 흡수 되도록 하면 됩니다.

칼슘이 많이 포함되어 있는 음식은?
칼슘은 우유, 요거트, 치즈와 같은 유제품과 아몬드, 멸치 등에 많이 있습니다.

인체에 흡수된 칼슘의 99%는 뼈와 이빨을 만드는데 쓰이기 때문에, 골절환자분들은 꼭 챙겨 드시는 것이 좋습니다.

칼슘이 우리 몸에 잘 흡수되게 하려면?

이렇게 열심히 섭취한 칼슘도 우리 몸이 흡수하지 못한다면 소용 없겠지요?

'비타민D' 가 칼슘 흡수를 도와줍니다.
비타민D는 햇빛을 쐬면 자동으로 만들어진다는 것은 다 알고 계시죠?

하지만, 골절환자분들은 현실적으로 햇빛을 쐬며 산책하기가 쉽지 않으므로 약국에서 영양제로 먹는 것도 좋습니다.

특히, 폐경기 여성은 여성호르몬인 에스트로겐 분비가 감소하여 칼슘 흡수율이 떨어집니다. 꼭 칼슘과 비타민D를 챙겨주세요.

종합비타민이라도 성분표에서 비타민D가 있는지 꼭 확인하세요. 이 제품처럼 비타민D가 빠져 있는 경우도 간혹 있습니다.

Q2: 뼈골절에 나쁜 음식도 있나요?

=> 네, 그렇습니다.

카페인, 인(P), 소듐성분은 칼슘 흡수를 방해하므로 조심하셔야 합니다!

비타민D처럼 칼슘 흡수를 도와주는 영양소도 있지만, 반대로 카페인, 인(P), 소듐 성분들은 칼슘 흡수를 방해해서 골절환자 분은 꼭 피하셔야합니다.

Q: 커피는 절대 마시면 안되나요?
A: 하루에 '한 잔' 정도는 괜찮습니다.

요즘 '커피' 좋아하시는 분들이 많으신데요, 커피에 포함되어 있는 카페인도 칼슘 흡수를 방해합니다.

하지만 커피는 하루 2잔 이하까지는 영향이 없다고 하니 하루에 1잔 정도는 괜찮습니다. 홍차, 녹차, 콜라 등에도 카페인이 있으니 주의하셔야 합니다.

Q: 인(P)이 들어간 음식은 뭐지요?
A: 대표적으로 곰탕, 사골국입니다.

인(P)성분은 육류, 콩류에 많이 들어가 있습니다. 골절 시에는 인(P)이 많이 든 식품도 조심해야합니다.

흔히들 뼈에 좋다고 생각하고 찾는 '곰탕'이나 '사골국'을 매끼니 섭취하는 것은 오히려 좋지 않습니다.

인(P)성분이 많이 함유되어 있어 칼슘 흡수를 방해하기 때문입니다.

인(P)을 과다 섭취하면 칼슘과 결합해 배출되므로, 칼슘이 인체로 흡수되지 못하게 되고 골밀도를 낮춰 뼈가 약해지게 됩니다.

또한, 체내 인 농도가 높아지면 부갑상선호르몬에 영향을 미쳐 칼슘 흡수 장애를 야기합니다.

Q: 소듐(나트륨) 이 들어간 음식은?
A: 나트륨이 들어간 짠 음식입니다.

소듐이라고 하면 뭐지? 이렇게 생각하실 분들이 많은데, '소듐=나트륨'입니다. 최근 표준용어가 바뀌었다고 하더라고요. 소금이 많이 든 짠음식은 피해주세요.

Q: 그 밖에 골절환자가 주의해야 하는 사항이 있을까요?
A: 술, 담배는 최대한 자제해야 합니다.

술, 담배는 최대한 자제하셔야 합니다. 알콜은 염증을 생기게 해서 골절 회복을 방해하고, 간접흡연만으로도 골유합에 안좋은 영향을 미칩니다.

Q: 음식섭취로는 한계가 있을것 같은데,
좀 더 확실한 골절치료에 효과가 좋은 방법은 없나요?
A: '접골탕'을 복용하시는 것을 권해드립니다.

저희 한의원에 내원하신 골절환자분들께 칼슘이 많이 들어간 음식을 많이 섭취하라고 조언 드리면,

처음에는 의욕적으로 신경써서 먹다가 조금 시간이 지나면, 잘 지켜지기가 어렵습니다.

갑작스런 골절로 인해 일상생활이 망가졌는데 음식까지 제한을 받으면, 스트레스를 많이 받게 되기 때문입니다.

아무리 몸에 좋다는 것도 많이 먹으면 질리기 도 하고요.

그래서 저는 일단, 좋아하는 여러 음식을 골고루 드시되, 골절치료에 대한 효과가 과학적으로 검증된 골절치료 한약 접골탕을 복용하시면서, 편안한 마음으로 생활하시라고 말씀드립니다.

그리고, 여력이 되신다면 뼈골절에 좋은 음식을 잘 챙겨드시면 더욱 좋을 것입니다.

이것이, 골절의 빠른 회복을 위한 가장 효과적이고, 현실적인 방법이 아닐까 생각합니다.

정리하면,

(1) 뼈골절에 좋은 음식

- 칼슘 : 우유, 요거트, 치즈, 아몬드, 멸치
- 비타민 D : 햇빛 샤워 30분, 영양제

(2) 뼈골절에 나쁜 음식

- 카페인 : 커피, 녹차, 홍차, 콜라
- 인(P) : 곰탕, 사골국
- 소듐(나트륨) : 소금기가 많은 짠 음식
- 술, 담배 : 염증을 일으켜 골유합 방해

(3) 접골탕과 뼈골절에좋은음식을 병행하기

오늘은 뼈골절에 좋은 음식에 대해서 같이 알아 봤습니다.

골절 흡연 음주, 괜찮을까요? 골절환자 주의사항

골절로 치료 중입니다. 흡연 괜찮을까요?

골절치료 15년 경희다복한의원 최영진 원장입니다.

흡연자인 환자분들이 골절사고를 당했을때 가장 먼저 궁금해하시는 질문이 아닐까 생각합니다.

오늘은 위 질문에 대한 답변을 국내외 연구결과를 토대로 깔끔히 설명 드리도록 하겠습니다.

골절 흡연, 불유합의 원인

골절 부작용 중에 가장 무서운 것은 불유합입니다.

불유합이란 골절된 후 9개월이 지난 시점에서 과거 3개월전과 비교해서 차도가 없어, 뼈 이식이나 재수술 등 추가적 처치가 꼭 필요한 상태입니다.

골절 환자라면 꼭 피하고 싶은 최악의 상황일 것입니다.

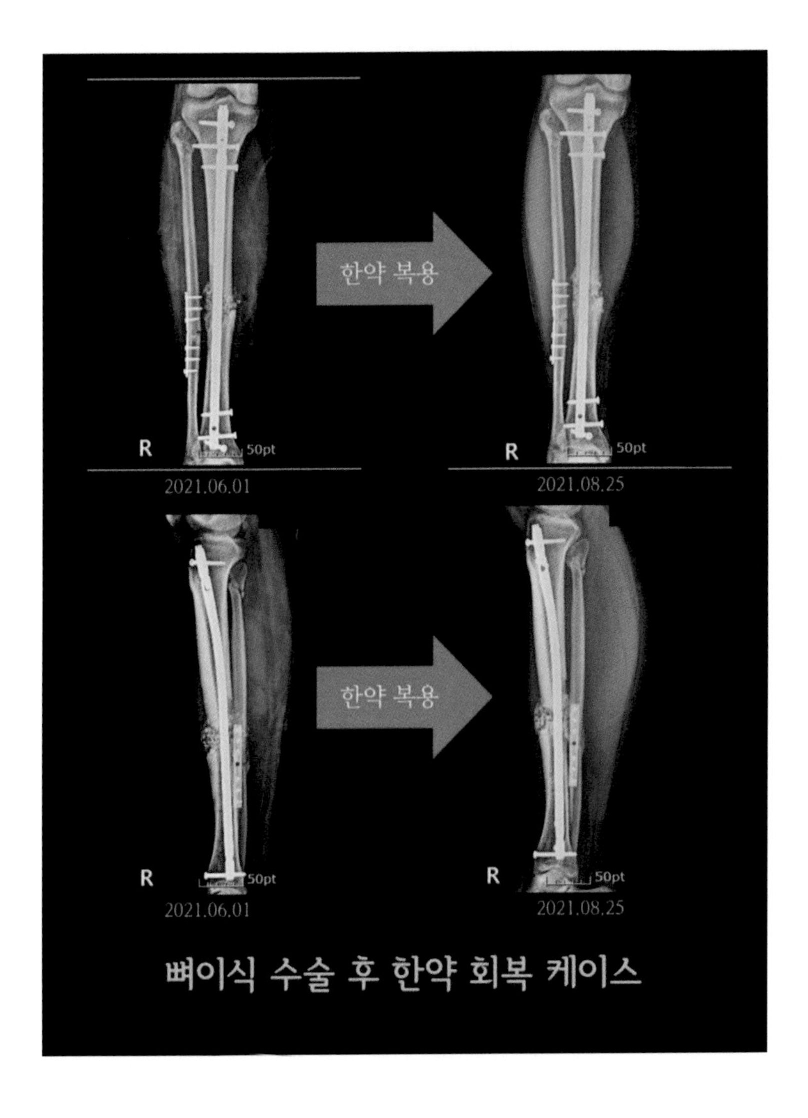

이 불유합을 예방하기 위해 피해야 할 것 중 첫번째는 골절 흡연입니다.

흡연자는 불유합 확률이 높고 골절이 생겼을 때 잘 아물지 않고 외과 수술 부위에 감염이 발생할 위험도 높아진다는 국내 연구팀의 연구 결과가 발표되었습니다.

"골절 흡연과 음주가 골절 회복에 미치는 영향(The influence of smoking and alcohol on bone healing: Systematic review and meta-analysis of non-pathological fractures)"이라는 제목의 논문입니다.

연구팀은 국제학술지에 발표된 논문 122편(환자 41만7767명)을 분석해 골절 흡연 음주가 골절 치료 후 유합(아물어 붙음)과 수술 부위 감염에 어떤 영향을 미치는지에 대해 분석하였습니다.

그 결과, 골절 환자 중 흡연자의 치료 후 골절 불유합 발생률은 비흡연자에 비해 2.5배나 높게 나타났고, 심부 수술 부위 감염률은 비흡연자의 2배인 것으로 조사되었습니다.

이와 함께 외과수술 환자 중 수술 전 최소 4주 금연한 환자는 계속 흡연한 환자에 비해 수술 후 상처 감염률이 0.63배로 줄어 금연의 중요성이 다시 한번 증명되었습니다.

다른 해외 연구에서도 흡연자는 비흡연자에 비해 골절 유합에 50~62%정도 시간이 더 걸린다고 보고하고 있습니다.

금연이 어렵다면, 흡연량을 줄여보시지요!

저도 한의원에 내원한 환자분들께 골절시에는 음주와 흡연을 꼭 멀리하라고 지도하고 있습니다.

저희 환자분들의 경우를 보면, 금주는 해도 금연은 어렵더라고요. (말처럼 쉽지 않다는 것 충분히 이해합니다.)

그래서 저는 금연이 정말 어려우시다면 흡연량을 절반 정도로 줄여보시라고 말씀드립니다.

뿐만아니라 골절 후에 금연을 하는 것도 중요하지만, 평소 골절 예방과 뼈건강을 위해서도 금연이 필수적입니다.

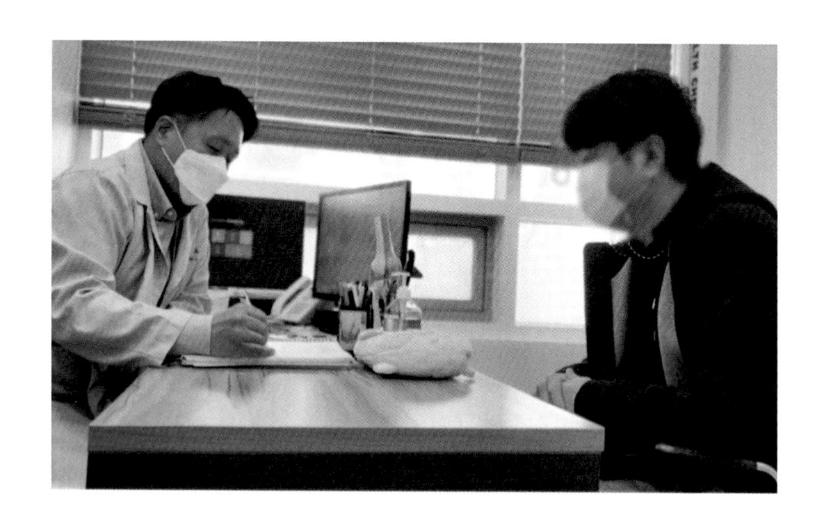

흡연자는 비흡연자보다 골절위험도 25%높아

대한금연학회지에 발표된 "흡연이 뼈 건강에 미치는 영향'을 보면, 남성은 흡연자가 비흡연자보다 골밀도가 4~15.3% 가량 낮았습니다.

흡연자는 비흡연자보다 모든 골절의 위험도가 25% 증가했으며 고관절 골절의 위험도는 84% 증가했습니다.

여성 흡연자는 나이가 들수록 고관절 골절 위험이 높았는데, 60세의 여성 흡연자는 비흡연자보다 고관절 골절 위험도가 17% 높았습니다.

흡연시 발생하는 카드뮴과 니코틴 성분이 비타민D와 칼슘의 흡수를 방해해 뼈 형성을 방해하기 때문입니다.

여성의 경우에는 에스트로겐 농도가 떨어지는 폐경 이후 골다공증 위험이 커지는데, 흡연은 에스트로겐 농도를 떨어뜨리고 조기 폐경을 촉진해 여성들의 골다공증 발생을 가져옵니다.

골절 회복을 위한 첫걸음으로 최대한 흡연량을 줄여보는 것을 실천해 보는 것이 어떨까요?

골진, 골절 후 x-ray CT 로 확인하는 법

골절의 회복단계에서 초기 염증기가 끝나고 복원기가 되면 본격적으로 골절 회복이 시작되고, 이때 환자분들은 골진이 나왔다는 소식을 기다리게 됩니다.

골진이 안나와서 걱정이신
환자분이 많습니다.

골절 회복 단계는 염증기, 복원기, 재형기로 나눌어 집니다.

처음 2~4주 정도 염증기가 진행됩니다. 이때에는 붓기가 증가하고 열감이 생기기도 합니다. 보통 골절 초기에 병원에서 반깁스를 하고, 붓기가 빠지는 2주 후에 다시 통깁스로 바꾸게 되는데 이 기간이 염증기 입니다.

이 염증기에 해당할 때는 최대한 움직임을 줄이면서 체중이 실리지 않도록 하면서, 음주와 흡연을 멀리해야 합니다.

골절의 회복 단계

1. 염증기
2. 복원기 1 - 연성 가골(=골진) 형성
3. 복원기 2 - 경성 가골 형성
4. 재형성기

그렇다면 골진이란 무엇일까요?

동의보감 등 한의학 고전에도 골진(骨津)이라는 말은 나오지 않고 비교적 최근에 만들어진 용어입니다. 글자 자체로 보면 뼈에서 나오는 찐한 진액이라고 풀어 볼 수 있습니다.

뼈를 고아서 만든 찐한 국물(사골국, 곰국)을 많이 먹으면 골절 회복에 좋다는 말 많이 들어 보셨죠? 이것이 글자 그대로 뜻풀이하여 생긴 오해입니다.

실제로 사골국에는 인(P) 성분이 많아 칼슘 흡수를 방해해서, 뼈건강에는 좋지 않은 영향을 미칩니다.

그렇다면 정확한 현대 의학 용어는 무엇일까요? 바로 "연성 가골"입니다.

"골진"
정확한 의학용어로는 연성가골입니다.

연성(soft)이라는 것은 부드러운이라는 의미이고, 가골(callus)이라는 것은 뼈가 부러진 후 붙는 과정에서 생기는 정상적인 뼈 조직으로, 가골이 형성되어 뼈들이 붙으면 정상적인 뼈가 됩니다. (가골 = 임시로 생긴 뼈)

이렇게 연성(soft) 가골을 골진이라고 합니다. 처음 가골이 생성되면 골절되기 전보다 두껍게 형성되고, 리모델링 기간에 원래 뼈 굵기로 회복됩니다.

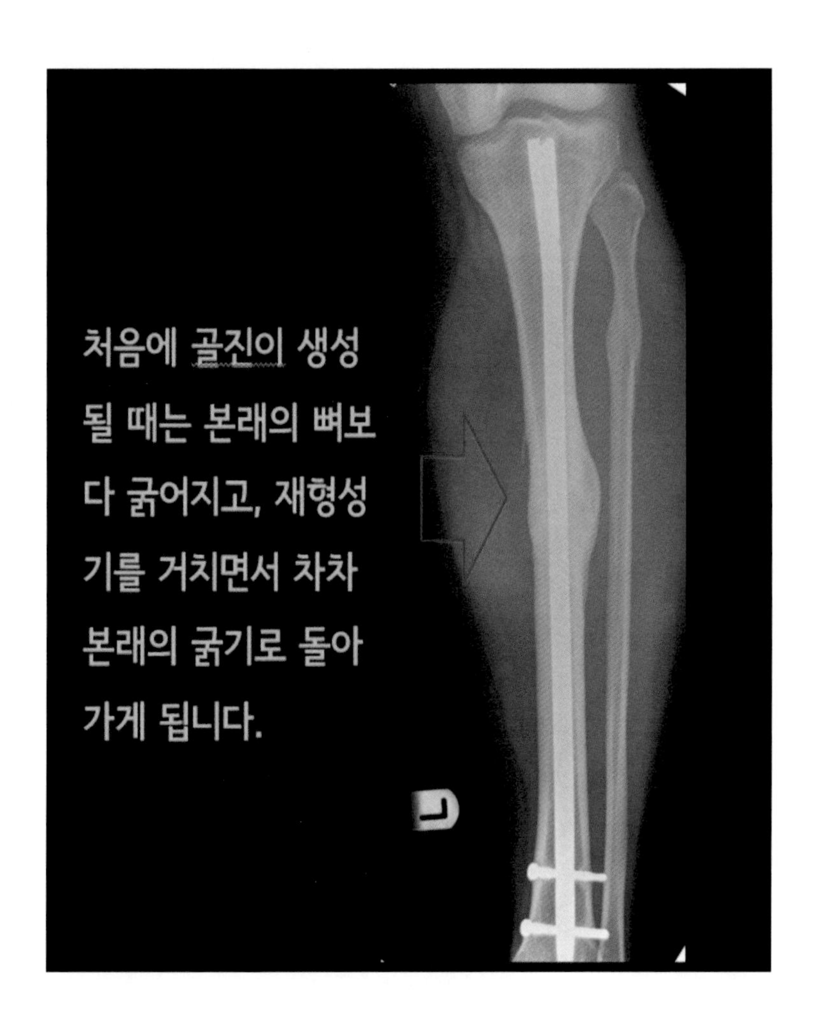

x-ray, CT 이미지로 확인하는 법

x-ray나 CT에서 안개가 낀 것 처럼 희긋희긋한 모양으로 확인할 수 있습니다.

아래 중족골 골절 환자와 비골 골절 환자의 X-ray를 보면 한약 복용 후에 골절 부위에서 흰 액체가 흘러나온 듯한 모양을 볼 수 있습니다. 이것이 바로 골진(=연성 가골)입니다.

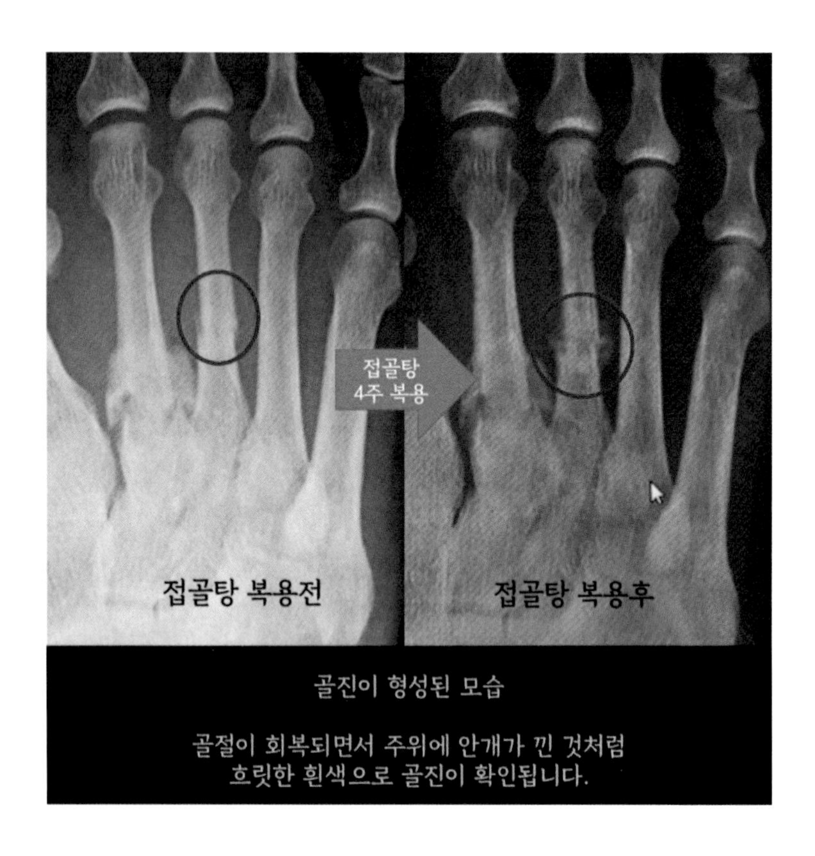

골진이 형성된 모습

골절이 회복되면서 주위에 안개가 낀 것처럼
흐릿한 흰색으로 골진이 확인됩니다.

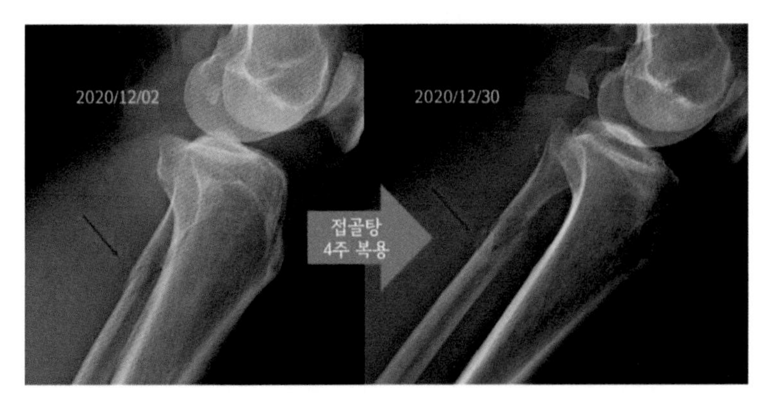

✓ 붉은 화살표를 자세히 보면 골진을 확인할 수 있습니다.

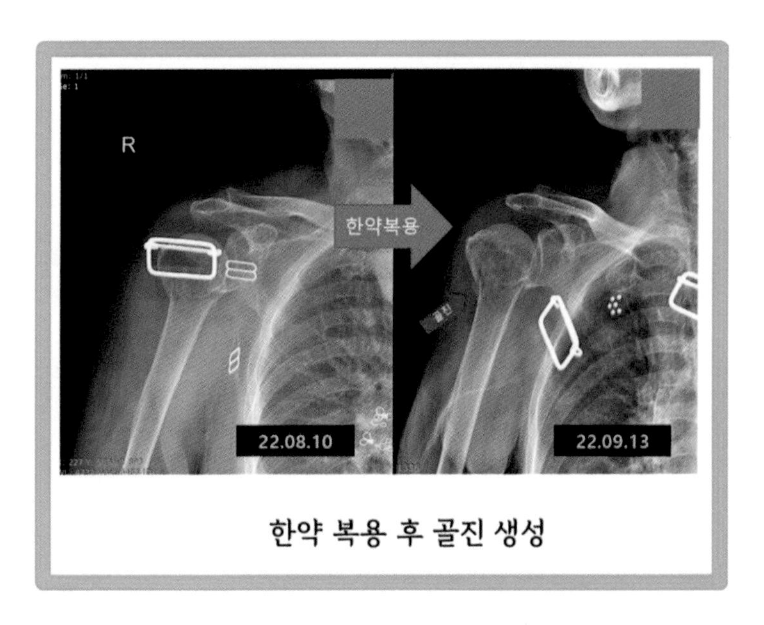

한약 복용 후 골진 생성

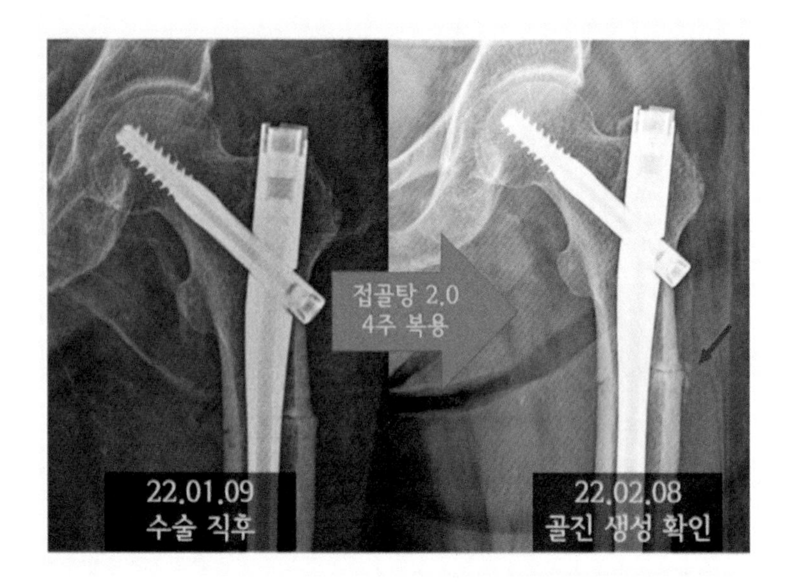

CT에서도 비슷하게 확인 할 수 있습니다. 비골 골절환자의 단면을 나타낸 CT image입니다. 접골탕을 복용하면서 연성 가골이 점점 진짜 뼈로 변해가는 과정을 확인할 수 있습니다.

골진이 형성되면서 회복되는 과정
CT Image

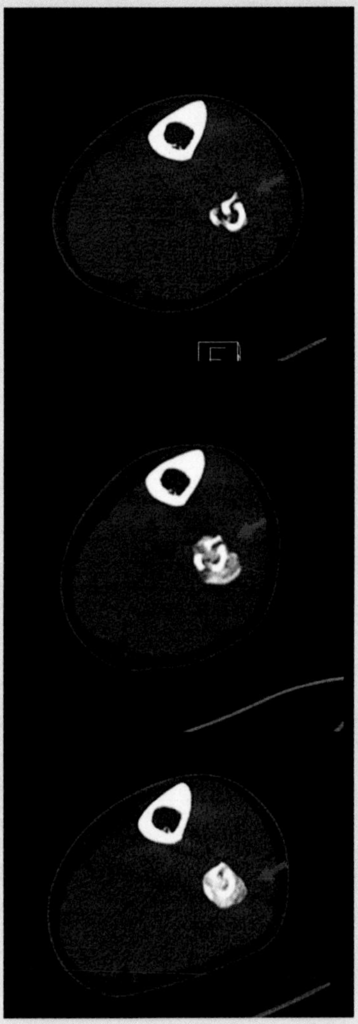

2021.02.20
(골절 초기)

2021.04.02
(접골탕 복용 시작)

2021.06.03
(골진 분비)

2021.08.25
(골절 회복)

골진이 나오지 않아 고민이시라면?

일반적으로 골절 후 염증기가 끝나고, 복원기가 시작되는 4주 후에는 회복이 시작됩니다. 그러나 유합이 느려져서 걱정하시는 분들도 많이 계십니다.

이런 환자분들은 한약 복용으로 도움을 받을 수 있습니다.

이렇게 골절 회복이 처음 예상한 것보다 느려지면 지연유합이라고 하고, 9개월이 지나 재수술 등 추가적 조치 없이는 뼈가 붙지 않는 불유합 환자분들도 5~10%나 됩니다.

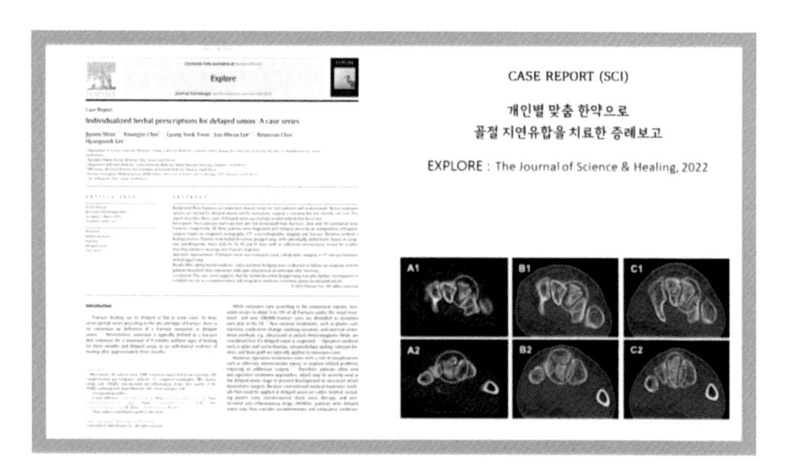

경희다복한의원에서는 지연유합 환자분들을 치료한 케이스를 SCI 해외 저널에 발표한 바 있습니다.

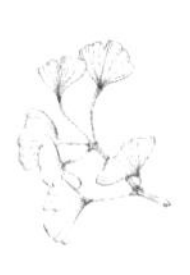

골다공증 한약이 골밀도 높이는 원리와 논문으로 살펴보는 실제 사례

골다공증, 말 그대로 뼈에 구멍이 많아 지면서 뼈가 약해지는 질환입니다. 우리나라 50세 이상 인구에서 골다공증의 유병률은 22.4%이고, 골감소증은 47.9% 입니다.

특히 여성이 남성보다 5배 높아 여성의 유병률은 37.3%입니다. 50대 여자의 10명 중 4명 가량이 골다공증 환자입니다.

그래프에서 파란색이 골다공증 환자의 비율입니다. 여자분들은 10세 단위로 연령이 증가할 때마다 골다공증이 2배씩 증가하는 것을 알 수 있습니다.

연령에 따른 골다공증과 골감소증의 유병률 - 여자

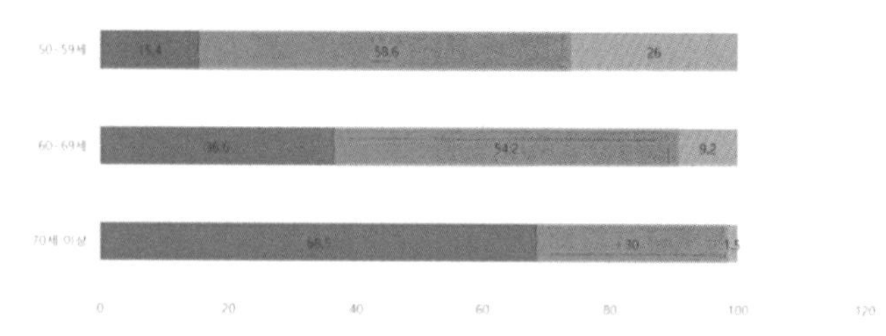

연령에 따른 골다공증과 골감소증의 유병률 - 남자

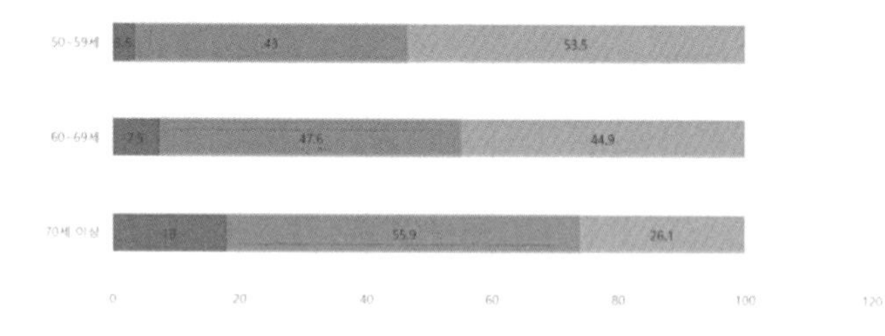

골다공증의 위험성

골다공증은 증상은 없지만, 골절 발생 확률이 높아지기 때문에 위험한 질병입니다. 빙판길에서 엉덩방아를 찧었을 때, 젊었을 때는 단순 타박상으로 넘어갈 충격도 골다공증이 있다면 요추 압박 골절이라는 심각한 상태가 될 수 있습니다.

골다공증성 골절

* 약해진 척추뼈가 찌그러지는 요추 압박 골절의 형태로 나타납니다.

검사지 해석하는 법

골밀도 수치가 -1.0 이하일 때 골감소증, -2.5이하이면 골다공증으로 진단합니다. 골다공증성 골절이 가장 많이 발생하는 허리뼈와 우리몸에서 가장 강한 뼈인 대퇴골의 골밀도를 측정합니다.

Patient:		Patient ID:	
Birth Date:		Referring Physician:	
Height / Weight:	147.0 cm 40.0 kg	Measured:	2020-05-14 오후 6:10:30 (12.30)
Sex / Ethnic:	Female Asian	Analyzed:	2020-05-14 오후 6:19:25 (12.30)

AP Spine Bone Density

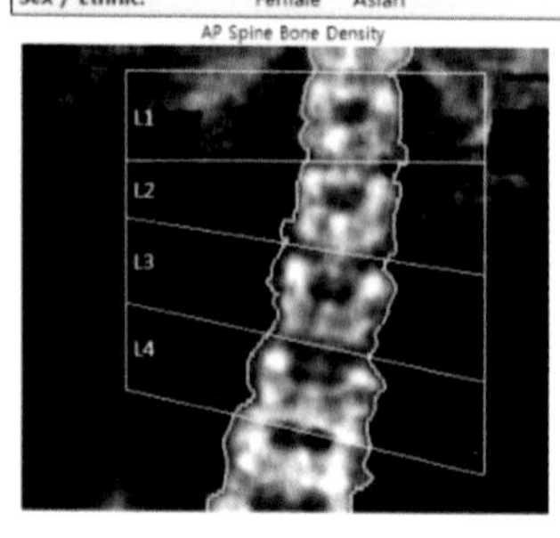

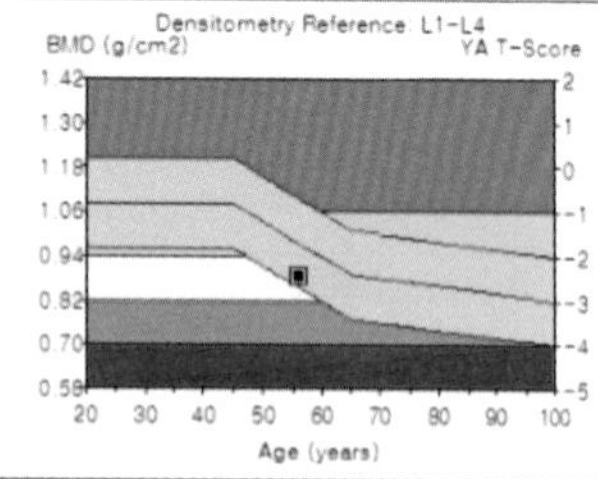

Region	BMD[1] (g/cm2)	Young-Adult[2] (%)	Young-Adult T-Score	Age-Matched[3] (%)	Age-Matched Z-Score
L1	0.871	77	-2.2	94	-0.4
L2	0.881	73	-2.7	89	-0.9
L3	0.849	71	-2.9	85	-1.2
L4	0.926	77	-2.3	93	-0.6
L1-L2	0.876	75	-2.4	91	-0.7
L1-L3	0.866	74	-2.5	90	-0.8
L1-L4	0.883	75	-2.5	91	-0.8
L2-L3	0.864	72	-2.8	87	-1.1
L2-L4	0.886	74	-2.6	89	-0.9
L3-L4	0.889	74	-2.6	89	-0.9

COMMENTS:

Image not for diagnosis

Printed: 2020-05-14 오후 6:19:40 (12.30)76:0.38:76.52:7.8 0.00:-1.00 0.60x1.20
15.8:%Fat=5.1%
0.00:0.00 0.00:0.00
Filename: 16dbaqgo8.ntx
Scan Mode: Thin 5.0 μGy

1 - Statistically 68% of repeat scans fall within 1SD (± 0.010 g/cm2 for AP Spine L1-L4)
2 - Custom korean AP Spine Reference Population (v0)
3 - Matched for Age, Weight (females 25-100 kg), Ethnic
11 - Japanese Society for Bone and Mineral Research definition of osteoporosis and osteopenia for Japanese women: Normal = BMD at or above 80% YA; Osteopenia = BMD between 70% and 80% YA; Osteoporosis = BMD below 70% YA (Reference: Diagnostic criteria for primary osteoporosis: year 2000 revision. J Bone Miner Metab (2001) 19:331-337)

골다공증 한약이 골밀도를 높이는 원리

파골세포는 뼈를 파괴하는 세포입니다. 파골세포의 활성이 높아지면 골다공증이 생기게 됩니다.

파골세포 분화를 검출하기 위해 TRAP이라는 지표를 사용합니다. TRAP 염색 후 세포를 관찰하면 붉은색의 다핵인 큰 세포가 파골세포를 볼 수 있습니다.

한약으로 처리한 결과 붉은 다핵세포를 감소시켰으며, 유의하게 파골세포 수가 감소함을 확인하였고 파골세포의 활성 측정에서도 유의한 억제효과를 나타내었습니다.

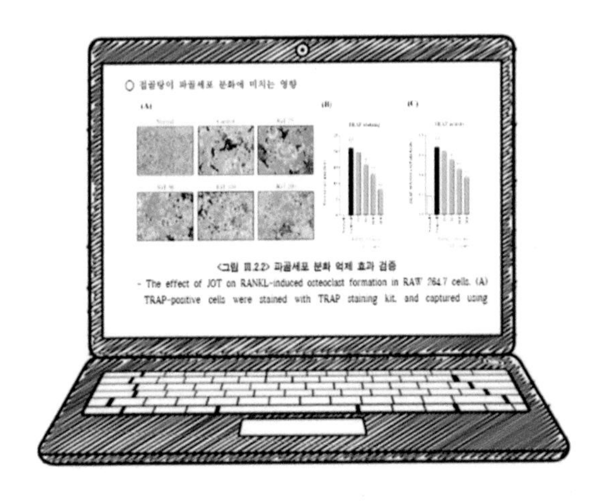

그리고 RANKL로 유도된 NFATc1 및 c-Fos의 발현도 억제시켰습니다. RANKL의 자극은 파골세포 내 다양한 지표를 발현시키는데, 이중 파골세포 분화에 가장 핵심적인 역할을 하는 지표는 NFATc1과 c-Fos입니다.

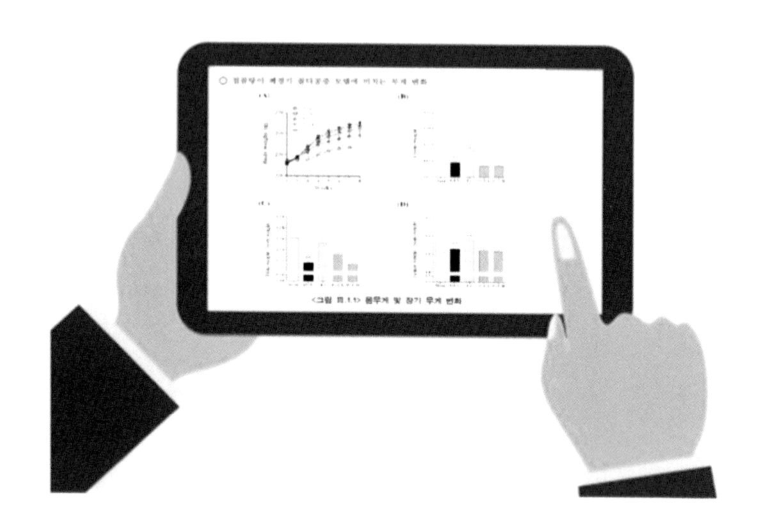

골다공증 한약은 이 두 지표의 발현을 아주 강하게 억제함을 확인하였습니다.

위와 같은 기전으로 파골세포의 활성을 억제하여 골다공증을 치료합니다.

한약으로 골밀도를 상승시킨 케이스

40대 사무직 남자 환자가 저희 한의원을 찾아오신 적이 있습니다. 건강 검진에서 골밀도가 낮게나왔는데, 그 이후 2년동안 계속 수치가 낮아졌기 때문입니다.

자전거 등 레저를 즐기는 분이셨는데, 넘어졌을 때 골절이 생길 수 있다는 걱정에 한약으로 치료하고자 하셨습니다.

남성들은 골밀도가 낮은 경우가 상대적으로 드물기 때문에, 처음엔 골다공증이라고 진단하지 않고 골밀도 연령대 이하라고 표현합니다.

이 환자분은 2018년 DXA로 측정하여 골밀도 수치가 연령대보다 낮다는 진단을 받았고, 골밀도 관련 치료를 전혀 받지 않은 상태에서 2020년 4월에는 요추 골밀도 수치 0.81g/cm2 (Z-점수: -3.1), 대퇴골 경부 골밀도 수치 0.54g/cm2 (Z-점수: -2.7)로 더 저하되었습니다.

이후 5개월간 접골탕을 복용하고 2020년 9월 DXA로 측정한 결과 2020년 4월과 비교하여 요추 골밀도 수치는 13.6% 개선되었고 대퇴골 경부 골밀도 수치는 22.2% 개선되는 결과를 보였습니다.

더불어 FRAX 평가 결과, 10년 이내 주요 골다공증 골절 확률도 처음 6.5%에서 3.7%로, 고관절 골절 확률은 3.5%에서 1.0%로 낮춰졌습니다.

이러한 골다공증 한약 회복 사례는 논문으로 발표하여 의학적 의미를 인정받았습니다.

(원지윤, 최영진, 이병철, 이향숙. (2021). 중년 남성에서 접골탕 투여 후 개선된 골밀도에 관한 증례 보고. 대한한의학회지, 42(2), 90-97.)

대한한의학회지 제42권 제2호(2021년 6월)
J Korean Med. 2021;42(2):90-97
http://dx.doi.org/10.13048/jkm.21018
pISSN 1010-0695 • eISSN 2288-3339

Case Report

중년 남성에서 접골탕 투여 후 개선된 골밀도에 관한 증례 보고

원지윤[1,2], 최영진[3], 이병철[4], 이향숙[1,2*]

[1]경희대학교 한의과대학 대학원 기초한의과학과, [2]경희대학교 침구경락융합연구센터
[3]경희다복한의원, 경희대학교 한의과대학 부속병원 신장내분비내과학교실

Improvement of Low Bone Mineral Density Treated with Jeopgol-tang in a Middle-Aged Man: A Case Report

Jiyoon Won[1,2], Youngjin Choi[3], Byung-Cheol Lee[4], Hyangsook Lee[1,2*]

[1]Department of Science in Korean Medicine, College of Korean Medicine, Graduate School, Kyung Hee University
[2]Acupuncture and Meridian Science Research Center, Kyung Hee University
[3]KyungheeDabok Korean Medicine Clinic
[4]Department of Nephrology and Endocrinology, College of Korean Medicine, Kyung Hee University

Bone mineral density (BMD) is a major diagnostic marker for bone health. A 44-year-old male had BMD of 0.81 g/cm^2 (Z-score: -3.1) in lumbar spine scan and 0.54 g/cm^2 (Z-score: -2.7) for femoral neck from regular medical checkup in Apr 2020. He had no other specific medical conditions except hyperlipidemia and alcohol was a single risk factor for fracture according to Fracture Risk Assessment Tool. After he was diagnosed with liver-kidney deficiency and treated for 20 weeks with Jeopgol-tang originally patented for promoting fracture recovery, lumbar spine BMD increased by 13.6 % (0.92 g/cm^2, Z-score: -2.1) and femoral neck BMD by 22.2% (0.66 g/cm^2, Z-score: -1.8) compared with those of Mar 2020. Herbal medicine treatment for tonifying liver and kidney to improve BMD warrants further investigation.

Key Words : *Jeopgol-tang, osteoporosis, osteopenia, bone mineral density, bone health, FRAX, case report*

접골탕 복용 전후 골밀도 변화

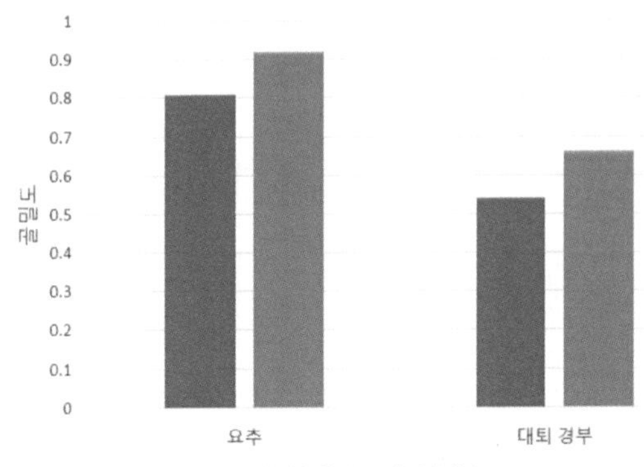

* 접골탕 2.0 처방은 골절 치료 특허 조성물에 환자의 상태에 맞는 한약재를 가감하여 조제하는 맞춤형 한약입니다. 약효는 개인에 따라 다르게 나타날 수 있으며, 소화불량 등의 부작용이 있을 수 있습니다.

접골탕 2.0의 조성물은 특허법에 의거 보호되고 있으며, 경희다복한의원에서만 처방받으실 수 있습니다.

[논문 요약]
2년간 지속적으로 연령대 평균 이하였던
중년의 사무직 남성 환자가 접골탕을 복용하고
골밀도 수치가 개선되었다.

골다공증은 아무런 증상이 없지만 골절 발생 확률이 높아지는 위험한 질환입니다. 4년내에 재골절이 발생할 가능성도 24.8%나 됩니다. 특히 길이 미끄러운 겨울철에 더 조심해야합니다.

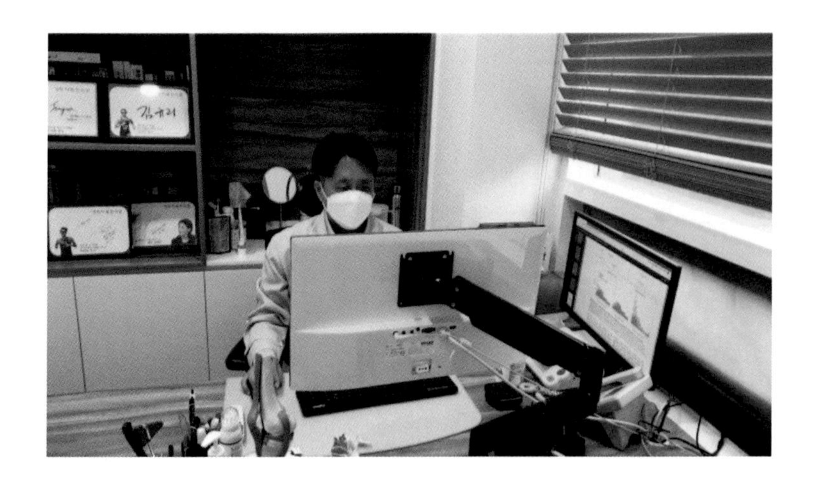

2019년 대만의 연구진들은 한약을 복용하면 골절 발생 확률이 낮아짐을 보고한 논문을 발표한 바 있습니다.

(Wang YC, Chiang JH, Hsu HC, Tsai CH. Decreased fracture incidence with traditional Chinese medicine therapy in patients with osteoporosis: a nationwide population-based cohort study. BMC Complement Altern Med. 2019 Feb 4;19(1):42. doi: 10.1186/s12906-019-2446-3. PMID: 30717733; PMCID: PMC6360787.)

뼈가 약해서 걱정이시라면 운동과 함께 골다공증 한약으로 관리해 보세요. 꼭 좋은 결과가 있을 것입니다.

골절치료 더 빠른 회복을 원한다면 꼭 알아 두어야 할 것

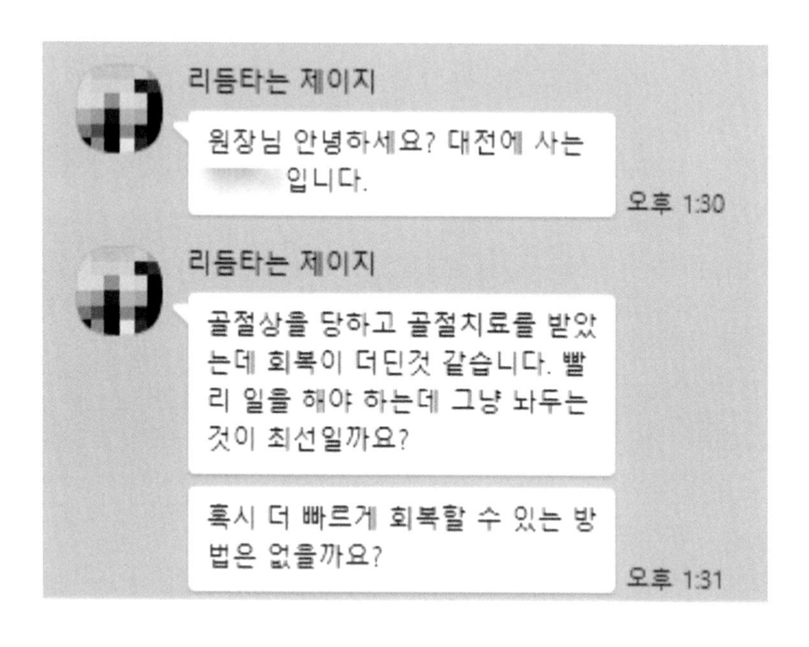

오늘 저에게 연락이 오신 환자분과의 대화입니다. 모든 골절환자분이 동일하게 궁금해하시는 당연한 질문입니다.

어떻게 하면 골절치료를 잘 할수 있을까?

어떤 사고나 충격으로 인해서 골절을 당하게 되면 빠르게 치료를 받고 안정을 취하되, 무리가 가지 않는 선에서 재활을 해주는 것이 가장 중요합니다.

하지만 생계를 이어 나가야 하는 분들은 뼈가 다 회복될 때까지 기다리는 것에 조바심을 느끼실 수도 있습니다.

골절의 원인

골절 예방을 위해서는 원인도 미리 알아 두고 있는 것이 좋습니다.

일단 가장 큰 원인은 뼈에 강한 외력이 가해지는 외상으로 인해 나타나기 때문에 예측할 수 없는 사고로 인해 생기는 것은 어쩔 수 없는 일입니다.

하지만 골절은 외상 외에도 골다공증이나 종양, 감염 등으로 약해진 부위에 나타나는 골절, 뼈의 일정 부위에 반복되는 동작으로 생기는 피로 골절이 나타날 수도 있으니 이런 부분도 주의해야 합니다.

일상생활에서 골절을 예방하기 위해 건강한 생활 습관과 식습관을 들이고, 어떤 행동을 계속 반복해야 할 땐 충분한 휴식을 취하는 것도 중요합니다.

빠른 회복을 위해 해야 할 일

골절 자체를 치료하는 것은 손상된 정도, 치료의 적절성에 따라 결과가 달라지지만, 이후의 재활 골절치료는 환자 개인의 적극적인 참여가 가장 중요하다고 볼 수 있습니다.

그래서 수술이나 치료를 받은 후, 다음과 같은 행동을 통해 관리해 주는 것이 도움이 될 수 있습니다.

- 다친 부위 주변 근육을 능동적으로 운동하여 혈액 순환 촉진을 유발해 부종이 발생하는 것을 방지해야 합니다.

- 근육을 사용하지 않으면 위축되기 때문에 고정한 관절의 근육은 힘을 주었다 빼는 운동을 해주는 것이 좋습니다.

- 고정되지 않은 관절은 모든 운동 범위를 움직여 관절이 굳지 않게 해주어야 합니다.

- 흡연은 골 형성을 억제하기 때문에 치료 기간에는 금연을 해 주셔야 합니다.

- 뼈의 회복과 재생을 돕는 조골세포 활성을 도와주는 영양소를 섭취하는 것이 좋습니다.

골절 회복에 도움이 되는 음식

1. 건새우

건새우는 뼈 하면 떠오르는 영양소인 풍부한 칼슘 함량을 자랑하며, 새우 껍질 부분에 농축된 키토산은 면역력 증진에도 도움이 되어 재활 기간 떨어질 수 있는 체력 보충에도 도움이 될 수 있습니다.

2. 미역

미역은 칼슘을 포함한 여러 영양성분이 풍부한 음식입니다. 때문에 뼈 골절 뿐만 아니라 전체적으로 뼈 건강을 개선하는데 크게 도움이 될 수 있습니다.

3. 토마토

마그네슘과 다양한 비타민군, 미네랄이 풍부한 토마토입니다. 특히 비타민K는 칼슘과 골기질을 결합시키는 오스테오칼신의 활성화에 큰 관여를 하고 있습니다.

4. 두부

식물성 단백질의 표본인 두부는 뼈 소실을 막아주며, 골밀도를 채워 뼈 골절에 큰 도움이 될 수 있습니다.

5. 우유

칼슘 하면 가장 먼저 떠오르는 대표적인 식품입니다. 우유는 칼슘, 마그네슘이 풍부해 뼈 건강에 도움이 되며, 골다공증이 있으신 분들에게도 좋습니다.

한약을 통한 관리

골절치료, 재활과 음식 외에도 도움이 되는 요소가 더 있습니다.

바로 골절 회복에 도움이 되는 한약을 복용하는 것입니다.

저희 한의원에서도 빠른 골절 회복이 필요하신 분들을 위해서 접골탕이라는 것을 처방해 도움을 드리고 있습니다.

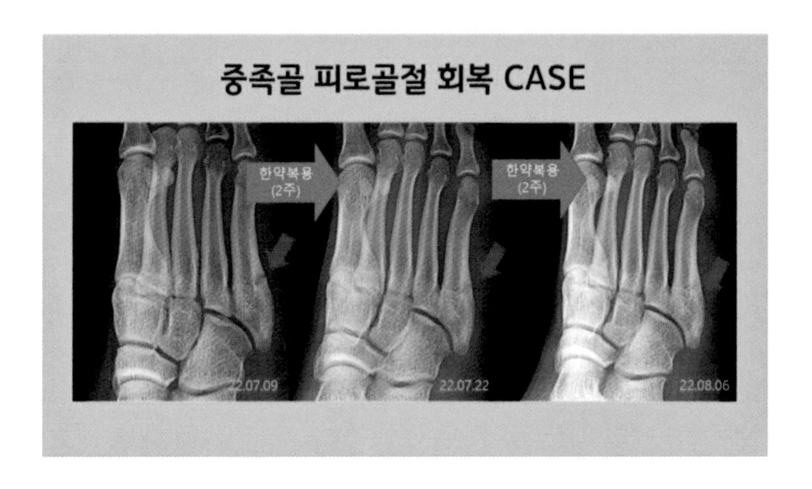

접골탕은 2006년에 제가 직접 개발하여 특허를 받은 탕약으로, 골절 회복 기간 동은 조골세포의 활성화를 극대화할 수 있도록 도움을 주어 회복 속도를 높여주는 한방 치료제입니다.

이후 15년간 이루어진 치료를 통해 경험이 쌓여 지금은 접골탕 2.0으로 업그레이드하여 더 좋은 결과를 기대해볼 수 있게 되었습니다.

또한 모두 같은 처방을 하는 것이 아니라 오랜 경험과 노하우를 바탕으로 환자의 상황에 맞는 개별 맞춤 처방을 진행하고 있습니다.

접골탕이 필요한 경우?

접골탕 2.0은 다음과 같은 분들에게 권해 드리고 있습니다.

- 골절치료 기간을 단축시키고 싶으신 분들
- 골절된 지 오래됐지만 회복 속도가 느리신 분들
- 골다공증, 당뇨, 갑상선 기능 저하로 회복이 늦을까 걱정되는 분들
- 나이가 많아 뼈가 잘 붙지 않는 분들
- 폐경 이후 뼈가 약해지기 시작하는 중년 이후 여성분들
- 작은 충격에도 쉽게 골절될 수 있는 성장기 어린이들
- 피로골절로 재활하고 있는 운동 선수분들

저희 접골탕은 대한민국 최초로 영국 LGC 반도핑 연구소 도핑 검사를 통과하여 운동 선수분들도 도핑에 대한 걱정 없이 안심하고 처방받으실 수 있고 이미 많은 운동선수분들이 골절 시 회복에 도움을 받으셨습니다.

Part 3. 치료 사례

접골탕 골절한약 치료 사례를 소개합니다

이 글은 뼈붙는기간이 길어져서, 아니면 길어질까봐 많은 걱정을 가지신 환자분들을 위해 골절치료만을 15년이상 하고 있는 현직 한의사가 대표적인 골절 회복 케이스에 대한 내용을 직접 작성한 글입니다.

1. 교통사고 대퇴골 분쇄골절 케이스
2. 복숭아뼈 골절 케이스
3. 중족골 재골절 후 회복 케이스
4. 골절 지연유합(상완골) 케이스
5. 손목 골절 비수술 케이스
6. 무릎 경골골절 수술 후 회복 케이스
7. 골절 환자분들이 주의할 점

최근 빠른 골절 회복을 위해 골절한약 접골탕이 어떤 한약인지 문의를 주시는 분들이 더욱 많아졌습니다.

이제는 한약으로 골절치료회복기간을 단축시킬 수 있다는 사실이 환자분들에게도 많이 알려진 것 같습니다.

그만큼 가장 효과적인 골절치료를 위해 고민하시는 분들이 많아졌다는 반증이기도 하고요.

지금 이 글을 읽고 계시는 분들도 아마 수동적이 아닌, 적극적으로 문제해결을 해보고자 하시는 분들이 아닐까 생각이 됩니다.

참 잘 오셨습니다.

경희다복한의원은

1) 접골탕을 2002년 처음으로 개발하였고
(생각해보니 그 때, 뼈를 단단하게 붙인다는 의미로 붙을 접, 뼈 골을 조합하여 接骨탕이라는 이름을 제가 지었었네요. ^^)

2) 15년째 골절 환자에 대한 치료 경험과 수많은 데이터를 바탕으로 환자분 개개인에 가장 적합한 치료를 하고 있으며,

3) 뼈가붙는데 도움이 되는 한약재에 대한 끊임없는 과학적 연구와 검증하여 업그레이드된 접골탕 2.0 을 완성하였습니다.

1. 교통사고 대퇴골 분쇄골절 케이스

비교적 가벼운 타박상이나 염좌로 그치는 교통사고도 있지만, 골절상을 당하는 경우도 있습니다.

교통사고 시 가장 많은 골절 부위는 갈비뼈 골절입니다.

운전대에 부딪치거나, 안전벨트가 큰 사고를 막아주는 과정에서 갈비뼈가 골절됩니다. 통계를 보면 1년에 약 4000명 정도가 발생합니다.
손이나 발에 골절이 생겨 수술을 받으시는 분도 1년에 1000명 정도 발생합니다.

교통사고로 뼈가 부러진것이 확인되면, 우선 정도에 따라서 우선 수술과 비수술을 결정해야 합니다.

비수술 상태이거나 수술 후에도 한약을 복용하시면 빠른 회복이 가능합니다.

교통사고로 인한 골절시 "본인 부담금없이" 4주 한약은 자동차보험으로 처방 가능합니다.

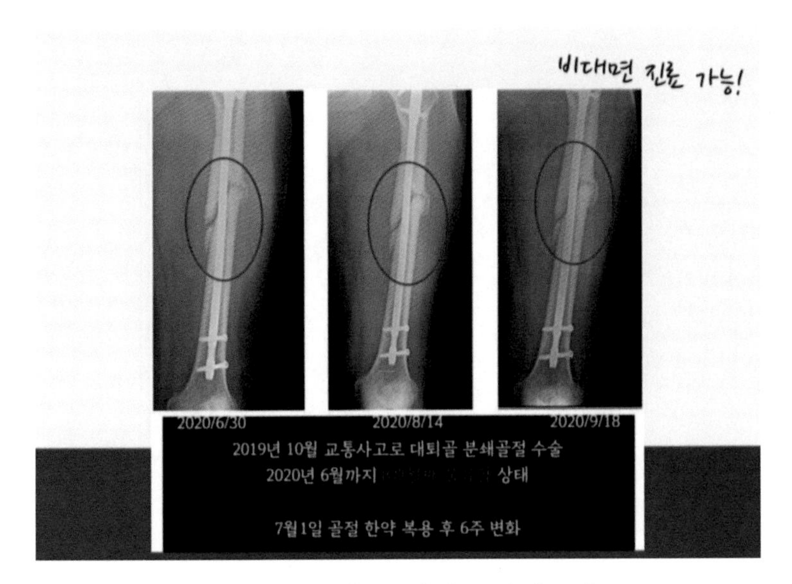

접골탕 치료전후, 대퇴골 분쇄골절

2. 복숭아뼈 골절 케이스

복숭아뼈 골절은 여자보다 남자에게 많고 주로 남자는 10대, 여자는 50대 환자가 가장 많습니다.

남자는 축구 등 활동성이 가장 많은 나이에, 여자는 폐경기 이후 골다공증이 생기면서 가벼운 염좌나 타박으로 인해 뼈가 부러지는 상황으로 이어지기 때문이지요.

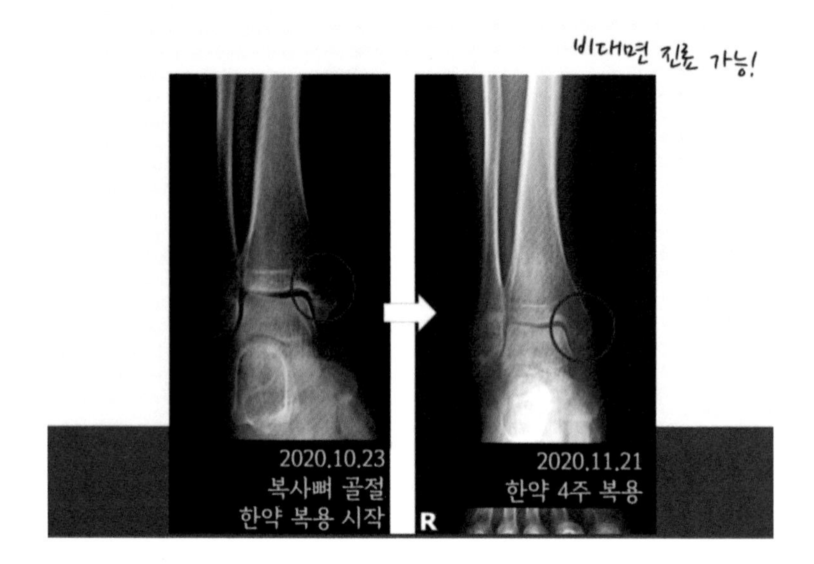

3. 중족골 재골절 후 회복 케이스

중족골은 발목과 발가락을 연결하는 뼈입니다.

보통 무거운 물건이 떨어져서 발생합니다.
운동 선수는 발등피로골절이 잘 생기는 부위입니다.

중족골은 체중을 지탱하는 위치에 있기 때문에 조심하지 않으면, 중족골에 계속 힘이 들어가게 되어 회복 중 더 간격이 벌어져서 재수술을 해야 하거나, 다시 재골절이 생기는 경우가 종종 있습니다.

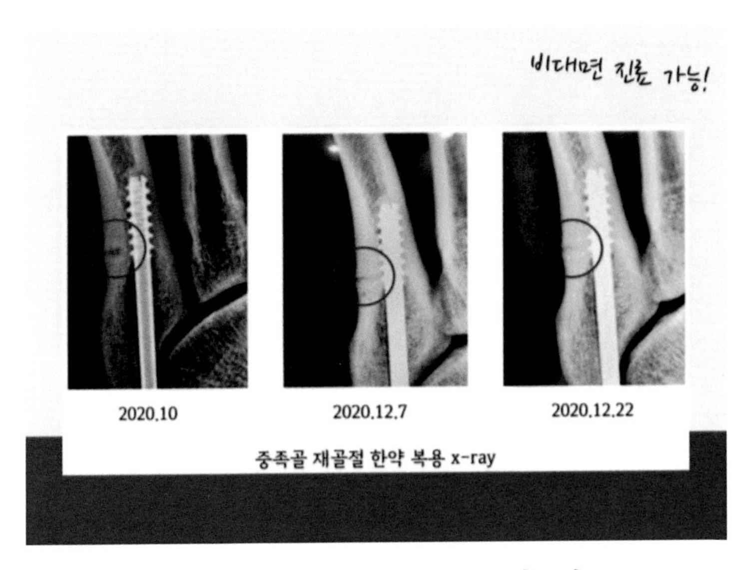

골절 한약 치료 전후, 중족골 재골절

4. 골절 지연유합(상완골) 케이스

뼈가부러진 이후에 뼈가 늦게 붙어 걱정이신 분들이 있습니다.

바로 골절 불유합이나 지연유합 판정을 받으신 분들입니다.

골절한약으로 효과를 보고 가장 기뻐하시는 분들이기도 합니다.

이런 경우 어느 정도 지켜보다 회복이 없으면 뼈이식이나 재수술을 해야하는데, 골절 한약으로 치료해 볼 수 있습니다.

전체 골절환자의 10%로 추정되는 골절 불유합

미국 식품의약국(FDA)에서는, 골절 후 최소 9개월이 지났지만 최근 3개월간 뼈가붙는 과정이 나타나지 않는 것을 두고 '불유합'이라고 진단합니다.

불유합은 전체 골절 환자의 10% 정도로 추정되고 있습니다. 생각보다 많지요?

미세하게라도 골유합이 진행될 경우 '지연유합'이라고 진단합니다.

골절 후 뼈가 붙지 않는 불유합의 원인은 다양한데, 일반적인 환자의 경우 나이와 성별, 영양상태, 골질, 당뇨와 같은 내분비장애, 흡연 여부 등이 영향을 미칠 수 있습니다.

이밖에 골절 발생 시 가해진 힘이나 위치와 양상, 감염도 중요한 이유입니다.

불유합 발생 빈도는 사고 당시 가해진 충격이 강할수록 증가합니다. 강한 충격이 가해지면 뼈와 주변 근육, 힘줄이 심한 손상을 입게 됩니다.

심하게 손상된 뼈의 경우, 새로운 뼈 형성 능력이 약화될 수 밖에 없으며, 주변 조직이 심하게 손상되면 관련부위의 재생과정을 촉진하는 능력도 저하되게 됩니다.

그래서, 불유합이 고령층만이 아닌 비교적 젊은층에서도 충분히 나타날 수 있습니다.

실제로도, 저희한의원에 방문하시는 불유합 환자분들 중 '젊은 분' 들의 비중이 꽤나 큽니다.

비대면 진료 가능!

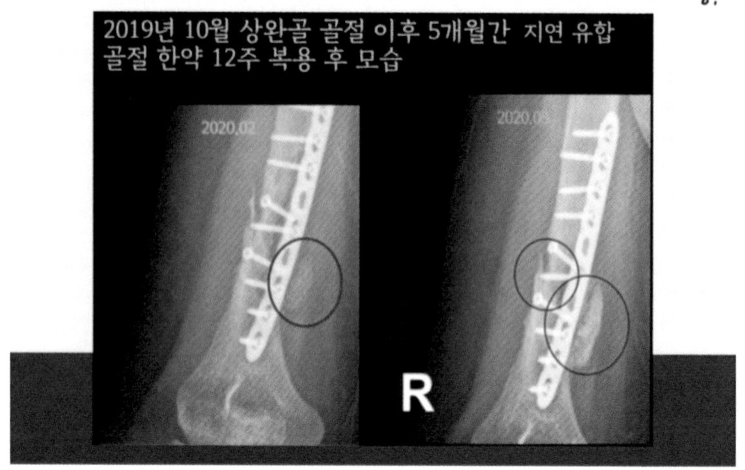

골절 지연유합 회복 사례

5. 손목 골절 비수술 케이스

골절 중에 가장 불편함을 주는 것이 오른쪽 손목 골절입니다. 식사나 필기 등 일상적인 활동에 큰 불편을 가져오기 때문입니다.

손목 골절 후에 뼈가 자리를 벗어나지 않고(비전위 골절), 1곳만 골절된 단순골절이라면, 비수술로 회복하는 경우도 있습니다.

비수술인 경우에는 깁스외에는 할 수 있는 것이 없는데, 골절 한약 복용으로 회복 기간을 줄이는데 도움이 많이 됩니다.

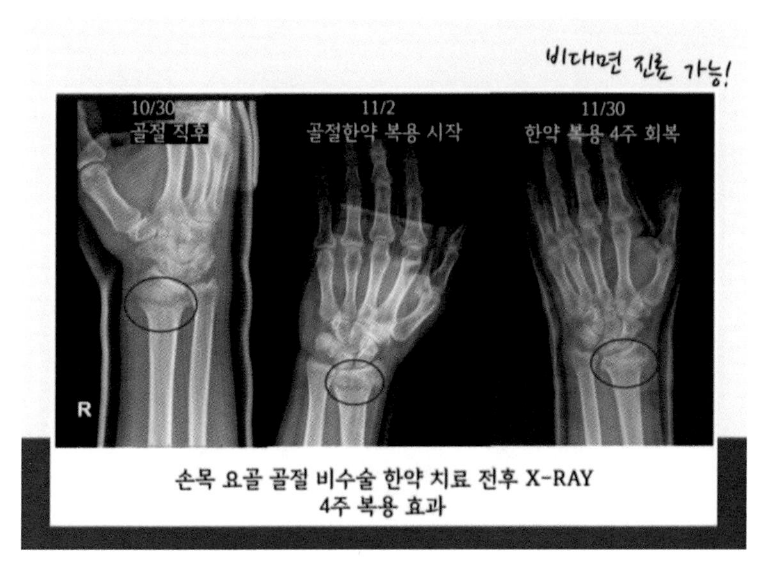

손목골절 비수술 회복 사례

6. 무릎 경골골절 수술 후 회복 케이스

정강이 경골골절 원인은 교통사고나 운동 중 손상, 추락 사고, 스키사고 등으로 인해 발생할 수 있습니다.

특히 높은 곳에서 떨어지거나 아랫다리를 어디에 세게 부딪쳤을 때도 정강이 경골골절이 되기 쉽습니다.

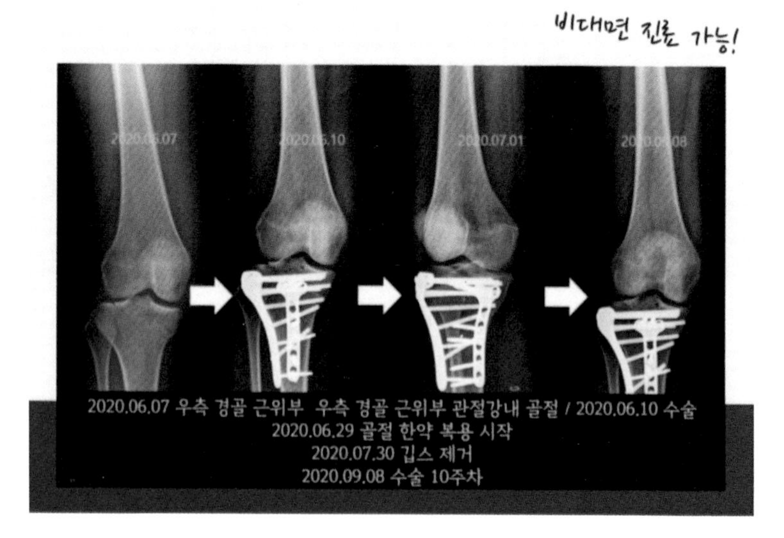

경골골절 수술 후 회복사례

7. 골절 환자분들이 주의할 점

전체 골절케이스의 10% 를 차지하는 불유합을 예방하는 가장 중요한 수칙 중 하나가 '금연'입니다.

흡연은 골절 치유를 방해할 뿐만 아니라 감염이나 골수염 같은 합병증을 증가시키는 위험 인자이기 때문이지요.

또한, 금주를 반드시 부탁드리고, 커피는 하루 한잔 정도까지는 괜찮습니다.

이외에도 칼슘 섭취와 칼슘흡수를 위한 비타민D 영양제 복용도 실천하신다면 빠른 골절 회복에 도움이 되실 것입니다.

접골탕 2.0 처방과 해외 SCI 저널에 소개된 골절 치료 3례

골절 중에는 수술이 필요한 경우도 있지만, 큰 치료없이 깁스 고정만으로도 잘 회복되는 경우도 있습니다. 특히 건강 상태가 양호하고 젊을수록 예후가 좋습니다.

하지만 고령이나 다른 기저질환, 또는 골절의 양상에 따라서는 예상보다 훨씬 늦게 골유합이 이루어지기도 합니다.

골유합을 방해하는 위험인자에는 골다공증, 흡연, 당뇨가 대표적입니다.

골절에서 빨리 졸업하기 위해 접골탕을 찾으시는 분들이 많습니다.

Contents lists available at ScienceDirect

Explore

journal homepage: www.elsevier.com/locate/jsch

Case Report

Individualized herbal prescriptions for delayed union: A case series

Jiyoon Won[a,1], Youngjin Choi[b,1], Lyang Sook Yoon[c], Jun-Hwan Lee[d,e], Keunsun Choi[f], Hyangsook Lee[a,*]

[a] Department of Science in Korean Medicine, College of Korean Medicine, Graduate School, Kyung Hee University, 26 Kyung Hee Dae-ro, Dongdaemun-gu, Seoul, South Korea
[b] Kyunghee Dabok Korean Medicine Clinic, Seoul, South Korea
[c] Department of Korean Medicine, School of Korean Medicine, Pusan National University, Yangsan, South Korea
[d] KM Science Research Division, Korea Institute of Oriental Medicine, Daejeon, South Korea
[e] Korean Convergence Medical Science, KIOM School, University of Science and Technology (UST), Daejeon, South Korea
[f] CNS Orthopedic Clinic, Seoul, South Korea

ARTICLE INFO

Article History:
Received 14 February 2022
Accepted 5 March 2022
Available online xxx

Keywords:
Herbal medicine
Fracture
Delayed union
Case series

ABSTRACT

Background Bone fractures are important clinical events for both patients and professionals. Active treatment options are limited for delayed unions and for nonunions; surgery is common but not entirely risk-free. This report describes three cases of delayed union successfully treated with herbal decoction.
Participants Three patients had trapezoid and 3rd metacarpal bone fractures, 2nd, and 5th metatarsal bone fractures, respectively. All three patients were diagnosed with delayed union by an independent orthopedic surgeon based on computed tomography (CT) scan/radiographic imaging and fracture duration without a healing process. Patients took herbal decoction, Jeopgol-tang, with individually added herbs based on symptom manifestations, twice daily for 56, 85 and 91 days with no additional interventions except for a splint that they had been wearing since fracture diagnosis.
Outcomes Improvement of delayed union was evaluated using radiographic imaging or CT during treatment with Jeopgol-tang.
Results After taking herbal medicine, callus and bony bridging were confirmed on follow-up imagings and the patients described their experience with pain reduction at an interview after recovery.
Conclusions This case series suggests that the herbal decoction Jeopgol-tang warrants further investigation to establish its role as a complementary and integrative medicine treatment option for delayed unions.

평균적인 예상기간보다 골유합이 늦어지는 경우를 지연유합(delayed union) 이라고 하고 보통 3개월이 지나도 계속 골절 상태일 때를 말합니다.

지연유합의 발생 비율은 뼈마다 다르지만 대퇴골 전자하골절의 경우 전체의 46%의 환자가 지연유합이 되고, 7%의 환자는 불유합으로 재수술을 받게 됩니다.

지연유합과 불유합 환자의 숫자로만 다시 계산해보면 19% 가량이 뼈이식 등의 불유합 재수술을 하게 됩니다.

골절의 합병증 ; 지연유합, 불유합

골절발생
- 골절의 합병증에는 지연유합과 불유합이 있습니다.

지연유합
- 처음 예상 했던 것 보다 회복 속도가 느릴 때
- 골절 발생 후 3개월이 지나도 유합이 완전하지 않을 때

불유합
- 지연유합 환자 중 골절 발생 후 6개월 지난 시점부터 3개월을 더 관찰하여 x-ray에서 변화가 없을 때
- 6개월이 지나도 유합이 완전하지 않을 때.

대퇴골 전자하 골절의 경우

1. 47%는 6개월내 정상 회복
2. 46%는 지연유합
3. 7%는 불유합

➢ **지연유합 환자 중 19%는 불유합으로 재수술**

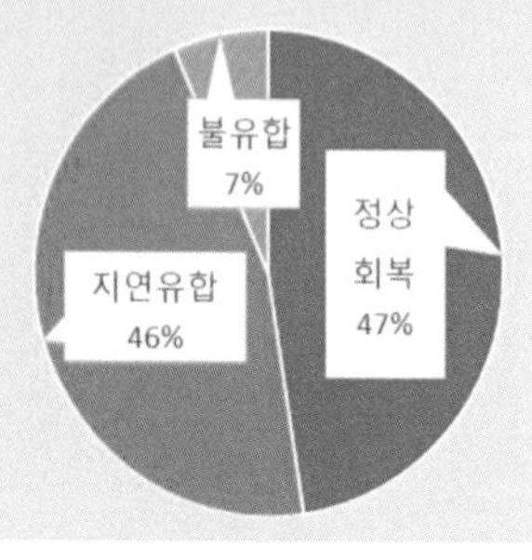

지연유합이 치료된 케이스

1. 23 세 남자 중수골, 소능형골 골절

20대 젊은 사람도 다발골절 (한번에 여러 뼈가 골절) 이 발생하면 회복이 늦어질 수 있습니다.

지나가던 행인과 손목이 부딪치면서 중수골과 소능형골이 골절되었고 3개월 가량이 흘렀으나 회복이 없어 접골탕을 복용하였습니다. 8주간의 한약 복용으로 완치되었습니다.

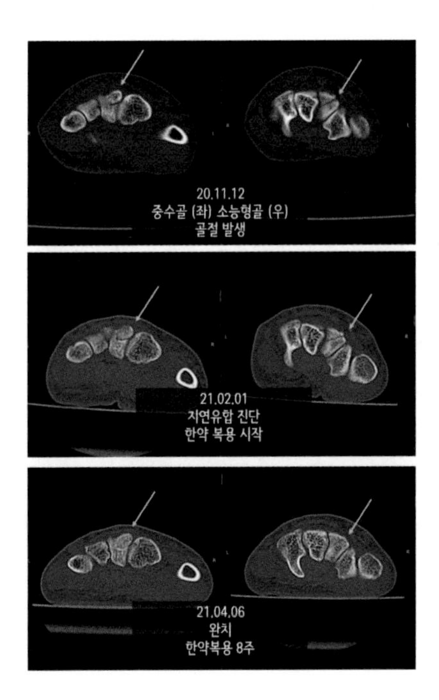

2. 76세 여자 중족골 골절

이 환자분은 70대 후반의 고령으로 중족골 골절 이후 회복이 늦어 지연유합 진단을 받았습니다. 8주간 접골탕 복용으로 완치되었습니다.

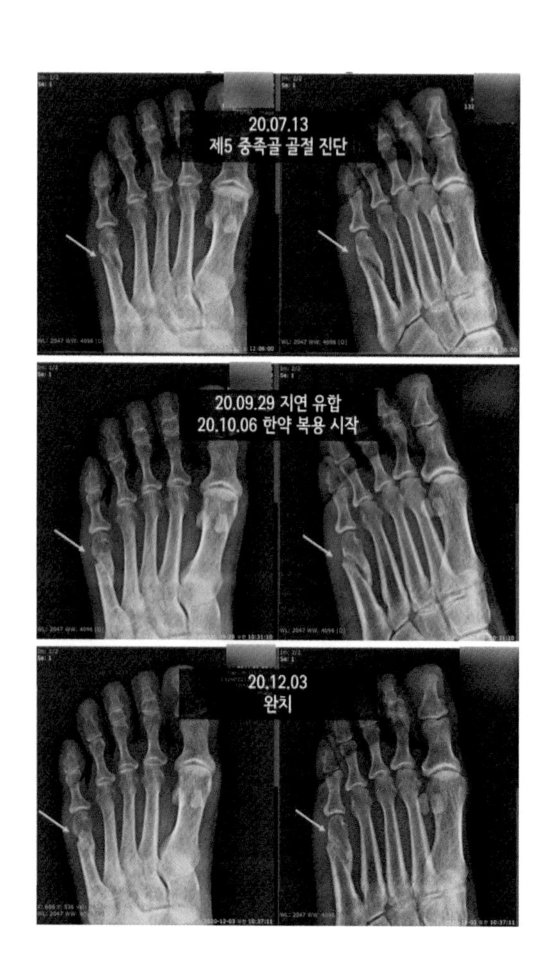

3. 40세 여자 중족골 골절

냉장고에서 물건을 꺼내다가 발등으로 떨어지는 바람에 중족골이 골절된 케이스입니다.

처음에는 미세한 골절이었는데, 점점 더 벌어져서 대학병원에서 지연유합 진단을 받았습니다. 12주간 한약 복용으로 종결되었습니다.

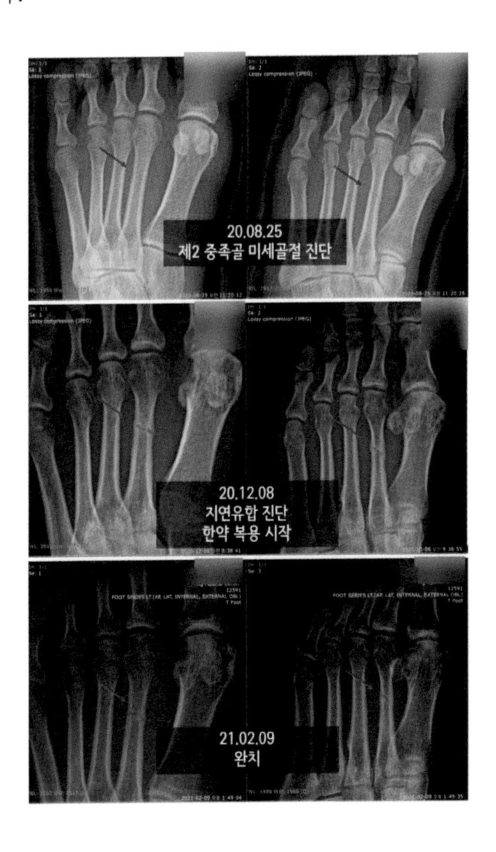

앞으로도 골절 환자분들의 일상 회복이 하루라도 빨리 이루어질 수 있도록 최선을 다해 연구하고 진료하겠습니다.

참고 자료

Won J, Choi Y, Yoon LS, Lee JH, Choi K, Lee H. Individualized herbal prescriptions for delayed union: A case series. Explore (NY). 2022 Mar 8:S1550-8307(22)00033-7. doi: 10.1016/j.explore.2022.03.001. Epub ahead of print. PMID: 35304090.

Freigang V, Gschrei F, Bhayana H, Schmitz P, Weber J, Kerschbaum M, Nerlich M, Baumann F. Risk factor analysis for delayed union after subtrochanteric femur fracture: quality of reduction and valgization are the key to success. BMC Musculoskelet Disord. 2019 Aug 31;20(1):391. doi: 10.1186/s12891-019-2775-x. PMID: 31470831; PMCID: PMC6717321.

경희다복한의원 접골탕 복용으로 골절 회복 사례 모음(대퇴골)

많은 골절 환자분들이 다른 골절 환자들의 회복사례에 대해서 관심을 가지시고 사례를 공유해 줄 수 있는지 문의가 많이 들어옵니다.

제일 궁금한 부분이 아닐까 합니다.

다른 사람들은 어떻게 이렇게 힘든 시기를 넘겼을까?

그래서 오늘은 다양한 대퇴골 골절 회복사례를 소개드리고자 합니다.

대퇴골은 골절 회복기간이 아주 오래 걸리는 부위인 만큼, 골절다른 골절사례에도 참고가 될 것입니다.

우리 몸을 이루고 있는 206개의 뼈 중에서 가장 작은 뼈는 귀에 있는 이소골이고, 가장 큰 뼈는 허벅지에 있는 대퇴골입니다.

모두 각자의 위치에서 중요한 역할을 하고 있습니다.

이 많은 뼈들 중에서 골절 되었을 때 가장 많이 불편한 뼈는 대퇴골입니다. 자유로운 보행이 안되기 때문입니다.

처음엔 침대에서만 생활해야되고, 화장실가는 것도 도움을 받아야 합니다. 특히 양쪽 대퇴골이 동시에 골절이 되면 6개월 이상의 기간을 휠체어 생활을 해야 합니다.

그 불편함은 이루 말로 할 수 없습니다. 이런한 이유로 빠른 회복을 위해 저희 한의원을 찾으시는 분들이 많습니다.

또한 고령 환자의 경우 후유증 발생과 사망률은 15-20%정도이며, 골절이 없는 같은 같은 연령대의 정상인과 비교하였을 때 4-5배 정도 높습니다.

고령의 환자분들은 침대나 의자에서 넘어지면서 낙상사고가 대퇴 경부 골절로 이어지고, 젊은 환자분들은 스포츠 활동이나 교통사고로 인한 경우가 많습니다.

가해지는 힘의 방향과 몸이 움직이려는 방향이 서로 반대로 작용하면 골절이 발생합니다.

접골탕의 이름을 흉내내도,
효과는 따라올 수 없습니다.

대퇴골 골절의 분류

외부의 충격으로 대퇴골 골절이 생기게 되면 골절의 부위에 따라 경부골절, 전자간골절, 전자하골절, 몸통 골절로 분류합니다.

대퇴골은 우리몸에가 가장 큰 뼈이고, 상체의 무게를 지탱하면서 고관절의 움직임을 책임지고 있는 뼈이기 때문에, 대부분 수술을 하게 됩니다.

대퇴골은 혈액 공급이 잘 되지 않는 뼈이기 때문에 회복이 느려지면 무혈성 괴사가 올 수 있어 주의해야 합니다.

전자간 골절
경부 골절
전자하 골절
몸통 골절

대퇴골 골절 회복사례

지금까지 경희다복한의원에서 치료받은 대퇴골 골절 회복 사례입니다.

1. 대퇴골 경부 전자간 골절

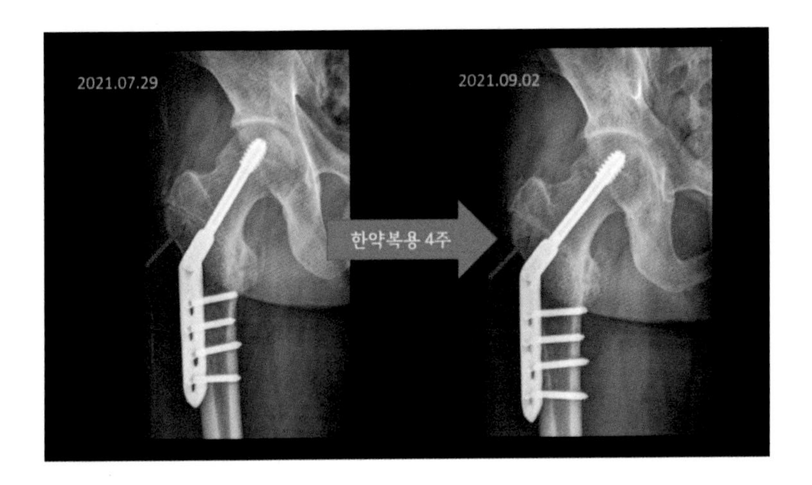

진단명 : 대퇴골 경부 전자간 골절

발병일 : 2021.05.15

한약복용기간 : 2021.08.06-2021.09.04 (4주)

2. 대퇴골 전자하 분쇄 골절

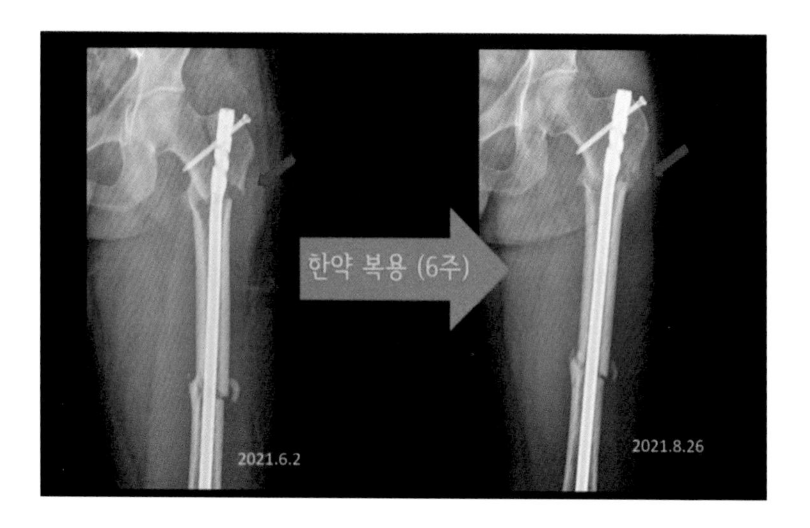

진단명 : 대퇴골 전자 분쇄골절

발병일 : 2021.05.29

한약복용 2021.06.15-2021.07.30 (6주)

3. 대퇴골 경부 골절

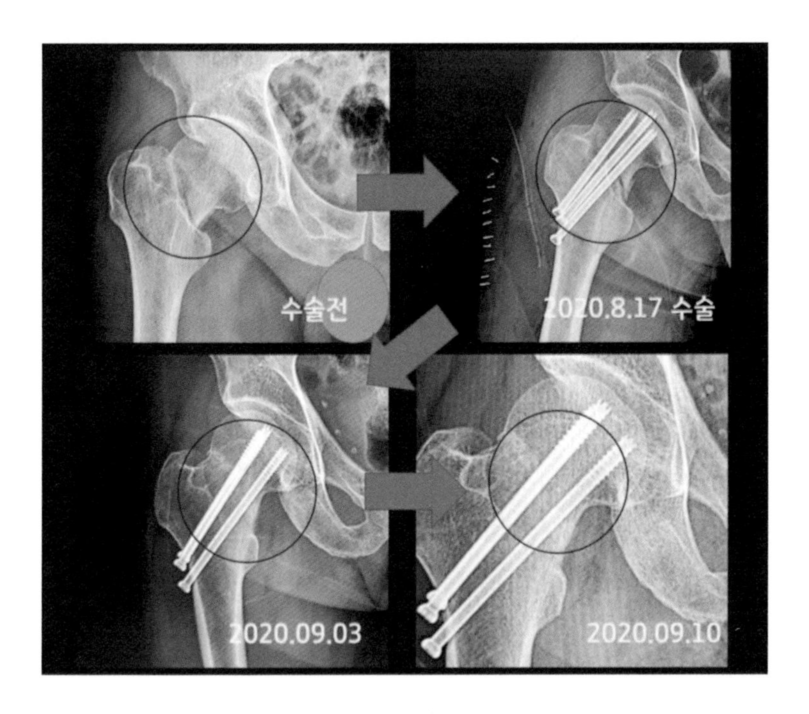

진단명 : 대퇴골 경부 골절

한약복용기간 : 2020.08.24~2020.09.07

4. 대퇴골 경부 골절, 지연유합

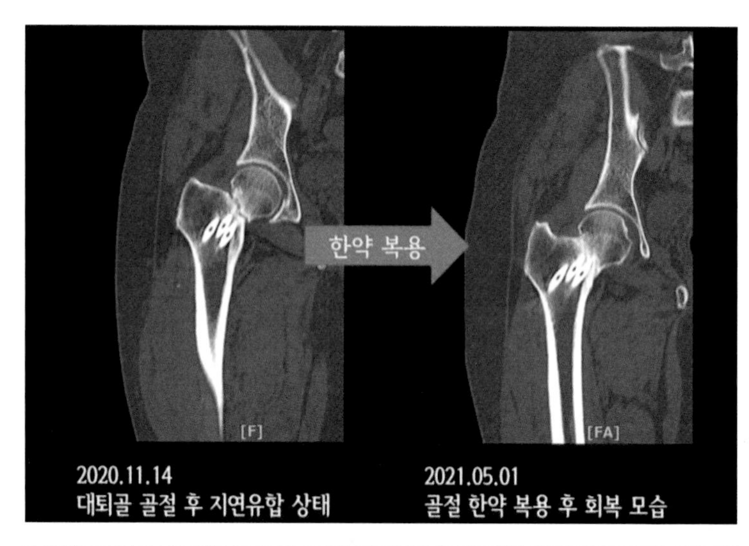

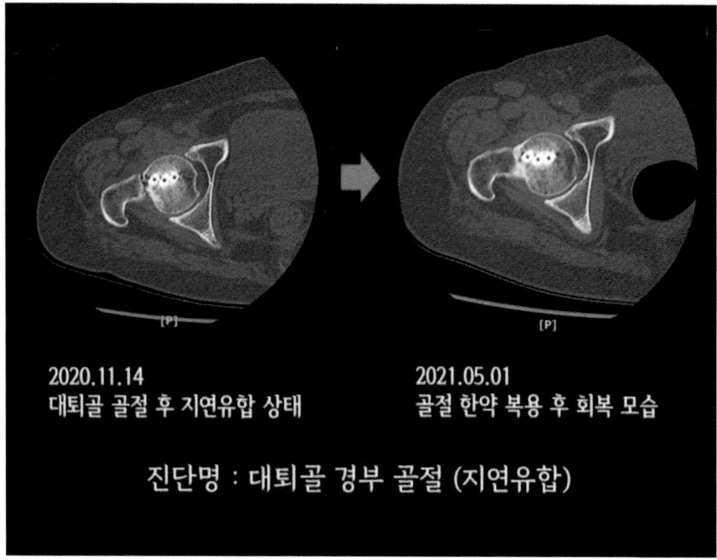

5. 대퇴골 몸통 골절

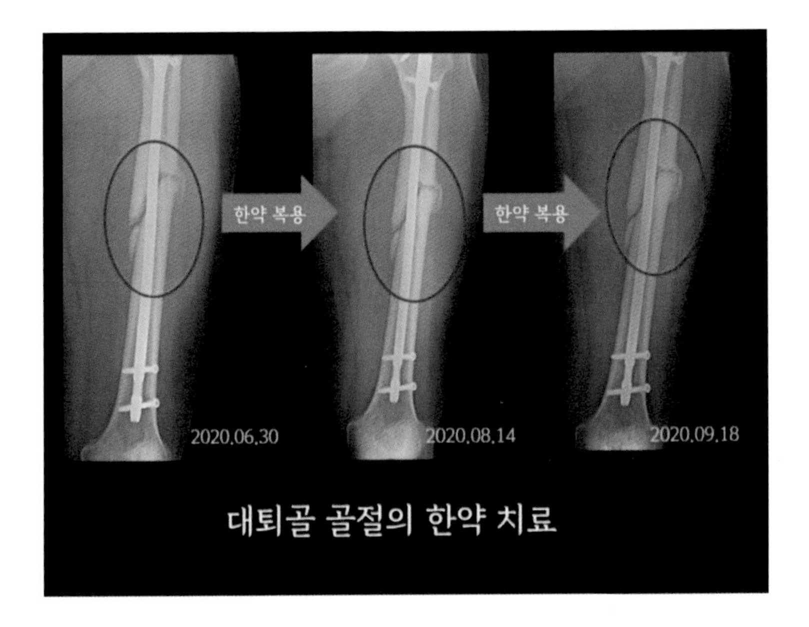

쇄골 골절 생각보다 긴 회복 기간, 어떻게 줄일까?

사다리에서 넘어지면서 팔을 짚었는데,
병원에 가보니 쇄골 골절이라고 하더라고요.
바로 입원 후 수술을 받았습니다.

제대로 운동할 수 있을 때까지
수 개월 이상이 걸린다고 하는데,
회복 기간을 줄일 방법은 없을까요?

쇄골은 우리 어깨 쪽에 있는 뼈로, 흉골과 견갑골을 이어주는 긴 뼈입니다.

팔에 전해지는 충격과 몸통의 무게가 만나는 지점으로, 불의의 사고로 인한 골절이 자주 생기는 뼈입니다. 매년 4만명에서 4만5천명의 환자가 발생합니다.

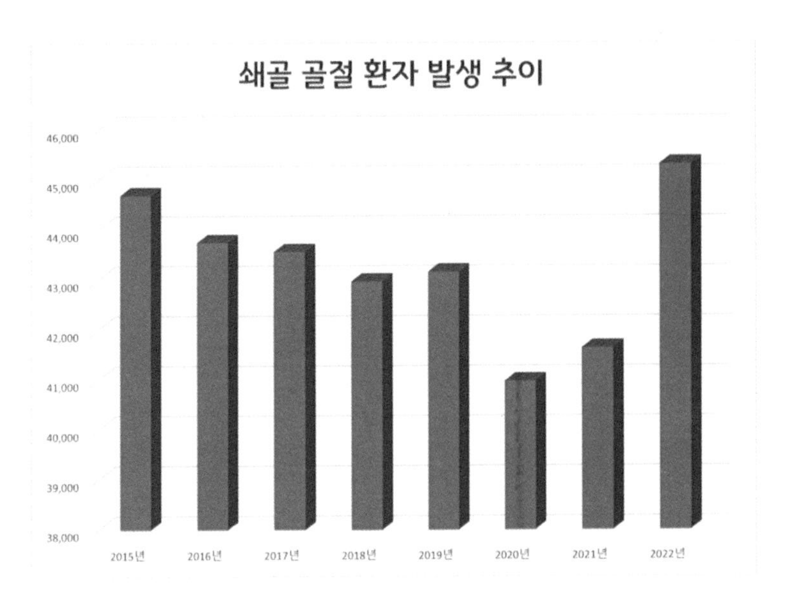

매년 4만명에서 4만5천명의 환자가 발생합니다.

대부분의 골절은 뼈가 제대로 붙기까지 기본적으로 8주 이상의 시간이 필요합니다.

쇄골 골절은 회복 기간 동안에는 팔걸이를 해서 어깨의 움직임을 제한해야 하기 때문에, 일상 생활에도 많은 불편함을 감수해야 합니다.

오늘은 이 쇄골 골절에 대해서 조금 더 자세히 알아보고, 회복 기간을 단축시킬 수 있는 방법은 없는지, 재활 운동의 순서까지 확인해보는 시간을 가져보도록 하겠습니다.

쇄골 골절 나타나는 증상

쇄골이 골절되면 바로 통증을 동반한 붓기와 변형, 홍반이 눈에 띄게 나타납니다. 그래서 골절된 것을 쉽게 확인할 수 있으며,

만약 여기서 더 심하게 다쳤다면 골절된 부분의 뼈가 피부 바깥으로 뚫고 나와 외부에 노출되는 개방성 골절이 되기도 합니다.

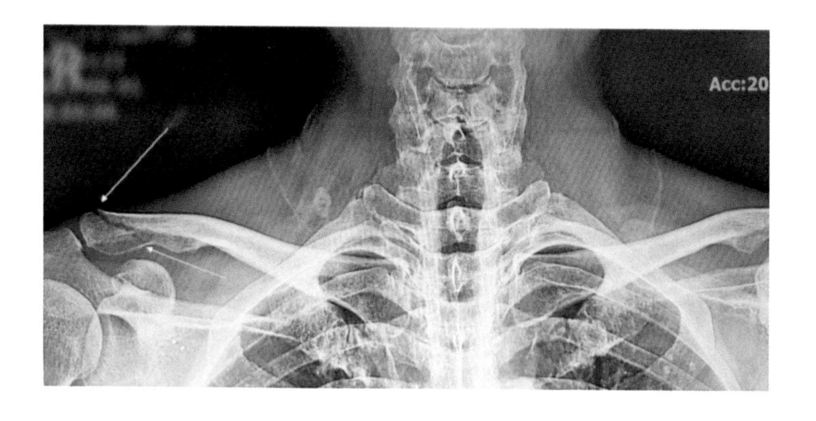

병원에서는 손목과 팔꿈치 등의 감각, 운동 기능을 확인한 후, X-Ray 촬영을 통해 뼈 상태를 확인하게 됩니다.

만약 수술 계획, 종양 등에 의한 병적 골절이 의심된다면 CT나 MRI를 시행하는 경우도 있습니다.

쇄골 골절 치료 기간

수술이 필요없는 보존적 치료를 시행한다면, 붕대를 이용해 어깨 주변을 감싸 안정될 수 있도록 약 2개월 정도 고정하게 됩니다.

그리고 이후에는 어깨 관절 운동 범위를 회복시키기 위해서 재활 치료를 진행하게 됩니다.

하지만 대부분은 수술 치료를 하게 됩니다. 이땐 골절 부위 고정을 위해서 금속 핀이나 나사, 금속 판을 이용합니다.

이런 치료들이 이루어지면 보통 6개월 내에 완전히 유합되지만, 더 빠르게 회복하기 위해서는 뼈에 좋은 음식, 영양소를 충분히 섭취하거나 한약 등을 통해 도움을 받아 보시는 것이 좋습니다.

한약 치료 사례

이 환자분은 자전거 사고로 인해 낙차하면서 쇄골이 골절되어 수술 받으신 후 바로 한약을 복용하였습니다.

여러 조각으로 골절된 분쇄 골절 상태였지만 한약을 복용하시면서 잘 회복되었습니다.

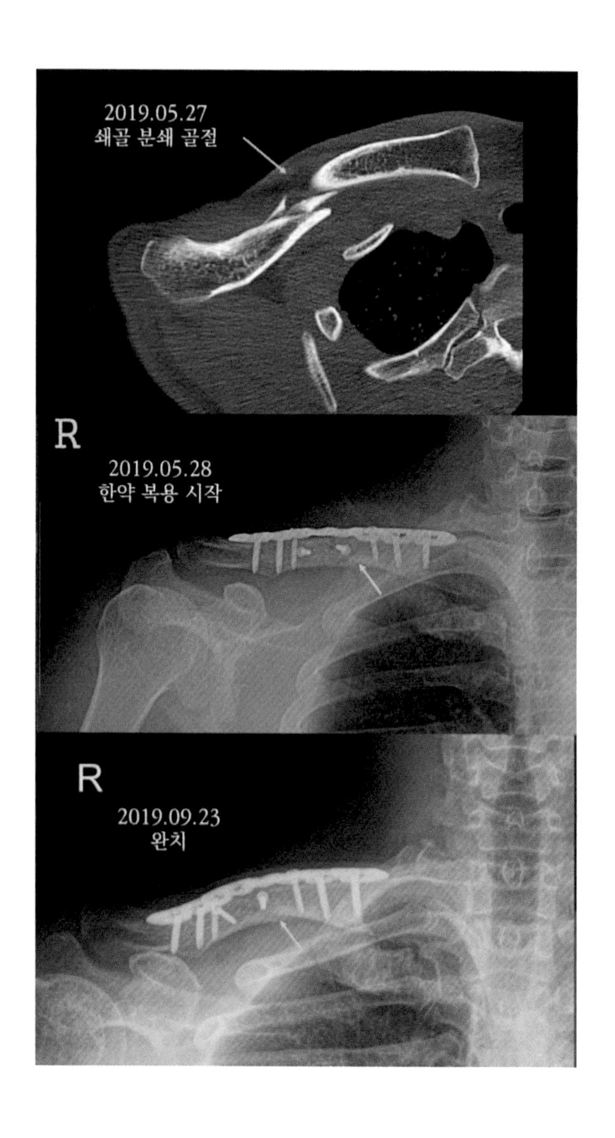

쇄골 골절 수술 후 재활 순서

(일반적인 순서이며, 주치의의 지시에 우선하지 않습니다.)

1 단계 : 수술 후 1~2주, 휴식기

- 팔걸이 착용
- 엎드려서 팔을 상하좌우로 흔들어 주기 (그림 참고)
- 첫 1주일간 머리위로 팔 올리는 동작 금지
- 1주일 이후 수동적 운동 (보호자나 관리자가 도와주는 운동) 90도 이상
- 저항 운동 금지

쇄골 수술 후 회복 운동
엎드려서 팔을 상하좌우로 움직여 줍니다.
통증이 발생하지 않는 범위와 횟수로 시행하여야 합니다.

2 단계 : 수술 후 2~6주, 움직임 범위 증가

- 4주차까지 팔걸이 유지
- 어깨 높이에서 수동적 운동 시작
- 통증이 없는 범위에서 능동적 운동 (스스로 움직이는 운동) 시작

- 4주차에 저항에 버티는 등척성 운동 시작
- 5주차 고무밴드를 이용한 저항 운동

3 단계 : 수술후 6~12주, 근력 회복 & 강화

- 팔걸이 제거
- 8주차에 완전한 관절 운동 범위 회복
- 점차 무게를 높여서 근력 강화 (생수병을 이용해서 물의 양을 점차 증가)
- 10주차 이후 일상 생활 복귀 및 가벼운 스포츠 가능.

이 외에도 침치료를 병행하면 근육의 경결을 빨리 해소하여 재활에 도움이 많이 됩니다.

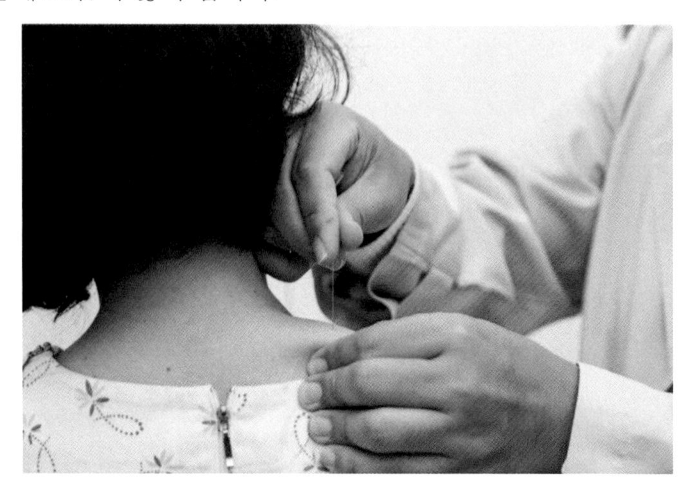

도핑검사 통과한 접골탕

운동선수들은 운동을 하다 보면 크고 작은 부상을 당하게 되고, 이는 뼈에 큰 부담이 갈 수 있습니다. 이때에도 접골탕을 통한 도움을 받아 보실 수 있습니다.

운동선수들은 시즌을 앞두고 골절이 되면 누구보다도 빨리 회복되어야 합니다. 도핑에 대한 걱정을 없애기 위해 접골탕은 국내는 물론 세계적인 반도핑 연구소의 테스트도 통과하여 안심하고 복용하실 수 있습니다.

접골탕은 당장 골절 회복을 위해서가 아니라, 골다공증으로 뼈가 약해졌을 때나 오랜 기간 불유합으로 고생하고 있으신 분들에게도 도움이 될 수 있습니다.

갈비뼈금 갔을때 증상과 치료사례

"갈비뼈 부근에 충격을 받아 우측 갈비뼈 1개에 금이 간 상태입니다. 회복중이긴 한데, 아직까지 숨만 쉬어도 통증이 느껴져서 일상생활에 불편함이 큰 상황입니다. 어떻게 해야 조금이라도 불편함을 줄이고 빨리 회복할 수 있을까요?"

사람의 양쪽 가슴 부위에 위치하고 있는 갈비뼈는 우리의 주요 장기들을 보호하고 있는 굉장히 중요한 역할을 하고 있습니다.

면적이 넓긴 하지만, 그만큼 외부 충격이나 자극을 받기에 쉽고 뼈의 강도가 그렇게 강한 편도 아니어서 골절, 금이 비교적 쉽게 갈 수 있습니다.

갈비뼈금이 가게되면, 가만히 있어도 통증이 느껴져 움직임이 제한되는 만큼 많은 분들이 이로 인한 불편함을 호소하실 수 있는데, 오늘은 갈비뼈금 갔을때 증상과 회복사례를 소개해 드리겠습니다.

갈비뼈금 갔을때 증상은 어떤 것이 있을까요?

우선 갈비뼈 금과 갈비뼈 골절은 차이가 없습니다.

갈비뼈 금을 영어로는 rib hairline fracture라고 하여 x-ray에 머리카락 보이듯이 가는 선이 보인다고 표현합니다.

그렇지만 뼈의 완전성을 상실한 것은 골절과 마찬가지이기 때문에 증상과 치료는 똑같습니다.
기본적으로 갈비뼈에 금이 가면 호흡이 힘들어지게 됩니다.

우리가 숨을 쉴 때 마다 갈비뼈는 넓혀졌다 좁혀지는 것을 반복하기 때문에 금이 가거나 골절이 있으면 이 과정에서 통증이 계속해서 느껴질 수 밖에 없는 것입니다.

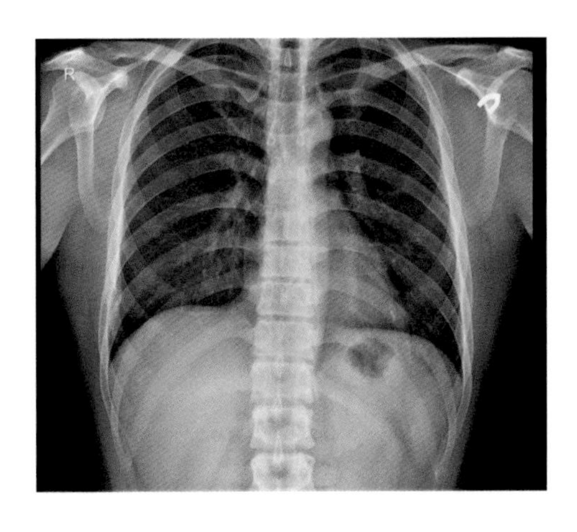

특히 긴 숨을 내쉬거나 들이마실 때, 기침과 재채기를 할 때 더욱 심해지기 때문에 별다른 행동을 하지 않더라도 통증으로 불편함을 겪게 되는 것입니다.

특히 숨을 들여 마실 때 통증이 느껴진다면 골절일 수도 있으니 꼭 제대로 진단을 받아 보시기 바랍니다.

이는 흡기시 횡경막이 늘어나고 폐 안으로 공기가 들어오면서 흉곽이 확장되고 따라서 골절부위가 더 벌어지면서 통증이 유발되기 때문입니다.

갈비뼈금 갔을때 증상 4가지

1. 특히 숨을 들이쉴 때 가슴 부위에 강한 통증이 있습니다.
2. 골절이 의심되는 갈비뼈 주변의 붓기 또는 압통.
3. 때로는 피부에 멍이 들기도 합니다.
4. 갈비뼈가 부러진 경우 균열이 느껴지거나 잡음이 들립니다.

갈비뼈 회복 기간은?

갈비뼈금이 간 정도나 환자의 나이, 몸 상태에 따라서 차이가 있긴 하지만, 일반적인 경우에는 약 6주~8주 정도가 지나고

나면 회복되는 편입니다. 이 기간동안 뼈가 다시 붙고 자리를 잡게 되면서 조금씩 회복됩니다.

갈비뼈는 고정시킬 수 없기 때문에 별다른 고정 치료는 진행되지 않지만, 복대 착용을 권고합니다. 흘러내리지 않게 어깨끈이 있는 제품을 추천드립니다.

갈비뼈금 갔을때 증상이 보인다면, 충분한 휴식을 취하면서 술과 담배를 멀리하고, 뼈에 좋은 음식, 영양소를 더 많이 섭취해주어야 합니다.

한약 치료 사례

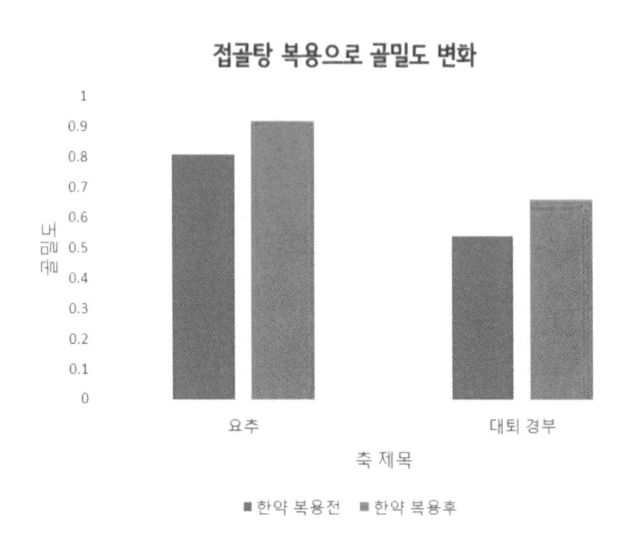

DXA로 측정한 요추 부위와 대퇴골경의 골밀도 수치가 2년간 지속적으로 연령대 평균 이하였던 중년의 사무직 남성 환자가 접골탕을 복용하고 골밀도 수치가 개선되었다.

* 접골탕 처방은 골절 치료 특히 조성물에 환자의 상태에 맞는 한약재를 가감하여 조제하는 맞춤형 한약입니다. 약효는 개인에 따라 다

르게 나타날 수 있으며, 소화불량 등의 부작용이 있을 수 있습니다.
한의사와 상담하세요.

그리고 무엇보다 영국 반도핑 연구소의 도핑 테스트까지 통과하여 운동선수들도 회복할 때 안전하게 복용할 수 있어 부상을 당한 선수들도 많이 찾아와 진료를 받고 있습니다.

뼈가 빠르게 회복되면 회복 기간 동안 겪는 불편함도 최소화할 수 있습니다.

허리압박골절 회복기간과 불편함을 줄이기 위한 방법

"허리압박골절 진단을 받고 치료, 재활을 이어 나가고 있는 중입니다. 허리가 아프니 평소처럼 움직이는 것이 너무 힘들어서 불편함이 이만저만이 아닌데요, 혹시 물리 치료 받는 것 외에 골절 회복에 도움이 되는 방법이 있을까요?"

골다공증을 가지고 있는 중년, 노년층에서 많이 발생하는 골절이 있습니다. 바로 허리압박골절인데, 척추 중에서도 특히 압력을 많이 받는 요추, 흉추가 만나는 부분에 찾아오는 경우가 많습니다.

사람이 나이를 먹게 되면 노화가 찾아오게 되고, 이 노화는 우리 신체 능력을 크게 낮출 수 있습니다.

그래서 이때 뼈도 함께 약해지면서 작은 충격에도 골절되는 경우가 많습니다. 특히 교통사고나 넘어짐, 추락 등의 사고로 인해서 허리압박골절 문제가 많이 나타나는 편입니다.

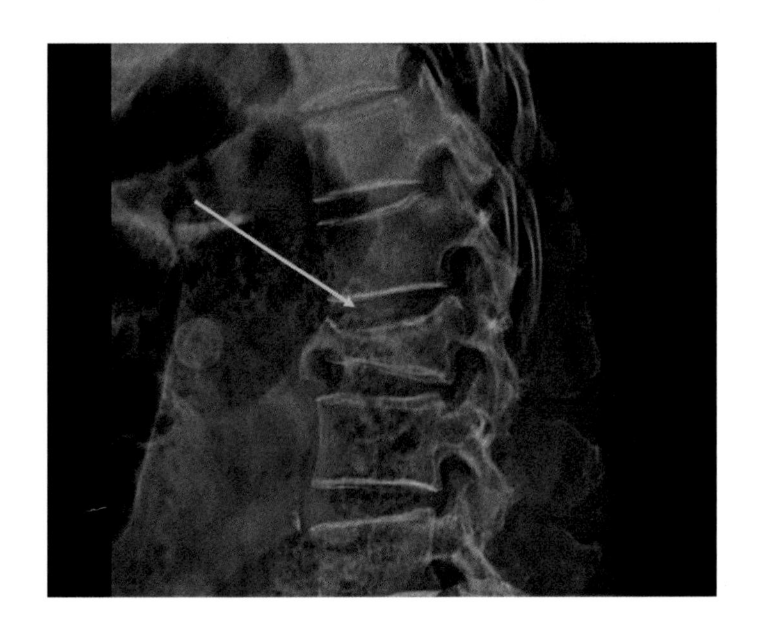

몸을 뒤척이는 것 만으로도 큰 통증이 따라오기 때문에 많은 분들이 빠르게 낫길 원하는 문제이기도 한데, 오늘은 어떻게 해야 불편함을 줄이고 조금이라도 빨리 나을 수 있는지에 대해서 자세히 알아보도록 하겠습니다.

허리압박골절의 원인 및 증상

허리압박골절은 50대 이상에서 많이 발생합니다. 이는 골다공증이나 골감소증으로 뼈가 약해진 상태에서 외부 충격이 더해져서 발생하기 때문입니다.

골다공증성 골절이 가장 많이 발생하는 뼈는 허리뼈와 대퇴골입니다. 그래서 골다공증 검사를 하면 허리와 대퇴골을 따로 측정해서 더 낮은 값으로 수치를 계산합니다. 이 때 -1.0에서 -2.5 사이이면 골감소증, -2.5 이하이면 골다공증입니다.

골다공증 환자는 기침만 잘못해서 허리압박골절이 찾아오기도 합니다.

이럴땐 외부 충격이 없기 때문에 골절이라고 생각 못하고 지나가는 경우도 있습니다. 전체 허리압박골절 환자의 17%정도는 본인의 골절상태를 인지하지 못한다고 합니다.

척추압박골절이 찾아오면 급격한 통증이 찾아와서 허리를 움직이기 힘들고, 움직이면 더욱 심해지는 특징이 있습니다.

그리고 다른 척추질환과 다른 점은 바로 돌아 눕는 것도 힘들 정도이며, 가볍게 두드리거나 기침을 해도 심한 통증을 느끼는 것입니다.

위와 같은 증상들이 나타났다면 늦기 전에 의료기관을 방문해서 제대로 치료를 받는 것이 좋습니다.

허리압박골절 치료와 예방법

65세 이상 노인이면서, 키가 줄고 있어 골다공증의 가능성이 있으며, 쉴 때나 활동할 때나 똑같이 허리가 아프다면 압박골절의 가능성이 높습니다.

옆에서 봐서 무릎이 앞으로 나오고 엉덩이가 빈약해지면서 키가 작아지면 골다공증의 확률의 높습니다.

여기에 대소변 조절이 안되고, 고열이 난다면 신경 손상과 감염을 의심할 수 있기 때문에 빨리 응급실을 찾아야 합니다.

손상된 척추의 크기를 위아래뼈와 비교하여 수술 여부를 결정합니다.

X-Ray, MRI, CT 등의 정밀검사를 진행해서 골절이 확인되었다면 이후 등-허리뼈 보조기나 허리 보조기를 착용해서 안정을 가지고 비수술 치료를 진행하게 됩니다.

하지만 여러 부위에 다른 골절이 있거나, 비수술 치료가 효과가 없다면 수술을 진행할 수도 있습니다.

척추 압박 골절의 풍선 복원법
압박된 척추뼈에 풍선을 삽입하여 뼈를 원래 모양으로 복원한 후 비어있는 공간에 골시멘트를 주입합니다.

연구결과에 따르면 수술 없이 보존적 치료를 실시한 환자 중 23%는 정도는 골절 유합 이후에도 지속적인 통증을 호소한다고 합니다.

한의원 치료

한의원에서는 침치료를 병행해서 허리 통증을 경감시켜드리고 있습니다.
척추압박골절을 예방하기 위해서는 넘어지지 않은 것도 중요하지만, 골밀도를 높여 외부의 충격이 있더라도 골절까지 이어지지 않도록 뼈건강에 신경을 써주어야 합니다.

꾸준한 운동과 함께 우리나라 녹차를 하루 1잔 이상 섭취하면 골다공증 발병 확률이 떨어진다는 연구결과가 있습니다.

2021년 발표된 한국 폐경 여성을 대상으로 한 녹차섭취량과 골다공증의 상관 관계 조사한 논문이 발표되었습니다.

저자 : Lee DB, Song HJ, Paek YJ, Park KH, Seo YG, Noh HM.

제목 : Relationship between Regular Green Tea Intake and Osteoporosis in Korean Postmenopausal Women: A Nationwide Study.

저널 : Nutrients. 2021 Dec 26;14(1):87. doi: 10.3390/nu14010087. PMID: 35010962; PMCID: PMC8746552

매일 1~3잔의 녹차를 섭취하는 여성은 골다공증 유병률이 22.8%였지만, 녹차를 전혀 섭취하지 않는 여성의 경우 41.2%가 골다공증 환자로 조사되어, 녹차 섭취가 골밀도와 뼈건강에 좋은 효과가 있음이 밝혀졌습니다.

Table 2. Prevalence of osteoporosis and osteopenia with green tea intake.

	Cups of Green Tea/Day			p-Value
	None	<1/Day	1–3/Day	
Lumbar spine (n = 3232)				<0.001
Normal	326 (20.2)	318 (27.2)	97 (40.4)	
Osteopenia	795 (47.6)	591 (48.5)	119 (40.7)	
Osteoporosis	605 (32.2)	321 (24.4)	60 (18.9)	
Femur neck (n = 3470)				<0.001
Normal	305 (18.6)	328 (26.3)	98 (36.0)	
Osteopenia	1043 (54.9)	770 (57.9)	157 (52.5)	
Osteoporosis	512 (26.5)	218 (15.8)	39 (11.5)	
Total femur (n = 3470)				<0.001
Normal	989 (56.0)	869 (67.9)	210 (74.0)	
Osteopenia	755 (37.7)	405 (28.6)	79 (24.5)	
Osteoporosis	116 (6.3)	42 (3.5)	5 (1.4)	
Lumbar spine or Femur neck or Total femur (n = 3530)				
Normal	206 (10.9)	218 (16.6)	74 (27.7)	<0.001
Osteopenia	864 (47.9)	706 (53.2)	151 (49.5)	
Osteoporosis	823 (41.2)	412 (30.2)	76 (22.8)	

녹차 섭취량	섭취하지 않음	하루 1잔 이하	하루 1~3잔
골밀도 정상	10.9%	16.6%	27.7%
골감소증	47.9%	53.2%	49.5%
골다공증	41.2%	30.2%	22.8%

하루에 1~3잔의 녹차를 섭취하는 사람은

골다공증 발생 확률이 낮았습니다.

회복기간

짧게는 8주부터 길게는 16주까지 회복기간이 필요합니다. 물론 당뇨, 골다공증 등의 기저질환, 흡연 습관, 환자의 나이가 많음에 따라 더 길어질 수 있습니다.

더 빠르게 골절로부터 회복되길 원한다면 이런 기본적인 치료들을 받으면서 충분한 휴식을 취하고 뼈에 좋은 영양소가 풍부한 음식을 섭취하거나 한약을 복용해서 도움을 받는 것이 좋습니다.

접골탕 복용 후 회복

아래의 영상자료는 60대 남자 환자 케이스입니다. 8주간 한약 복용으로 통증이 없어지고 1시간 이상 보행이 가능해졌습니다.

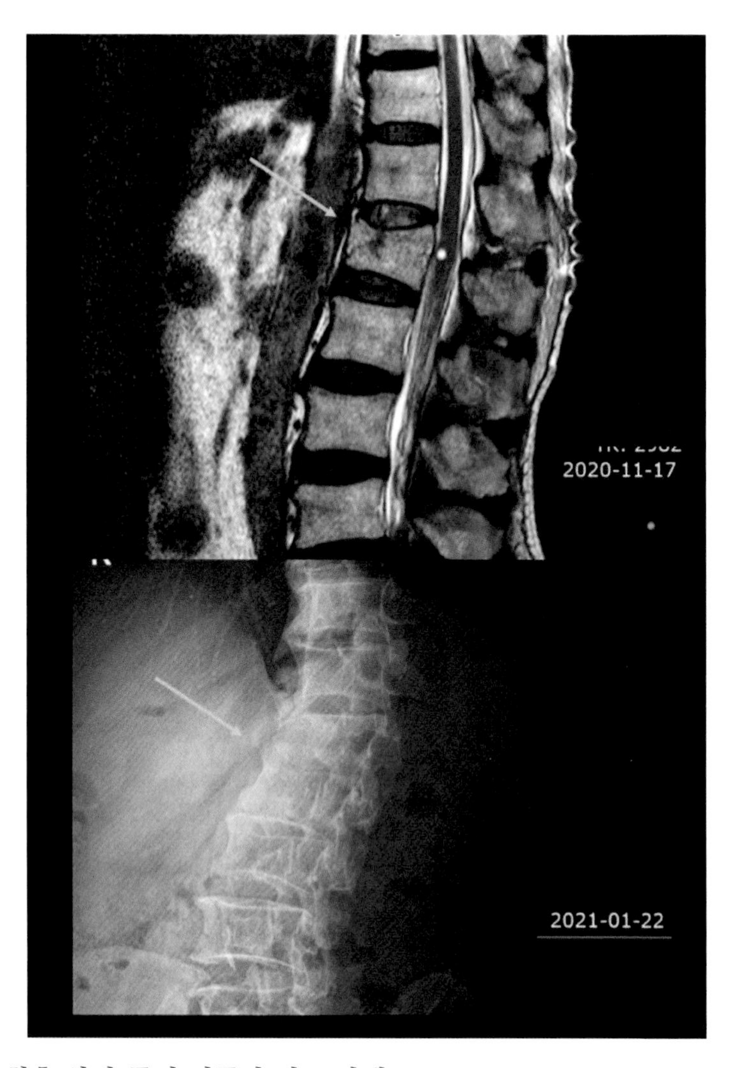

척추 압박 골절 접골탕 치료 사례

20.11.17 60대 남자환자 낙상으로 척추 압박 골절

20.12.07 접골탕 복용 시작 (복용 기간 : 8주)

접골탕에 들어가는 한약재들

저는 한약으로만 특허를 5개 보유하고 있습니다. 20년 가까운 세월을 치료와 연구를 같이 진행해왔습니다. 이 중에서 골절 회복 관련 특허만 2개이며, 2022년 개발한 접골탕 2.0 처방은 2.5배 빠른 회복 속도를 보여주었습니다.

접골탕은 보혈작용에 좋은 당귀나 천궁 등의 한약재와 함께 황기, 만삼, 속단, 석곡, 보골지 등 한약재를 상황에 맞게 배합하여 처방해드리고 있습니다.

정강이부음 근육통 피로골절, 한약 치료 사례

부딪힌 적도 없는데, 정강이가 아파요!

뭔가에 부딪힌 적이 없는데, 무리한 운동 후 또는 잘못된 자세로 인해, 정강이부음이 계속되거나 정강이근육통을 호소하면서 방문하시는 분들이 많습니다.
운동선수, 체대 입시 준비 수험생, 군인, 마라톤 동호인 분들이 많이 오시는데요.

일반인도 갑자기 격한 운동을 하거나 맞지 않는 신발을 신는 등 잘못된 자세를 취했을 경우 이러한 증상이 나타날 수 있습니다.

크게, 3가지로 진단해 볼 수 있습니다.

정강이통증의 원인 3가지

정강이부음이나,정강이근육통이 지속되는 원인은 크게 3가지입니다.

첫번째는 근육통,
두번째는 골막에 생긴 염증,
세번째는 피로골절입니다.

기본적으로 운동 후 충분한 휴식이 첫번째 치료법입니다.

원인1: 근육통

가장 가벼운 상태인 근육통을 먼저 살펴보겠습니다.

주로 정강이뼈에 붙어 있는 대표적인 근육인 전경골근(Tibialis Anterior Muscle) 통증을 많이 호소합니다.

전경골근이라는 근육에 피로가 쌓이면 엄지발가락까지 통증을 느끼게 됩니다. 이 근육은 발목을 위로 들어올리는 역할을 합니다.

달리기를 할 때 발목에 힘이 많이 들어가 발목을 위로 꺽고 힐 스트라이크 착지를 하시는 분들이 자주 호소합니다.

통증이 있을 때 마다 가벼운 마사지로 근육을 풀어주세요.

원인2: 정강이뼈 피로증후군

두번째로는, 내측경골(정강이뼈 안쪽) 피로증후군으로 뼈를 덮는 섬유성 결합조직인 '골막'에 염증이 생기는 경우입니다.

예전에는 '신스플린트' 라고도 했습니다.
정강이뼈 골막에 염증이 생긴다고 해서 '경골 과로성 골막염'이라고도 합니다.

정강이뼈(경골)에는 전경골근, 후경골근, 가자미근이라는 근육들이 부착되어 있는데 모두 달리기를 할 때 쓰이는 근육들입니다.

이 근육들이 골막에 부착되어 있는데,
과한 운동으로 골막 부위에 염증이 생기는 상태입니다.

주로 아픈 부위를 파란색으로 표시해 보았습니다.

과내전((과하게 발목이 안으로 돌아간 상태) 상태이거나 선천적으로 평발인 경우 많이 발생합니다.

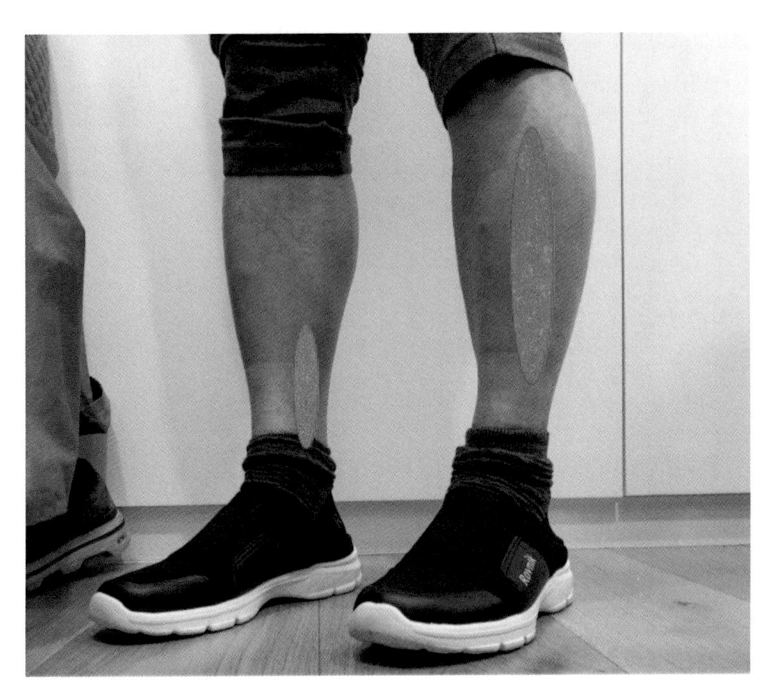

경골 피로 증후군으로 인한 통증 범위

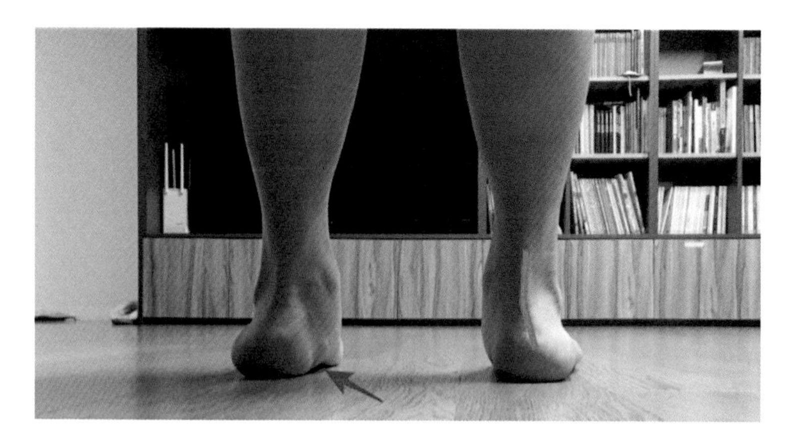

과내전된 발

과내전 발의 진단하는 기준 2가지

- 발바닥 아치가 내려앉아서 틈이 낮음. (왼쪽 사진 빨간색 화살표 부분)
- 아킬레스 건이 안쪽으로 휘어 있음.(오른쪽사진 파란색 부분)

원인3: 피로골절

정강이부음이나 정강이근육통이 계속된다면, 마지막으로 가장 심한 부상인 피로골절을 의심해 봐야 합니다.

어디 부딪히지도 않았는데 왜 골절인가? 하고 의아해하시는 분들도 많으실텐데요,

운동 중 생기는작은 충격들이 쌓여서 생기는 골절이 피로 골절, 스트레스골절 (stress fracture)입니다.

축구선수는 정강이에 많이 생기고,
야구 선수들은 팔에 많이 생깁니다.

체대 입시를 준비하는 학생들에게도 많이 생깁니다. 체력테스트가 있는 공무원 시험(경찰공무원,소방공무원 등)를 준비하는 일반인들도 피로골절 치료를 위해 저희 한의원에 많이 내원하십니다.

입시철에 갑자기 몰아서 무리한 운동을 하면서 휴식이 부족하기 때문입니다. 가장 중요한 시기에 이러한 피로골절이 생기면 얼마나 속상한지...

저도 아이를 키우는 아버지의 입장에서 그 마음을 백번 이해합니다.

피로골절로 진단을 받은 환자는 정강이근육통도 겸하고 있는 경우가 대부분입니다.

냉온찜질을 병행하고 한의원에서 침치료를 받으시면 더 빨리 통증이 줄어듭니다.

피로골절의 상태에서 통증을 참고, 계속 운동을 하면 실금과 실금이 이어지면서 큰 골절이 발생하게 되고 이 경우에는 수술까지 해야 하는 상황이 될 수 있습니다.

정강이피로골절은
그냥 방치해서는 안됩니다.

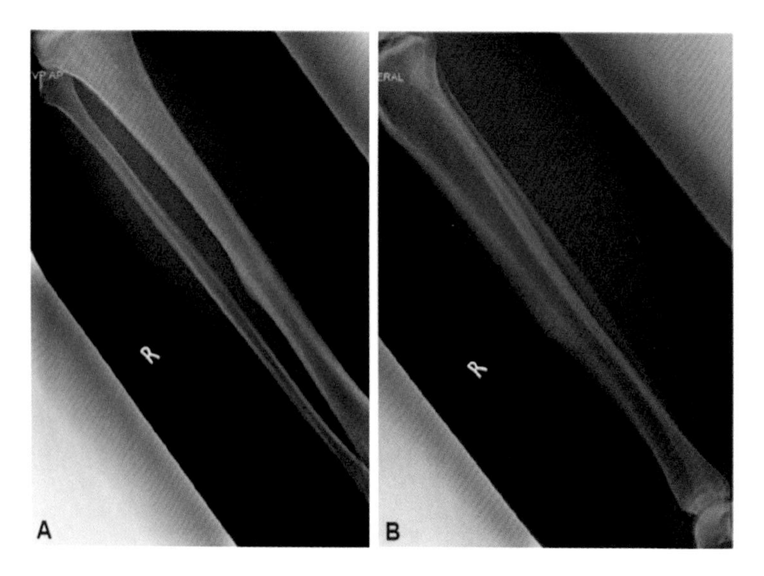

피로골절된 정강이 뼈

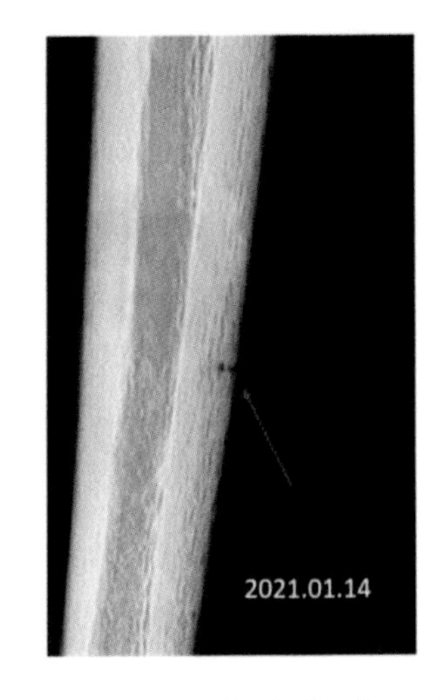

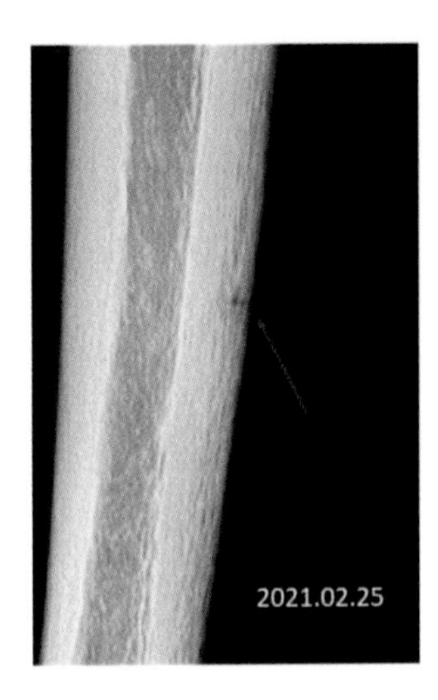

골절 한약 치료 전후 : 정강이 뼈 피로골절

프로운동선수라서 도핑테스트가 걱정되는데요?

프로운동선수분들은 치료를 위한 약을 먹더라도 도핑테스트에 대한 걱정을 하십니다.

공무원시험을 준비하는 일반인분들도 마찬가지입니다.

환자분들의 이러한 염려를 잘 알기에 보다 안전하게 접골탕을 복용하실수 있도록 유럽 영국에서 WADA(세계반도핑기구)

기준의 도핑테스트를 완료하였고 도핑성분이 검출되지 않았음을 인증받았습니다.

실제로도 올림픽 국가대표선수, 국내 프로운동선수, 유럽에서 활동하는 운동선수들도 저희 한의원의 골절한약을 복용하고 계십니다.

안심하고 복용하셔도 됩니다.

엘리트 운동선수들이 믿고 복용하는 '도핑프리' 접골탕

UKAS Testing Laboratory No. 1187

LGC
Newmarket Road
Fordham
Cambridgeshire
CB7 5WW
UK
Tel: +44(0)1638 720 500
Fax: +44(0)1638 724 200
Email: info@lgcgroup.com
www.lgcgroup.com

유럽 최대 안티 도핑 연구소
LGC group

Certificate of Analysis No.[1] 20316 a 1
Date of Issue: 02-December-2020

04-December-2020

KyungHee DaBok
3rd Floor
404
Ogeum-ro
Songpa-gu
Seoul
Republic of Korea

의뢰인 : 경희다복한의원

Service Type	LGC Supplement Screen
Delivery Date	11-November-2020
Date Analysis Commenced	12-November-2020
Purchase Order number	
Laboratory Reference	59984

The following sample was analysed using documented LGC screening methods for the compounds specified in the Testing Specification: Nutritional Supplements V2

Brand	KyungHee DaBok
Product	Sample B (Jeopgol Tang 2)
Flavour	Unflavoured
Pack Size	Unknown
Batch Number	Sample B-1
Expiry Date	

경희다복한의원
접골탕 2.0 (JEOPGOL TANG 2)

Analytical Result:

None were found

도핑 분석 결과
문제 없음

Additional Commentary:

None

Authorised by: Suzanne Lister
Job Title: Senior Scientist

접골탕 도핑 검사 통과 결과지

저는 언제 다시 운동할 수 있을까요?

프로 엘리트 선수들은 트레이너가 있어 맞춤 재활 훈련을 하지만, 운동을 취미로 가진 동호인분들은 회복 후에 빨리 운동이 하고 싶어 몸이 근질근질하게 되는데요,

건강한 쪽과 비교해서 90% 수준으로 회복되었을 때 인터벌 수준의 높은 강도의 운동을 하시는 것이 좋고,

그 전에는 본인 최대 심박수의 60~70% 수준의 강도로 리커버리 회복 운동을 해주시는 것이 좋습니다.

영국 스포츠 의학 저널 (British journal of sports medicine)에 발표된 '햄스트링 근육 부상 후 복귀하는 프로 풋볼 선수에 관한 연구'(At return to play following hamstring injury the majority of professional football players have residual isokinetic deficits) 논문에 의하면 프로 풋볼 선수들 중 햄스트링 부상을 당한 선수를 조사한 결과, 근력이 90%이상 회복된 후에 운동을 시작한 경우 2달 내 재부상이 없었다고 합니다.

*시간이 좀 걸리더라도 완전하게 회복될 때까지 충분한 휴식을 가지는 것이 좋습니다.

복숭아뼈 골절, 내과 외과 후과가 모두 골절(삼과 골절)된 환자를 치료한 사례

계단에서 발목을 접질려서
복숭아뼈 골절 판정을 받고
수술 후 퇴원하였습니다.

그런데 생각보다 많이 답답하네요.

회복이 왠지 느린건 아닌지 걱정도 되고,
움직이기 너무 불편하기도 합니다.
출근도 아직 못하고 있는 상황입니다.

어떻게 해야 빠르게 나을 수 있을까요?

날씨가 많이 따뜻해 지고, 야외활동도 부담 없어진 요즘, 많은 분들이 등산이나 나들이를 즐기는 일이 많아졌습니다.

하지만 그만큼 무리하게 움직이다가 다치시는 분들도 적지 않은 편이기 때문에 야외활동을 할 땐 항상 스트레칭을 먼저 해주시고 출발하셔야 합니다.

하지만 조깅이나 등산 중에 발목을 잘못 접질려 인대가 늘어나거나 더 나아가 복숭아뼈 골절을 당하기도 합니다.

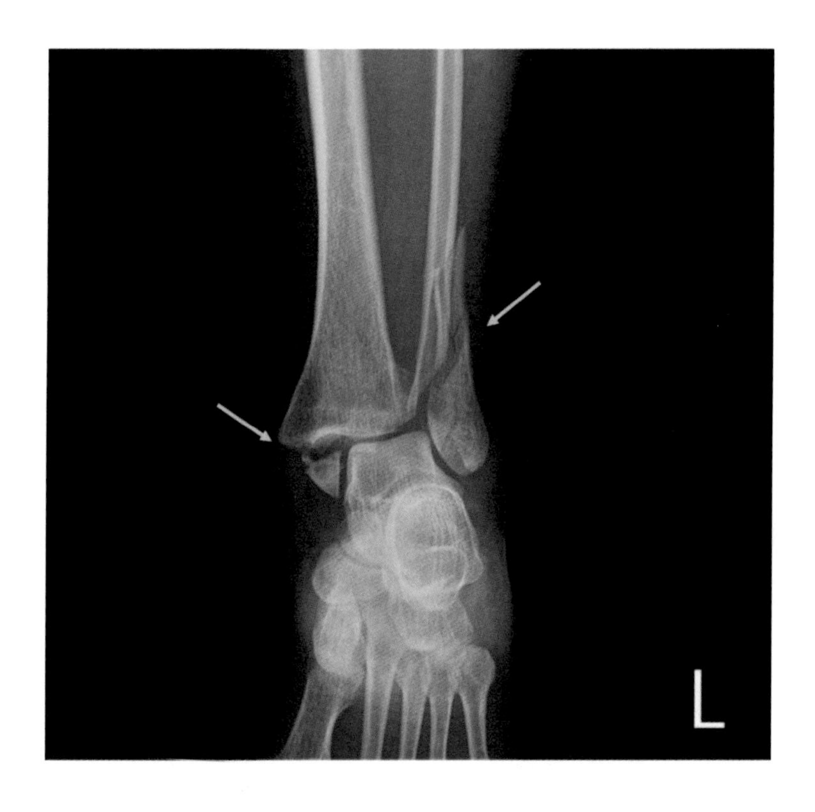

복숭아뼈는 복사뼈라고 부르는데, 안쪽 복숭아뼈와 바깥쪽 복숭아뼈 2개가 있습니다.

바깥 복숭아뼈에는 전거비인대 (anterior talofubular ligament), 종비인대 (calcaneofibular ligament) 가 부착되어 있고, 안쪽 복숭아뼈에는 경비인대와 경종인대 등이 부착되어 있어, 발목 관절의 안정성과 운동에 큰 기여를 하고 있습니다.

복숭아뼈 골절의 주요 원인

위에서 말씀드렸던 것처럼 발목이 심하게 꺾이거나 강한 충격이 가해졌을 때 골절이 일어날 수 있습니다. 발목이 삐게 되면 우선 통증이 가라앉을 때까지 안정을 취해야 합니다.

복사뼈가 골절되면 심한 통증과 함께 골절 부위가 붓게 됩니다. 이때 인대 손상까지 발생했다면 육안으로도 크게 보일 정도로 붓고 멍이 들기 때문에 이상을 바로 알아챌 수 있습니다.

만약 5걸음 이상 걸을 수 없다면 골절을 의심하고 바로 병원을 찾아야 합니다.

그리고 상황에 따라서 피부 밑 출혈이 발생한다거나 발목을 움직일 때 마다 마찰음이 나기도 하니 이런 증상이 있다면 꼭 골절을 의심해보고 조속하게 치료를 받아야 합니다.

복숭아뼈 골절 회복 기간

발목에는 3개의 복숭아뼈가 있습니다. 위치에 따라 내과 외과 후과입니다. 내과와 외과가 골절된 경우 양과골절, 후과까지 같이 골절되면 삼과골절이라고 합니다.

골절 회복은 다친 정도, 나이에 따라서 기간이 달라질 수 있습니다. 보통 3~6개월 정도가 걸립니다.

골절 회복은 생각보다 회복이 오랜 기간 걸리기 때문에 빠르게 치료를 받고 최대한 안정을 취하면서 관리를 해주는 것이 중요합니다.

한 번 골절된 부위는 회복기간 동안 다시 재골절될 가능성도 있기 때문에 초기 2주 가량은 절대로 무리하게 움직이지 않아야 합니다.

그래서 야외 활동은 최대한 자제해야 하며, 발목에 좋지 않은 자세 습관이 있다면 고쳐주어야 합니다.

그리고 빠른 회복을 위해서는 평소 칼슘 섭취 등 뼈 회복에 도움이 되는 음식, 영양제 등을 섭취하는 것이 좋습니다.

부러진 뼈를 회복하는 데 필요한 것은?

저희 한의원에서는 뼈가 부러지신 분들을 위한 특허한약 접골탕 2.0 처방이 있습니다.

우리 뼈가 빨리 붙기 위해서는 골진이라는 진액이 꼭 빨리 나와야 하는데, 접골탕은 이 골진 생성을 촉진하여 뼈가 붙는 기간을 단축시켜 줍니다.

접골탕은 제가 오랜 기간 골절 환자분들과 소통해오면서 직접 연구, 개발한 특허 한약으로, 2006년 처음 개발해 지금은 2개의 특허를 등록했습니다.

실제로 뼈가 부러진 실험군이 접골탕을 복용했을 때, 복용하지 않은 실험군에 비해서 2.5배 가량 빨라지는 것을 확인해볼 수 있었습니다.

실제 회복 사례

이 환자분은 복숭아뼈 3개 (내과, 외과, 후과)가 모두 골절된 삼과골절 환자였습니다. 3개월간 한약을 복용한 결과 목발없이 보행이 가능한 수준까지 회복되었습니다.

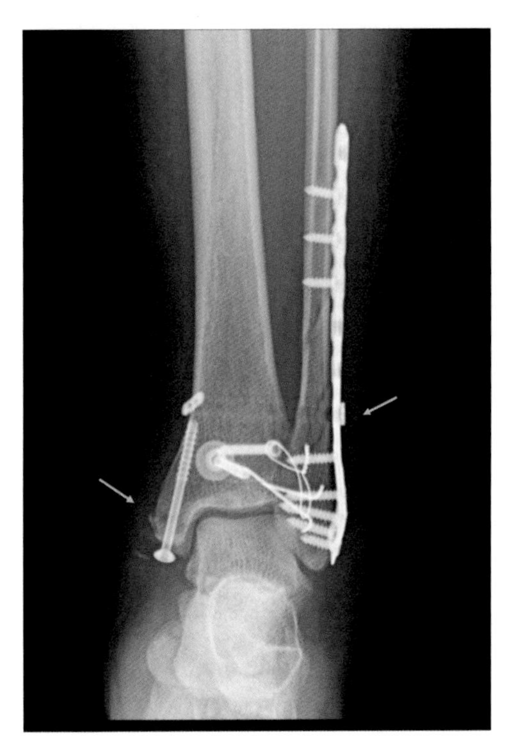

진단명 : 복숭아뼈 골절, 삼과골절

21.06.30 수술 후 7일 경과 상태

21.07.08 접골탕 복용 시작

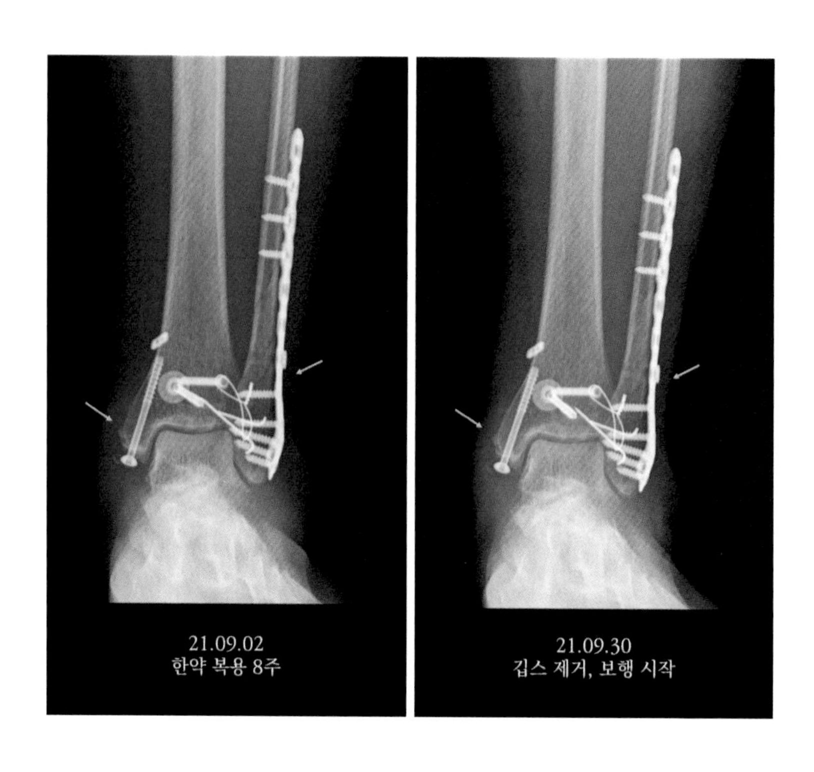
21.09.02
한약 복용 8주
21.09.30
깁스 제거, 보행 시작

2022-140호

탕약 안전관리 참여 증서

참 여 기 관 : 경희다복한의원
대 표 자 : 최 영 진
소 재 지 : 서울특별시 송파구 오금로 404
참 여 기 간 : 2022. 2. 22 (1차), 2022. 6. 22 (2차), 2022. 9. 14 (3차)
참 여 내 용 : 품질모니터링(3회, 총 8개 탕약) (pH, 중금속, 잔류농약, 곰팡이독소, 벤조피렌, 미생물한도)

위 기관은 조제 한약(탕약)의 안전관리를 위하여 한국한의약진흥원(보건복지부 산하 공공기관)에서 수행하는 『한약(탕약)현대화_탕전실 한약(탕약)의 안전관리』 사업에 참여하였기에 이 증서를 드립니다.

2022년 12월 12일

한국한의약진흥원 품질인증센터

한국한의약진흥원에서 진행하는
탕약 안전관리 사업에 정기적으로 참가하여
한약의 안전성 검사를 시행하고 있습니다.

특히 우리나라에서 재배되고 있는 당귀 중에서도 참당귀에는 decursin이라는 성분이 함유되어 있습니다.

이는 뼈를 파괴하는 파골세포의 증식을 억제해주며, 조골세포 활성을 촉진하여 뼈를 튼튼하게 하는 효과가 있습니다.

이 외에도 어혈을 없애고 손상된 근육을 회복시켜주는 천궁과, 골절 수술 후 피부 재생 및 골손실을 억제하는 황기, 그리고 보골지, 토사자, 속단, 우슬 등이 어우러져 기본 처방이 구성되고,

여기에 환자의 평소 건강 상태에 골절 상황에 맞는 한약재를 추가하여 맞춤 한약 접골탕을 처방합니다.

손가락 골절 증상 이후 접골탕을 복용한다면?

일주일 전에 농구하다가
공이 손가락을 때리면서 골절되어,
손가락 골절 수술을 받았습니다.

수술 후 손가락을 굽히지 못하니
컴퓨터나 스마트폰 사용이 어려워,
이래 저래 불편함이 많습니다.

어떻게 해야 빨리 나을 수 있을까요?

현대 사회는 스마트폰과 컴퓨터로 모든 사무를 다 처리하는 시대입니다. 음식 배달은 물론 장보기까지도 스마트폰으로 해결하는 시대에 손가락을 마음대로 움직일 수 없다면 많은 제약이 따릅니다.

오늘은 손가락 골절 증상에 대해서 더 자세히 알아보도록 하겠습니다. 손가락 골절 후 회복은 어떻게 해야 하는지 궁금하셨다면 자세히 살펴보시기 바랍니다.

손의 해부학

손은 모두 27개의 뼈로 구성되어 있습니다. 손목에는 8개의 작은 뼈가 있고, 손등에는 5개의 중수골, 그리고 손가락에 14개의 뼈가 있습니다.

생활 속에서 손가락 골절이 발생하는 경우는 다양합니다.

- 손가락이 문에 끼이는 경우
- 넘어지면서 손가락이 꺾이는 경우
- 공놀이를 하다가 손가락이 충격을 받는 경우
- 톱이나 드릴 등 작업 중 사고가 나는 경우
- 홧김에 주먹으로 벽을 치다가 손가락 골절이 발생하는 경우 (복서 골절)

손가락 골절 증상

손가락이 골절되면 심한 통증과 함께 붓기가 찾아옵니다. 그리고 손가락 모양이 이상하다고 느끼게 됩니다.

붓기는 10분 내로 시작되며, 관절 주변이 부어 오르고 멍 형태가 확인됩니다. 붓기가 없다면 단순 타박상일 가능성이 높고, 통증과 붓기가 함께 나타났다면 빠른 x-ray 검사를 해야 합니다.

손가락 골절의 종류와 분류

손가락 골절은 크게 개방성, 폐쇄성으로 나눌 수 있는데, 개방성 골절은 피부 밖으로 뼈가 튀어나오는 것을 말하며, 폐쇄성은 피부 밖으로 튀어나오지 않은 골절을 말합니다.

또 뼈만 골절된 단순 골절과 혈관과 신경이 같이 손상을 받은 복합골절로 나누기도 합니다. 무거운 물건에 눌리면서 생긴 압궤 손상으로 뼈가 여러조각으로 분쇄골절되기도 합니다.

산업 현장에서 불의의 사고로 손가락이 절단되기도 하는데, 이때는 절단 부위의 감염을 방지하면서 빨리 병원을 찾아 접합술을 받아야 합니다.

손가락 골절 수술 후 회복에 걸리는 기간은?

손가락 골절 수술 회복은 골절 정도에 따라 달라집니다. 크게 어긋나지 않았다면 수술 없이 고정만 하기도 합니다.

이땐 2~4주 정도의 시간만 지나면 나아지며, 인대 손상까지 동반되었다면 3~6주 가량 고정을 해주는 것이 좋습니다. 이는 충분히 주의하고 휴식을 취했을 때의 기준입니다.

만약 손가락 인대가 끊어졌거나 뼈가 불안정해서 제대로 맞추기 힘든 경우라면 수술을 진행해야 합니다.

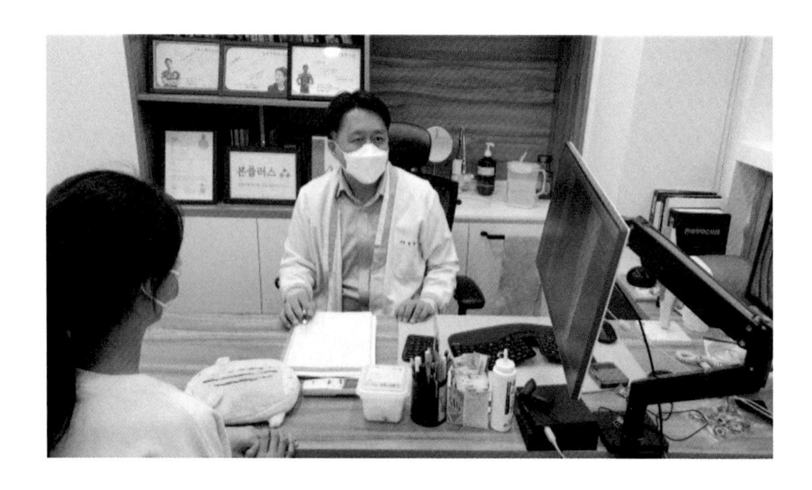

정밀 검사를 통해 상태를 확인하고 뼈를 원래 자리로 되돌려 놓거나 제거를 해야 하고, 상황에 따라 금속핀 등의 도구를 이용하기도 합니다.

수술까지 할 정도의 골절이라면 부드럽게 움직일 수 있을 정도로 완전히 회복되기 까지는 수개월의 시간이 필요할 수 있습니다.

한의원 치료 경과

산업현장에서 3개의 손가락 뼈가 골절된 다발 골절 환자분의 케이스입니다.

수술 후 4주가 지났지만 골유합의 징후가 없어 저희 한의원에서 한약 치료를 시작하였습니다. 그 결과 8주 후에 완치되어 내부 고정 강선을 제거할 수 있었습니다.

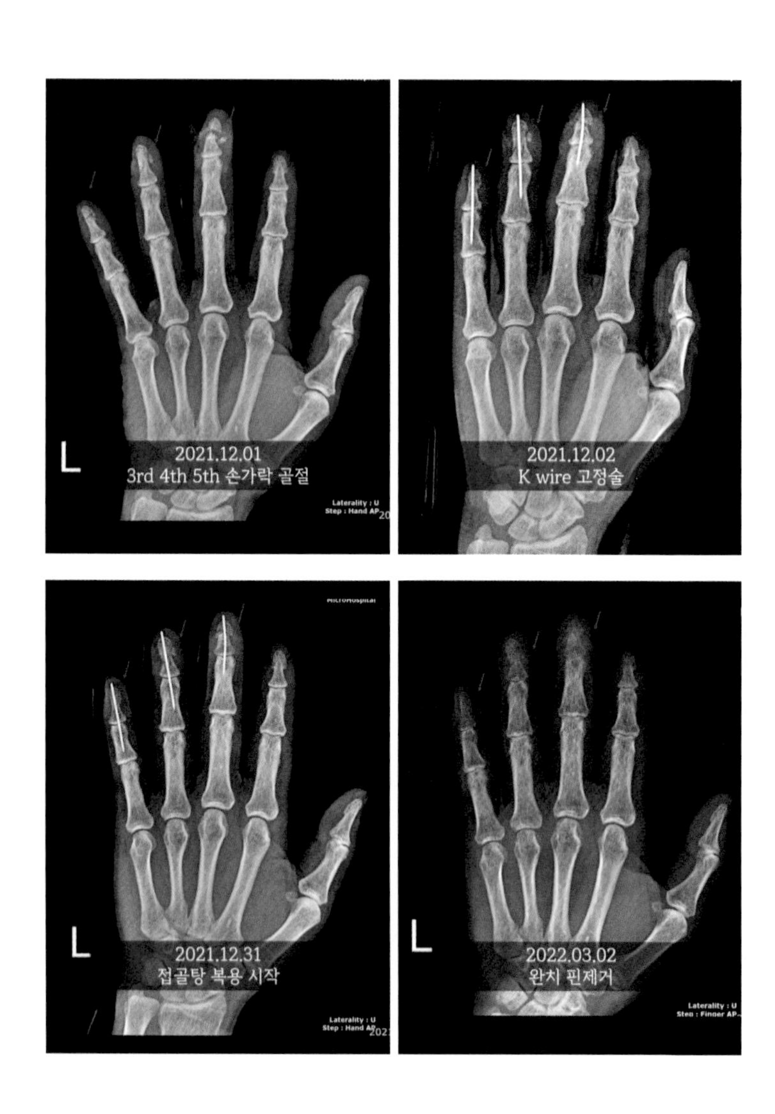
L
2021.12.01
3rd 4th 5th 손가락 골절
2021.12.02
K wire 고정술
L
2021.12.31
접골탕 복용 시작
L
2022.03.02
완치 핀제거

손가락 골절 증상 외에도 부위에 상관없이 골다공증이 있거나 뼈가 약하신 분들, 오랫동안 뼈가 붙지 않는 분들 역시 이 접골탕을 복용할 수 있습니다.

경희다복한의원에서는 뼈가 예상보다 붙지 않아 지연 유합인 상태의 환자분들을 수술없이 한약으로 치료하여 해외 SCI 저널에 그 성과를 발표한바 있습니다.

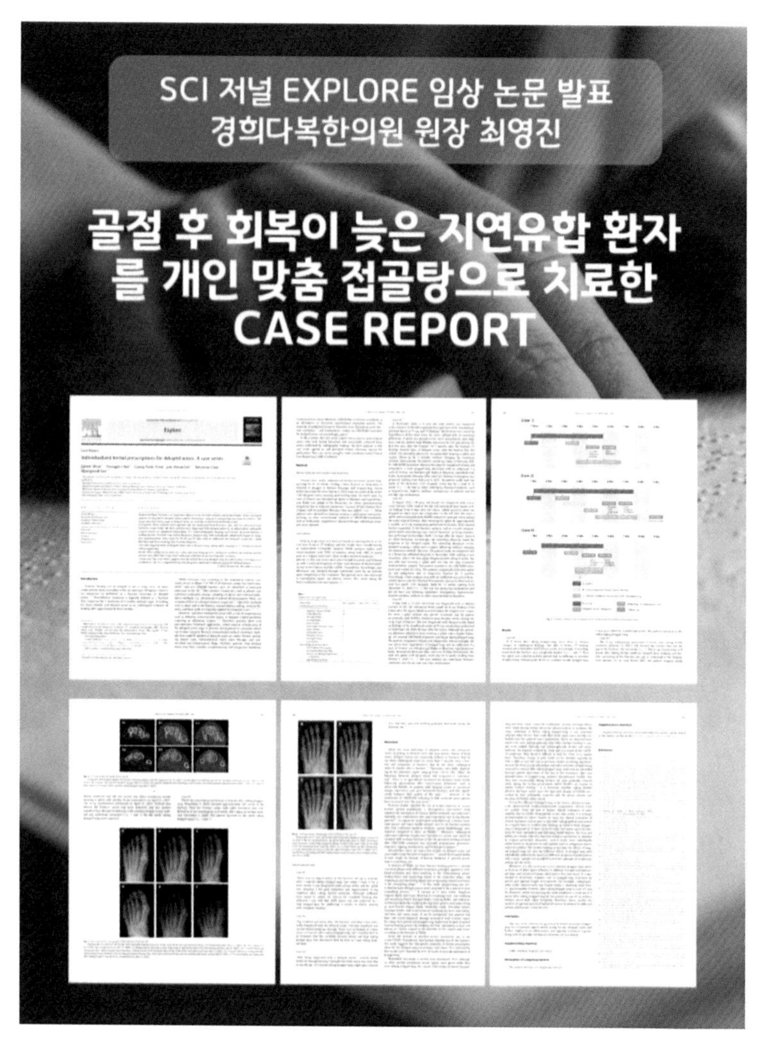

골절은 나이, 건강과 상관없이 예기치 못하게 찾아올 수 있습니다. 그리고 나이가 젊어도 흡연을 계속하는 등 제대로 관리를 하지 않으면 회복되는 속도가 느려질 수 있습니다.

중수골 골절 회복 예상 기간과 CT 변화 과정

홧김에 주먹으로 벽에 강하게
부딪히는 일이 있었습니다.

병원에 가보니 골절 판정을 받고
치료와 회복을 하고 있는 중인데,
빨리 낫지 않아서 일을 제대로 하지 못하고 있습니다.

어떻게 해야 빠르게 낫고 일상으로 복귀할 수 있을까요?

손은 우리가 살아가면서 가장 많이 사용하고 움직이는 부위입니다. 그래서 다른 부위에 비해 많은 부담이 가면서 변형이 생기거나 다치는 일이 잦은 편이기도 합니다.

특히 넘어지거나 어딘가에 부딪힐 때 무의식적으로 손을 들어 올려 막기 때문에 손등 뼈가 다치는 분들이 많습니다.

이러다가 손등의 뼈가 골절되는 일도 일어나는데, 손등뼈에 위치한 중수골이라는 뼈가 골절되는 사례가 특히 많습니다.

중수골은 손허리뼈 라고도 불리고, 손목과 손가락 사이에 허리처럼 이어져 있는 세로로 긴 형태의 뼈를 말합니다.

손가락과 손목을 연결하는 손등뼈를
중수골이라고 하며 5개가 있습니다.

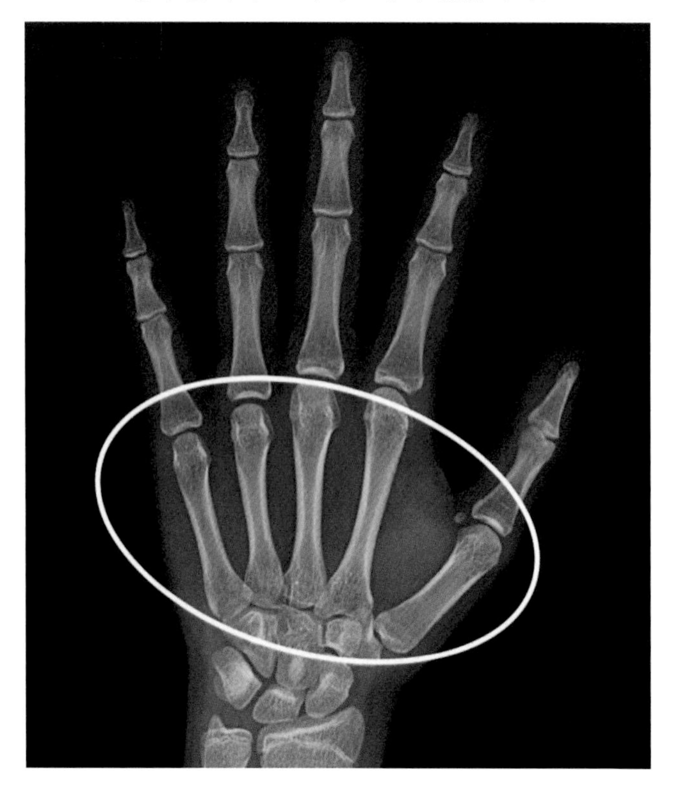

중수골 골절

중수골은 손목, 손가락 사이에 있는 세로로 긴 뼈로, 손가락 하나당 하나씩, 총 5개가 존재합니다.

손에 있는 뼈 중에서도 크기가 굉장히 큰 뼈에 속하기 때문에 손등위로 직접 만져볼 수 있으며, 면적이 넓은 만큼 충격을 많이 받아 골절이 자주 일어나기도 합니다.

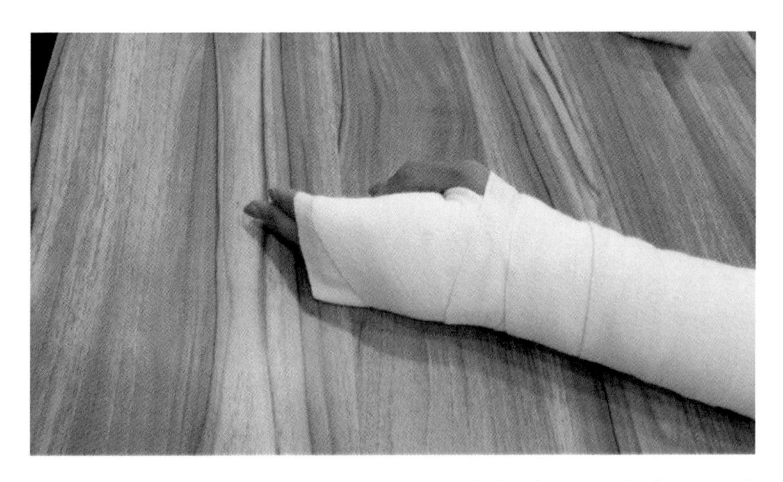

보통 나이가 드신 분들은 우연히 일어난 사고로 인해 골절되는 경우가 많고, 학생이나 젊은 분들은 펀치 기계를 할 때나 운동, 스포츠, 레저 활동을 할 때 많이 다치는 편입니다.

특히 새끼손가락 쪽 제5중수골 골절은 권투선수에게 자주 생긴다고 해서 복서 골절 (Boxer's Fracture)라는 별명이 있을 정도입니다.

Boxer's Fracture
주먹으로 벽을 치면서 제5중수골이 골절되는 경우

골절이 되면 멍과 붓기가 심하게 나타나고, 통증, 특히 눌렀을 때의 압통이 심하게 나타납니다.

이런 증상이 있다면 빠르게 병원에 방문해서 뼈에 어떤 문제가 생긴 것인지 정확하게 확인하는 과정이 필수적입니다.

중수골 골절 치료 방법

중수골 골절이 의심되는 상황에는 먼저 병원에 방문해서 X-Ray를 통해 뼈 상태를 확인해보아야 합니다.

만약 골절이 맞고 그렇게 심하지 않은 상황이라면 깁스를 해줘 손이 움직이지 않도록 고정한 다음, 최대한 휴식을 취하면서 뼈가 붙을 때까지 기다리는 식으로 회복을 하게 됩니다.

보통은 6주 가량 깁스를 하고 생활하게 됩니다.

하지만 뼈가 완전히 어긋났거나 조각이 많이 난 상황이라면 수술을 진행해야 합니다. 수술 시에는 핀을 고정하는 등의 방식으로 진행을 하고, 수술 후에 마찬가지로 깁스를 해 고정을 해주고 회복을 하게 됩니다.

예상 회복 기간

비전위 골절(4.5주)과 분쇄골절(5.0주)이 사선골절(5.75주), 나선골절(6주), 횡골절(6주)보다 회복기간이 짧았으며, 신부전 환자(8.75주)로 신장 기능에 이상이 없는 환자(5.25주)에 비해 더 느리게 회복되었습니다.

그리고 수술적 치료를 받은 환자는 5주, 비수술 환자는 6주의 회복기간이 필요했습니다.

중수골 골절 회복에 영향을 주는 요소

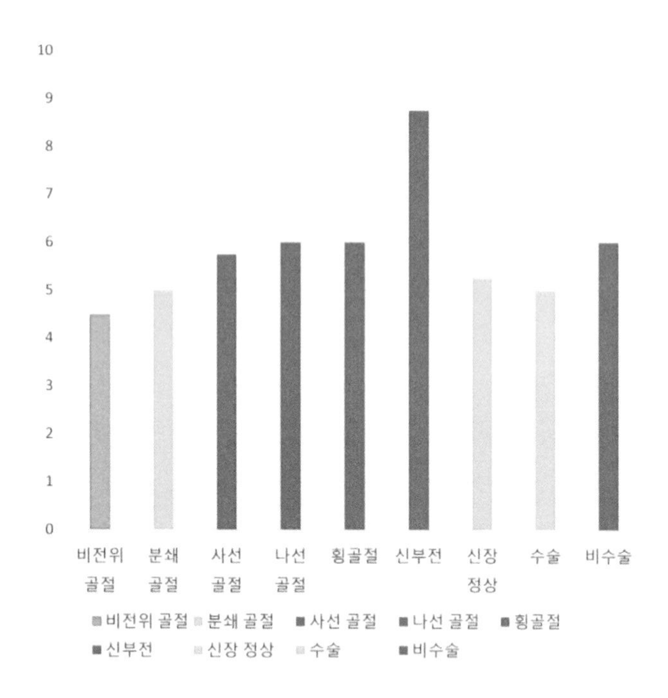

자료 출처 : Wollstein R, Trouw A, Carlson L, Staff. I, Mastella DJ, Ashmead D. The Effect of Age on Fracture Healing Time in Metacarpal Fractures. Hand (N Y). 2020 Jul;15(4):542-546. doi:10.1177/1558944718813730. Epub 2018 Dec 2. PMID: 30501514; PMCID: PMC7370379.

한약으로 치료한 중수골 골절 회복 CT 변화

이 환자분은 20대 남자분이었는데, 예상과 달리 3개월이 지나도 회복이 되지 않는 지연유합 상태였습니다. 한약 복용 12주 만에 완치되었습니다.

이 환자분을 치료한 CASE REPORT는 SCI 저널에 논문으로 발표되어 학계에 보고하기도 하였습니다.

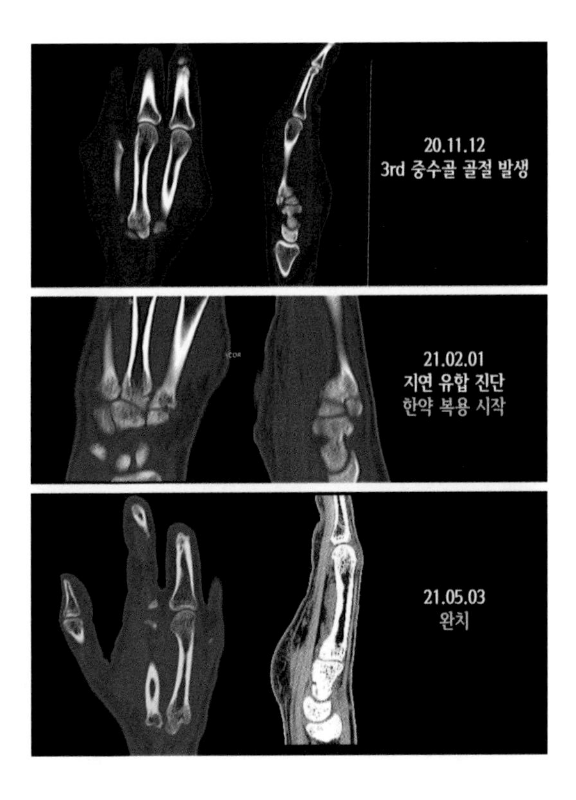

빠른 골유합을 유도하는 접골탕

만약 손을 제대로 움직이지 못해 일을 제대로 하지 못하고 빠른 회복을 원하는 상황이시라면 뼈에 좋은 음식을 챙겨 드시거나, 골절 회복에 도움을 주는 약 등을 찾아 복용해주시면 더 빠르게 회복되는 것을 기대해 볼 수 있습니다.

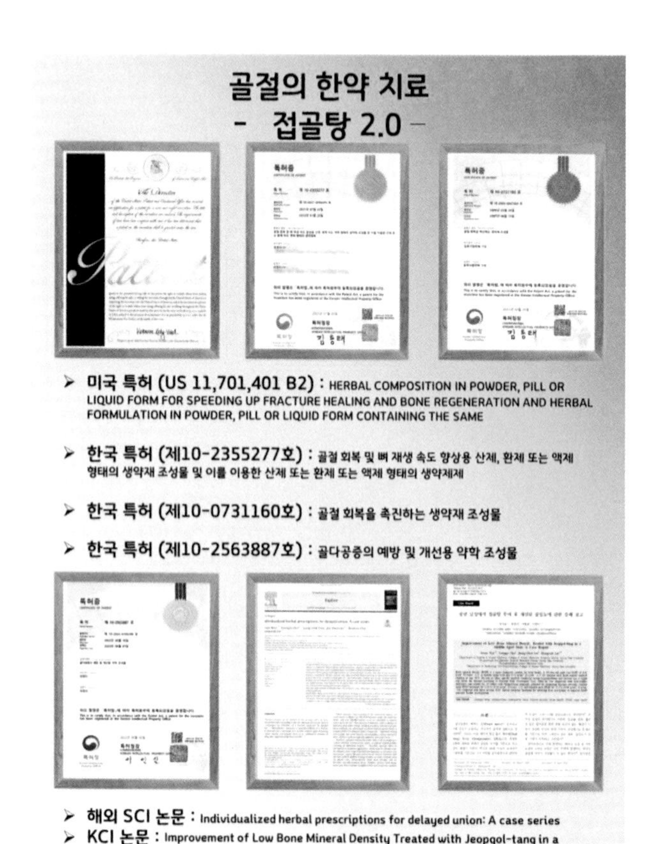

더 뛰어난 효과의 접골탕 2.0

15년간 골절 환자를 치료하면서 쌓아온 경험, 노하우를 바탕으로 만들어진 접골탕 2.0은 기존 접골탕보다 무려 57%나 더욱 빠른 회복 효과를 보이고 있습니다.

접골탕에 들어가는 한약재 중에서 핵심이 되는 것은 당귀와 황기, 천궁, 보골지 등 입니다.

접골탕은 단순히 뼈가 부러진 분들에게만 좋은 것이 아닙니다.

나이가 너무 어리거나 많아서 뼈가 약한 분들은 물론, 골다공증이 찾아와서 불편함을 겪는 분들에게도 도움이 되어드릴 수 있습니다.

팔골절 회복이 급한 분들에게 도움이 되는글

엘리트운동선수들의 선수생활에 가장 위협이 되는 문제를 꼽아보면 아마도 잦은 부상의 문제가 아닐까 생각합니다.

특히 과격한 몸 싸움이 자주 발생하는 운동인 축구, 농구선수들의 경우 경기 중 서로 부딪혀 바닥에 넘어지면서 팔을 잘못 디뎌 골절을 겪는 경우가 상당히 많습니다.

또한 요즘에는 여러가지 스포츠 활동을 즐기는 일반인들도 많아지면서 운동 중 발생한 골절을 보다 빨리 회복하기 위해 여러가지 방법을 알아보다가 저희 한의원의 골절한약의 처방을 위해 내원하시기도 합니다.

오늘은 팔골절이 생기는 원인과 증상, 치료법에 대해 알아보고 골절의 빠른 회복이 시급한 분들께 도움이 되는 한약인 접골탕을 소개하고자 합니다.

팔골절의 원인

팔이 골절되는 원인은 낙상, 자동차 사고, 추락, 스포츠 활동 등 매우 다양합니다.

그 중에 가장 흔한 것이 바로 낙상에 의한 골절인데요, 사람은 넘어지면서 본능적으로 자기 몸을 보호하기 위해 팔로 땅을 짚게 됩니다.

이 때 몸의 하중이 그대로 팔에 실리기 때문에 당연히 팔 골절이 일어날 수밖에 없고, 이로 인해 근육과 인대에까지 손상이 생기게 됩니다.

증상

뼈가 부러지면 심한 고통과 압통이 느껴지고 다친 부위에 부종과 출혈, 근육의 경련 등을 동반하게 됩니다.

또한 팔골절의 경우 부상 부위가 비정상적으로 흔들리면서 관절의 움직임에 제한이 생깁니다. 이 외에도 골절로 인한 모양의 변형, 마비, 감각 손상 등이 동반되기도 합니다.

치료

팔골절의 치료는 어긋난 뼈를 제대로 맞추고 그 형태를 유지해 주는 비수술적 치료와 골절 부위를 절개하여 골절된 뼈를 나사 또는 핀으로 고정해 주는 수술적 치료로 나누어 볼 수 있습니다.

이는 환자의 상태와 부상정도에 따라 의료진의 판단 하에 결정되며 두 치료방법 모두 다친 부위를 단단히 고정하여 움직이지 않도록 해야 한다는 공통점이 있습니다.

골절의 회복은 최소 4주~ 3개월이 걸리는데 이 기간동안 부상부위를 움직이지 못하다 보니 주변 근육의 경직과 퇴화는 물론 혈관의 손상, 염증, 파상풍, 관절강직 등의 합병증이 나타날 수 있습니다.

손목 요골 & 척골 하단 골절 치료기간

골절 부위	상병번호	고정기간㈜			종결	재취업
		경도	중등도	고도		
요골 하단 척골 하단	S52.5 S52.6	6	7	8	8	10

고정 기간 : 움직임을 제한하고 고정이 필요한 시간

종결 : 일상 생활이 가능한 시점, 병원 치료가 끝나고 형태의 회복이 마무리되는 시점,

재취업 :본격적인 활동이 가능한 시점 기능의 회복이 마무리되는 시점

※골절의 양상과 환자의 상태에 따라 치료기간은 달라집니다.

따라서 어느 정도 뼈가 붙은 것을 확인한 후에는 재활을 위한 여러가지 방법을 시도하며 보다 빠른 회복을 위한 방법을 강구해야 합니다.

치료 사례

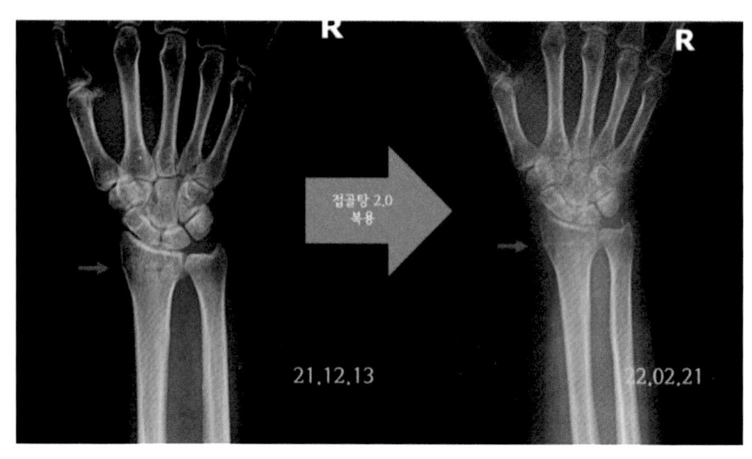

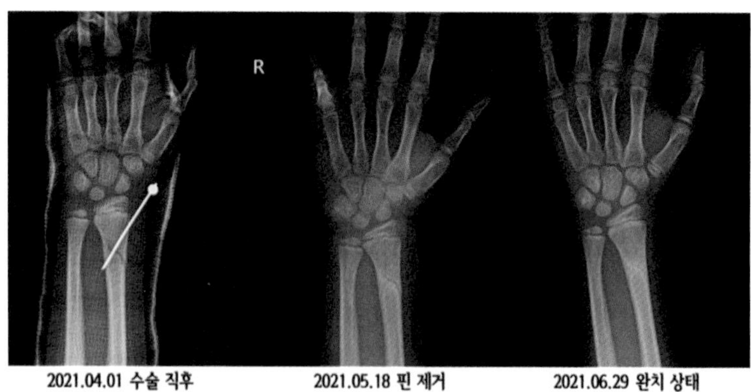

10세 남자 어린이 손목 골절 수술 후 한약 치료

손목 소능형골 CT Image

(Trapezoid bone Fracture)

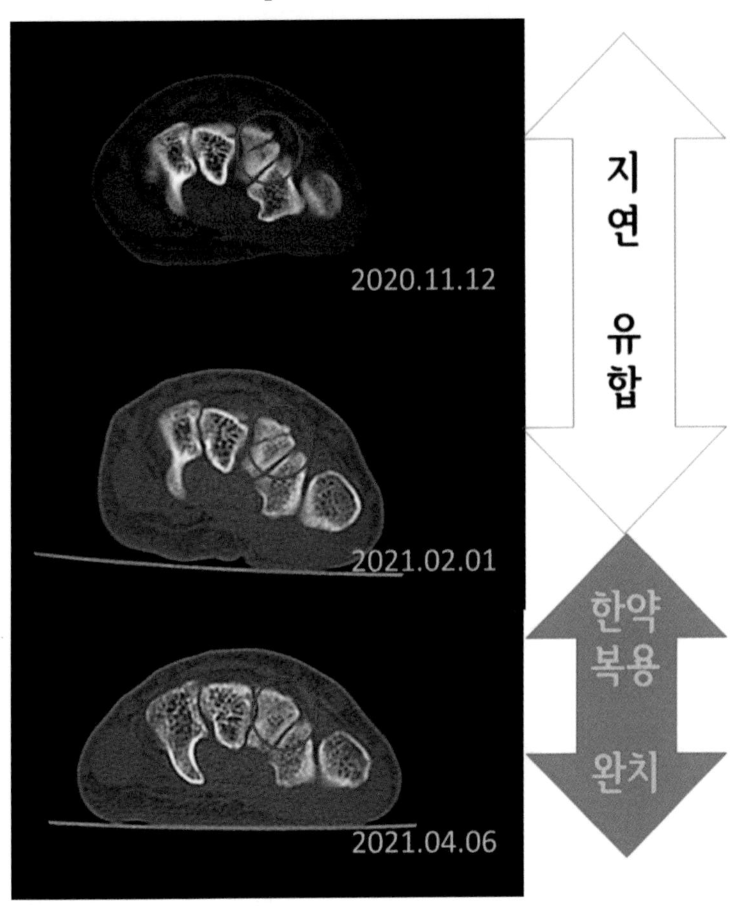

운동선수 골절 빠른 회복이 필요하다면?

부러진 뼈는 자가 치유능력이 있기 때문에 골절부위를 제대로 고정만 잘 해준다면 시간이 지나면 자연스럽게 회복되는 모습을 보입니다.

하지만 운동선수의 경우 얼마나 빠르게 골절을 회복하느냐가 선수 생명과 팀의 성패에 직결되기 때문에 골절의 회복이 시급할 수밖에 없습니다.

그러다 보니 접골탕에 대한 소문을 듣고 저희 한의원에 찾아오시는 분들 가운데 많은 비중이 바로 프로운동선수분들입니다.

주상골골절 회복기간이 느려 걱정이시라면?

'주상골골절을 당해
비수술치료 후 6개월이 지났는데 진전이 없어
수술을 받으라고 합니다.

이제 와서 수술을 받으려고 하니
무섭기도 하고 걱정되는데,

회복을 도와줄 수 있는 다른 방법은 없을까요?'

골절 후 6개월이면 어느 정도의 골유합이 일어나 뼈가 붙은 상태여야 하는데요, 환자분의 경우 뼈가 붙지 않아 수술을 권유 받으셨다고 저희한의원을 찾아오셨습니다.

제가 치료한 환자분들 가운데에도 9개월 넘게 뼈가 붙지 않아 재수술을 권유 받았던 환자분들이 계십니다.

하지만 수술에 대한 두려움과 회복기간 등 오랜 고민 끝에 저희 한의원에 내원하셔서 상담을 받고 뼈 붙는 한약을 복용하신 후 잘 회복되어 기뻐하셨던 기억이 납니다.

이처럼 여러가지 원인으로 인해 부러진 뼈가 잘 붙지 않는 수많은 케이스들이 있고, 심한 경우에는 수 년째 뼈가 붙지 않아 우울증을 겪게 되는 경우도 있습니다.

오늘은 흔하게 발생할 수 있는 주상골골절의 증상, 치료 그리고 한약으로 회복을 돕는 방법에 대해서 알아보겠습니다.

주상골골절이란?

뒤로 넘어지며 손을 짚었는데 손목이 확 뒤로 제쳐진 경우 매우 자주 발생하는 골절로, 초기에는 약간의 통증이 있다가 시간이 지나면서 통증도 줄어들고 부기도 별로 없어 뼈가 부러진 지 모르고 지나가는 경우가 꽤 있습니다.

주상골이 워낙 작은 뼈이다 보니 방사선 사진 상으로 진단을 놓치는 경우도 많아 단순히 손목이 삐었다고만 생각하고 지내다가 뒤 늦게 합병증으로 인해 고생하는 경우가 있습니다.

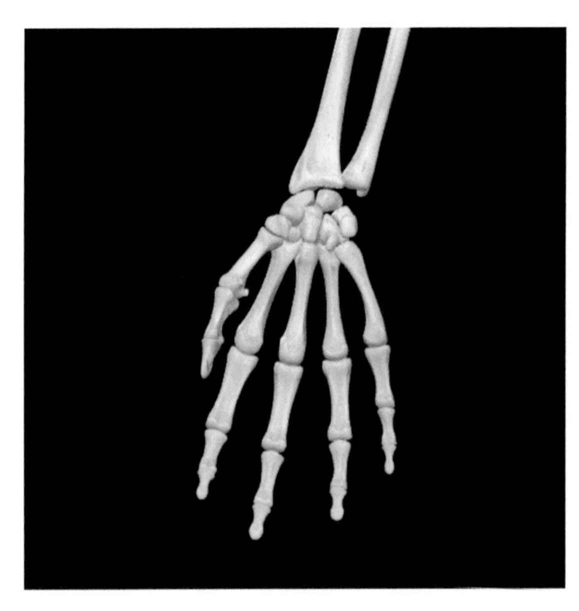

손목 주상골 (초록색)

따라서 처음에 x-ray 사진에 나타나지 않았다 하더라도 골절이 의심된다면 2주 후에 다시 CT로 확인해볼 필요가 있습니다.

증상

손목 쪽에 가벼운 통증이나 손에 힘이 안 들어가는 증상, 주상골을 직접 누를 때 나타나는 통증 등이 있습니다.

하지만 부상 부위의 뼈에 금만 가서 벌어지지 않은 경우에는 손을 삔 증상과 구별이 힘들 정도로 특별한 증상이 없습니다.

간혹 수년이 지날 동안 뼈가 부러진 것도 모르고 지내는 분들도 있으신 데요, 그분들의 경우 증세가 거의 없고 심한 운동이나 손을 많이 사용한 경우에만 통증이 느껴졌다고 합니다.

주상골의 특성상 골절이 발견되기 어려운 위치에 있어 발견이 늦은 경우가 많고,

골절 후에도 혈액 공급이 잘 안되는 위치에 있어 지연유합, 불유합, 무혈성 괴사 등의 합병증이 생기기 쉽습니다.

또한 시간이 지나면서 관절염으로 발전하면 평생 고통을 안고 살아가야 할 수도 있으니 제대로 된 진단과 회복을 위해 노력해야 합니다.

치료

치료는 수술적 치료 보다는 깁스로 고정해 주는 비수술적 치료가 많이 이뤄집니다.

약 6주 정도면 회복이 가능한데 간혹 환자분에 따라 제대로 혈액공급이 되지 않아 치료가 늦어지는 경우도 있습니다.

혈액 공급이 부족해 골절 부위가 괴사된 경우에는 수술을 통해 뼈를 바로잡고 골이식을 해주어야 합니다.

골절회복 속도를 2배 높여주는 접골탕

뼈가 붙는 회복 시기는 환자분마다 매우 다릅니다.

어떤 분은 나이가 젊은데도 불구하고 회복이 잘 되지 않는 경우가 있는데요, 이런 경우 확인해보면 골절 후 3개월이 지났음에도 불구하고 골진이 제대로 분비되지 않고 있는 것을 볼 수 있습니다.

주상골골절 치료 후 6개월이 지났지만 뼈가 붙지 않고 있는 환자분의 경우도 마찬가지로 골진의 생성이 제대로 되지 않아 회복이 더딘 것입니다.

따라서 골진의 분비를 도와주는 한약을 복용하신다면 회복을 앞당길 수 있습니다.

뼈가 잘 붙지 않아 치료한약을 4주간 복용한 환자분의 X-ray를 확인했을 때 부러진 부위에 안개가 낀 듯 흐릿한 흰색의 골진(연성 가골)이 나오고 있는 것을 확인할 수 있었습니다.

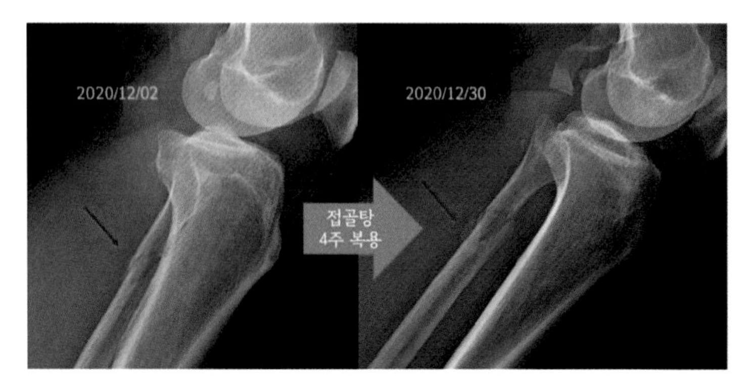

붉은 화살표를 자세히 보면 골진을 확인할 수 있습니다.

한약으로 부러진 뼈를 치료한다는 새로운 패러다임을 도입한 지 어느 덧 15년이라는 시간이 지났습니다.

과연 이러한 저의 생각이 환자분들께 잘 받아들여질 수 있을지에 대해 걱정하는 마음이 있었지만 그 효과와 입소문만으로 지금의 이 자리까지 오게 되었습니다.

주상골골절이 잘 회복되지 않아 고민하시는 분들 외에도

- 치료 기간을 단축시키고 싶은 분들
- 골다골증이나 당뇨, 갑상선 질환을 가지고 있어 골절회복이 늦어질까 걱정되는 분들
- 폐경기 이후 뼈가 약해지는 중년 이후의 여성들
- 피로골절이 자주 일어나는 운동선수들

이 복용한다면 골절의 치료와 예방에 모두 도움을 받을 수 있습니다.

상완골골절 후 뼈가 잘 붙지 않는다면

"주말마다 취미로 주짓수를 하고 있는 회사원인데요, 3개월 전에 운동 도중 넘어지면서 위팔뼈가 부러졌습니다.

병원에서 상완골골절 진단을 받고 수술을 받았는데 아직까지 뼈가 붙지 않고 있습니다. 자연적으로 붙기만을 계속 기다려 봐야 할까요?"

상완골은 교통사고나 격한 운동 중에 많이 손상되는 부위입니다. 간혹 팔씨름을 심하게 하다가 부러지기도 하고, 성장기 어린이들의 경우 친구들과 장난을 치다가 골절이 되기도 합니다.

위치 자체가 어깨 관절과 연결된 부위이다 보니 뼈가 부러졌을 때 단단하게 고정하는 것이 어려워 뼈가 잘 붙지 않고 회복이 더딘 경우가 많습니다.

오늘은 상완골골절이 잘 낫지 않아 고민하고 있으신 분들을 위해 치료와 재활, 그리고 회복기간을 단축시킬 수 있는 방법들을 알아보겠습니다.

상완골골절이란?

어깨와 팔꿈치를 연결하는 긴 뼈인 상완골에 골절이 생긴 것을 뜻하는 질환으로 운동이나 교통사고에 의해 빈번하게 발생하는 골절입니다.

해당 뼈는위쪽부터 근위부, 중간부, 원위부로 나뉘는데 보통 근위부 골절은 뼈가 약한 노인에게 잘 발생하며 중간부은 청장년층, 원위부는 어린 아이들에게 많이 나타나는 특징을 가지고 있습니다.

증상

상완골이 부러지면 밖으로 드러나는 외상이 없더라도 극심한 통증과 부종, 피멍 등이 관찰되고 통증으로 인해 어깨를 거의 움직일 수 없습니다.

간혹 신경이 손상된 경우, 위 팔의 감각이 없을 수 있습니다. 따라서 이런 증상이 있다면 즉시 의사의 진단을 받고 검사를 통해 골절 유무와 현재 상태를 파악하여 치료의 방향을 잡아야 합니다.

치료와 재활

부러진 골편이 많이 어긋나 있지 않은 경우 2주 정도 고정치료 후 조금씩 관절운동을 해 주면서 뼈가 잘 붙는지 관찰하게 됩니다.

하지만 부위의 특성상 수술치료가 많은 비중을 차지하는 편입니다.

상완골은 어깨 관절과 연결되어 있고, 깁스로 뼈를 단단히 고정시키는 것이 어렵다 보니 골편이 많이 어긋나 있는 경우 금속판 또는 나사로 고정하는 수술을 해 준 후 예후를 지켜보게 됩니다.

또한 치료 후 회복기간도 타 골절에 비해 오래 걸리는 편이며 뼈가 붙는 기간 동안 굳어진 근육과 관절을 회복하기 위한 재활치료도 제대로 해 주어야만 후유증 없는 회복이 가능합니다.

간혹 재활운동을 무리하게 하다가 오히려 회복에 방해가 되는 경우도 있기 때문에 전문가의 조언 하에 어깨 경직을 완화해 줄 수 있는 가벼운 운동이나 스트레칭 정도로 진행하는 것이 좋습니다.

상완골골절 후 지연유합, 불유합이 있는 경우

치료 후 3개월 이상 지났음에도 불구하고 골진이 나오지 않아 뼈가 붙지 않고 있는 상태가 지속된다면 무작정 낫기를 기다리기 보다는 골절의 회복을 돕는 한약인 접골탕의 복용을 고려해 보시는 것이 좋습니다.

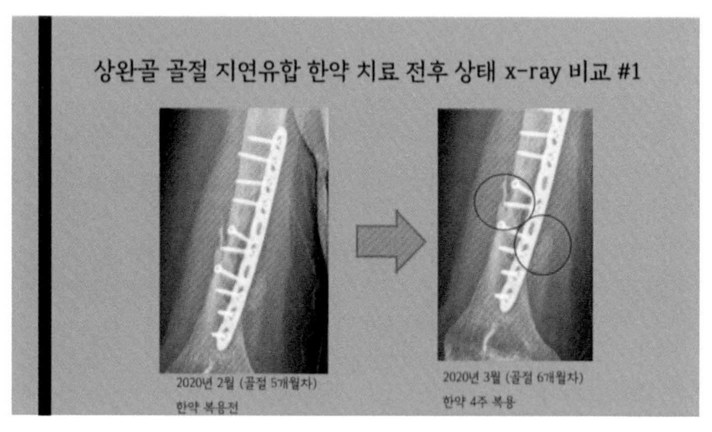

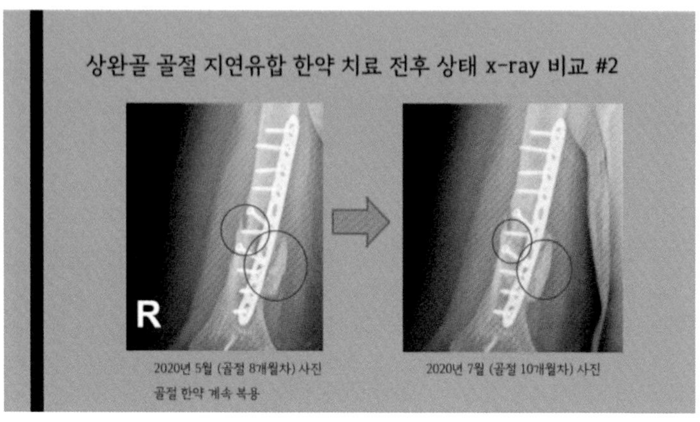

지연유합
(delayed union)

'지연유합'(delayed union)은 특정기간 내에 골절이 완전히 치유되지 않았지만 추가적인 처치가 없이도 치유 가능성이 있을 때 진단합니다.

불유합의 원인으로는 당뇨병 골다공증 등 기저질환, 음주나 흡연 등의 생활습관이 있습니다.

한약의 효과는 개인별로 다를 수 있고, 부작용이 있을 수 있습니다. 한의사와 상담하세요. 환자의 동의를 얻어 포스팅하였습니다.

접골탕 2.0은 철저한 과학적 검증과 수많은 임상결과를 바탕으로 지금까지 약 15년간 골절환자의 치료에 좋은 성과를 내고 있습니다.

부상으로 인해 거동이 불편해 한의원에 내원하는 것이 어려운 분들의 경우, 골절진단 자료와 함께 관련 사진들을 보내 주시면 제가 직접 전화상담을 통해 한약을 처방해 드리고 있습니다.

매서운 한파가 이번 주 내내 계속된다고 합니다. 날씨가 추워지면 뼈가 다치는 사고의 위험도 높아지는 만큼 늘 안전에 유의하시고 스스로 건강을 지킬 줄 아는 여러분들 되시기 바랍니다.

발등 골절 한의원에서 치료되는 과정

얼마 전 빗길에 미끄러지면서 발목을 삐었습니다.

아무래도 심상치 않아
다음날 x-ray를 찍었더니 발등 골절로 나왔습니다.

현재 통깁스를 하고 있는데,
빨리 좀 회복해서 자유롭게 다니고 싶습니다.

한의원에서는 어떤 치료를 받을 수 있을까요?

무거운 물건을 옮기다가, 축구를 하다가 다른 사람의 발에 밟혔을 때, 혹은 지속적인 달리기나 훈련 등으로 충격이 쌓이는 경우 우리 발등 뼈가 골절될 수 있습니다.

발은 체중을 지탱해야 하기 때문에 골절 후에 더 벌어지기도 하고, 힘줄과 인대의 영향으로 회복이 느려지는 부위이기 때문에 초기 안정과 고정이 매우 중요합니다.

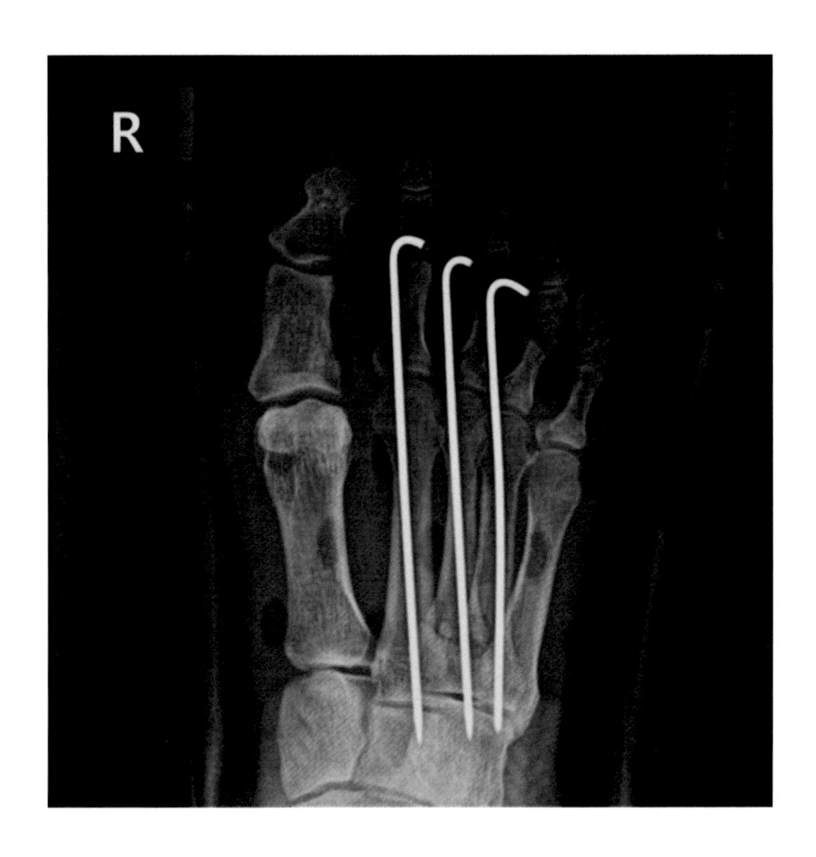

발등 골절

발등에 큰 충격이 가해진 후, 지속적으로 통증이 느껴지고 붓기나 멍이 동반된다면 뼈에 금이 갔거나 골절된 것을 의심해보아야 합니다.

발목을 삐끗하면서 상대적으로 가벼운 충격을 받은 것 같더라도 다음날 통증과 부종이 심해진다면 제5중족골 골절을 의심해야 합니다.

발목을 바깥으로 삐면서 체중이 발등 바깥면에 집중되면 제5 중족골 골절이 발생할수 있습니다. 이런 이유로 전체 5개의 중족골 중 가장 바깥에 있는 제5중족골 골절 환자의 비율이 가장 높습니다. (47.9%)

이럴 땐 빠르게 병원을 찾아가 검사를 받고, 상태에 맞는 적절한 치료를 받으셔야만 합니다.

일차적으로 X-Ray 검사를 통해서 뼈의 상태를 확인하게 되는데, 만약 뼈가 크게 벌어졌거나 더 벌어질 가능성이 높은 부위라면 수술을 진행하여 뼈를 본래 위치로 맞춰주어야 합니다.

물론 발등 골절 상태가 심하지 않다면 비수술 보존적 치료도 가능합니다. 이 때는 초기 안정과 고정이 매우 중요합니다.

중족골 골절 부위에 따라서 수술이 필수적인 곳도 있습니다. ZONE 1 부위는 힘줄이 뒤쪽으로 뼈를 당기고 있기 때문에 수술적 치료를 진행합니다. 제5 중족골 기저부 골절 환자의 57.9%정도가 해당합니다.

빠른 골절 회복을 위해 해야 할 일

수술적 치료와 비수술적 치료 공통적으로 깁스로 해당 부위를 고정하게 됩니다. 그리고 집에서 요양을 하면서 회복되길 기다리는데, 이때 다음과 같은 주의사항을 지키면서 관리해주는 것이 좋습니다.

초기 2주간 절대 무리하지 않기

집 안에 있더라도 자주 움직이지 않고 가만히 있는 것이 중요합니다. 계속 움직인다면 회복이 늦어질 수 있습니다.

심장보다 높게 두기

발등을 심장보다 높은 위치에 두어서 혈액순환을 원활하게 하여 붓기나 통증 관리를 해주는 것이 좋습니다.

담배 피지 않기

골절 회복에 영향을 미치는 인자는 골절 당시의 충격량, 나이, 성별, 기저 질환, 생활 습관 등이 있습니다.

충격량이 커서 뼈의 손실이 많을 수록, 나이가 많을 수록 회복은 느려집니다. 또 여자 환자, 당뇨환자, 골다공증 환자도 회복이 느려집니다.

하지만 가장 큰 영향을 끼치는 것은 흡연입니다. 흡연을 하면 뼈 형성을 방해하기 때문에 회복 기간이 더 길어지게 됩니다. 또 불유합 확률이 2배 이상 높아지기 때문에 꼭 절제해야 합니다.

재활 훈련하기

휴식을 취하는 동안 다친 부위 주변의 근육 및 조직이 많이 약해지게 됩니다.

주치의가 도수치료나 재활 훈련을 시작해도 된다는 시점이 되면 처음에는 체중을 실지 않은 상태에서 발목과 발가락을 움직이는 것부터 시작하면 됩니다.

따뜻한 물에서 족욕을 하면서 점점 움직임 범위를 늘려가시면 되고, 통증이 생기지 않는 범위에서 조금씩 자주 움직여 주는 것이 효과적입니다.

치료 사례

이 환자분은 버스에서 내리면서 발목을 삐면서 발등 골절이 된 케이스입니다.

골절 진단을 받고 바로 한약을 복용하셨고, 10주 후에 완치되셨습니다. x-ray를 잘 살펴보시면 회복되는 과정을 직접 확인해 보실 수 있습니다.

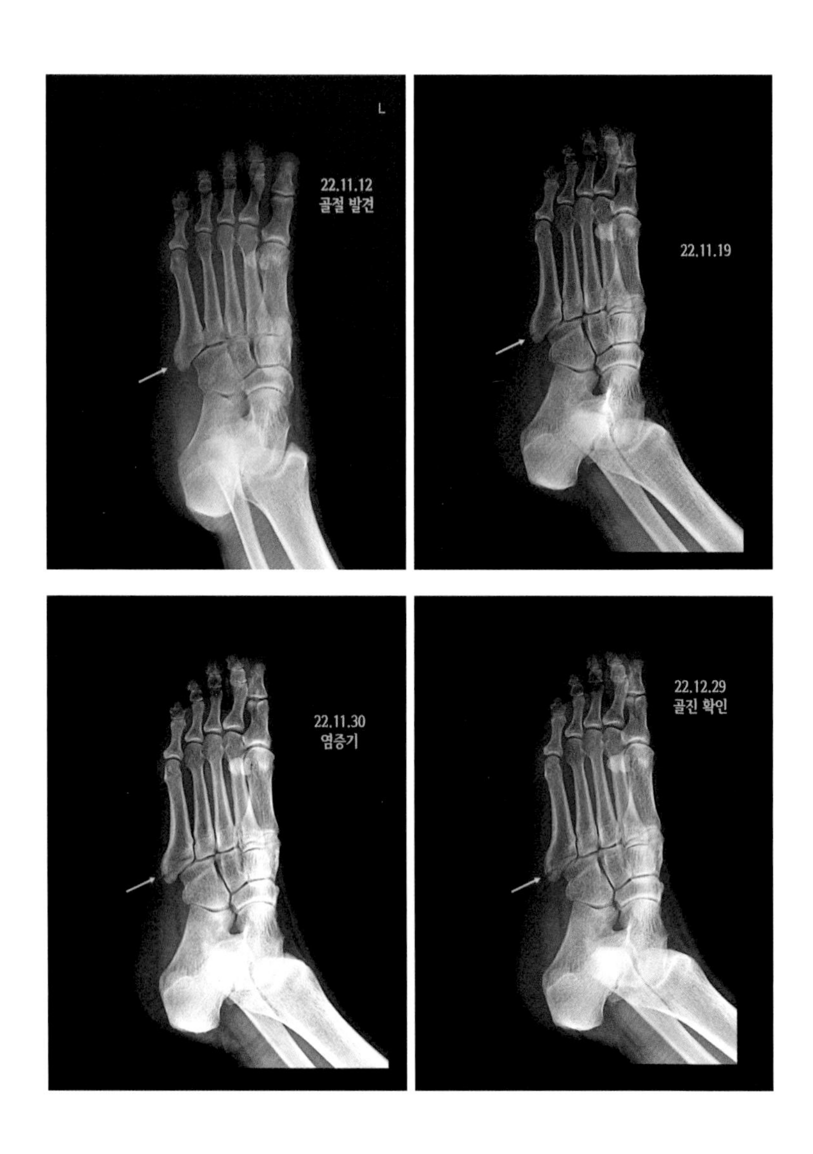
L
22.11.12
골절 발견
22.11.19
22.11.30
염증기
22.12.29
골진 확인

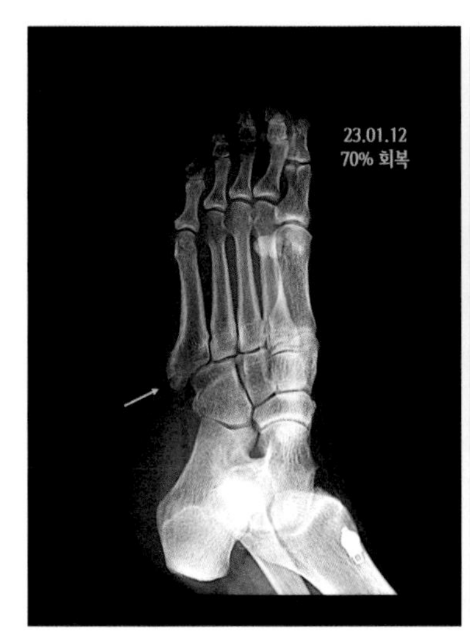

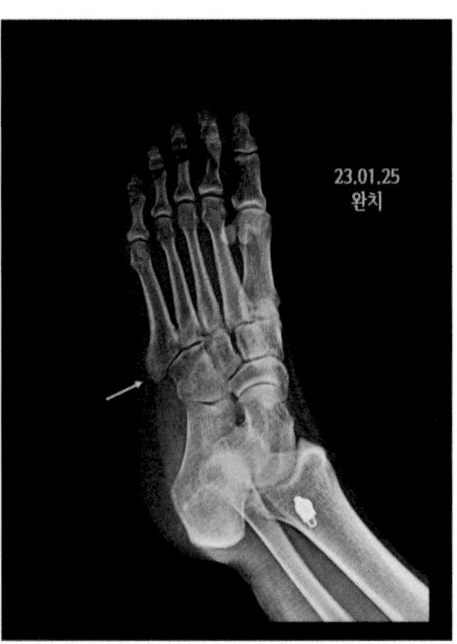

한약을 복용하는 것도 좋은 방법입니다.

집에서 휴식을 취하면서 뼈에 좋은 음식, 한약을 복용하는 것도 빠른 회복에 분명히 도움이 됩니다. 특히 저희 한의원에서는 접골탕 2.0이라고 하는 골절 회복 한약을 처방하고 있습니다.

접골탕을 복용하게 되면 부러진 뼈를 붙여주는 접착제 역할을 하는 골진이라는 진액이 더 빠르게 생성될 수 있게 해줍니다. 이를 통해서 전체적인 골절 회복 기간을 줄일 수 있는 것입니다.

그리고 뼈 건강 외에도 근육 회복이나 어혈 제거, 통증 및 혈액 순환 개선 등 여러 부가적인 효과도 느끼실 수 있도록 천궁, 황기, 구기자, 보골지 등 다양한 한약재들이 배합되고 있습니다.

물론 환자분에게 맞게 맞춤으로 처방이 이루어지고 있습니다.

발가락골절 빠르게 치료해야 하는 상황이라면?

발가락이 골절되어서
일상생활에 큰 영향이 가고 있습니다.

빠르게 나아서 일을 이어 나가야 하는데
회복이 생각보다 빠르지 않네요.
혹시 빠르게 회복시키기 위해서
도움을 받아볼 것이 있을까요?

일상을 살아가다 보면 식탁, 테이블, 벤치, 침대, 문 등에 발가락을 다치거나 본의 아니게 넘어져서 발가락을 다치는 경험을 한 번쯤 은 하실 수 있습니다.

이때 발가락에 가해지는 통증은 정말 심한데, 만약 멍이 생기고 통증이 오래 지속된다면 발가락 골절을 의심해보아야 합니다.

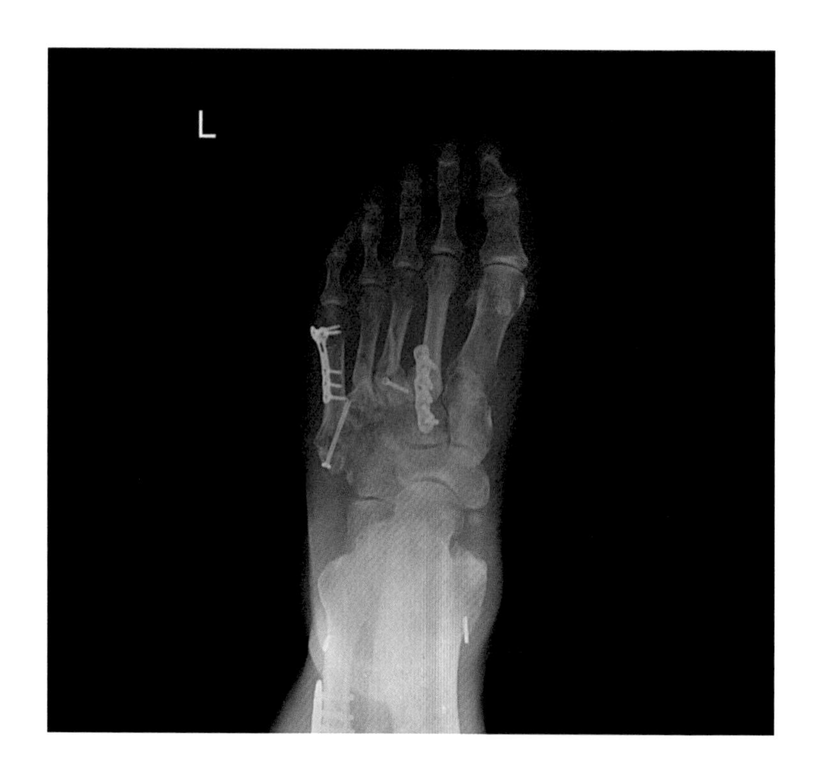

골절은 회복되기까지 생각보다 오랜 기간이 필요합니다. 발가락을 다치게 되면 걷는 것이 힘들어지기 때문에 일상에 큰 영향이 가게 되어서 큰 지장을 받게 되는데요,

오늘은 발가락골절에 대해서 자세히 알아보고 빠르게 치료하기 위해서는 어떻게 해야 하는지 확인해 보는 시간을 보내도록 하겠습니다.

발가락골절로 불편함을 겪고 있으셨다면 오늘 내용을 자세히 살펴보시기 바랍니다.

발가락골절의 원인과 증상

발가락골절은 흔하게 나타나는 골절입니다. 대부분은 직접적인 손상에 의해서 발생하게 됩니다.

무거운 물건이 떨어져서 골절되거나, 어딘가에 강하게 부딪혀 큰 충격을 받았을 때 바깥쪽으로 꺾이면서 발생합니다.

발가락이 골절되었을 때, 상대적으로 증상이 심하지 않은 경우가 많아서 많은 분들이 단순 염좌로 생각하고 치료 시기를 놓치는 경우도 있습니다.

발가락의 모양이 유지되면서 멍이, 붓기가 들기 때문인데 만약 이런 증상이 2~3 일이 지나도 계속되거나 더 심해진다면 골절을 의심해보아야 합니다.

골절은 수일이 지나도 증상 호전이 되지 않으며, 신발을 신을 때나 걸을 때 통증이 느껴지고 시간이 지나면서 점점 심해지게 됩니다. 이땐 빠르게 의료기관에 찾아가 도움을 받아 보아야 합니다.

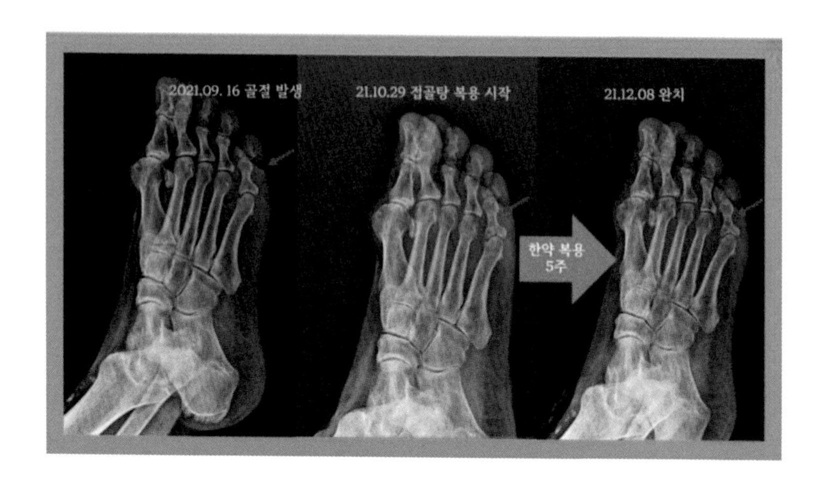

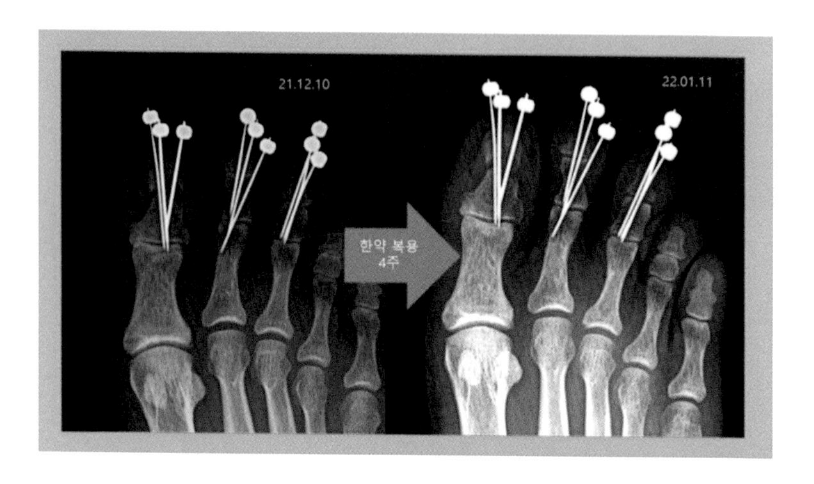

발가락골절 치료 방법

보존적인 치료와 안정을 취하면서 회복되기를 바라는 경우도 있지만, 관절을 침범한 골절이나 전위가 심한 골절은 수술적인 치료가 필요합니다.

치료 기간 동안 발을 제대로 움직이기 힘들어 일상에 큰 불편함을 겪을 수 있지만 이렇게 치료를 해주면 일반적으로는 심한 후유증을 남기지 않고 잘 치유되는 편입니다.

발가락 뼈 (Phalanx) 골절 진단기간

골절 부위	상병번호	고정기간㈜			종결	재취업
		경도	중등도	고도		
발가락 뼈 Phalanx	S92.5	3	4	6	8	12

고정 기간 : 움직임을 제한하고 고정이 필요한 시간

종결 : 일상 생활이 가능한 시점, 병원 치료가 끝나고 형태의 회복이 마무리되는 시점,

재취업 : 본격적인 활동이 가능한 시점, 기능의 회복이 마무리되는 시점

※ 골절의 양상과 환자의 상태에 따라 치료기간은 달라집니다.

골절 회복, 더 빠르게 해야 한다면?

발가락 골절 회복은 일반적으로 3~6주의 회복 기간이 필요합니다. 만약 더 빠르게 일상으로 복귀해야 하는 상황이라면 외

과적인 치료와 함께 저희 한의원에서 처방해 드리는 접골탕을 권해드립니다.

안전한 한약재로 만들어집니다.

접골탕은 환자분들께서 안심하고 복용할 수 있게 품질검사 성적서를 꼼꼼히 따져 안전하게 원내에서 직접 탕전하고 있습니다.

그리고 이 접골탕에 들어가는 한약 중, 핵심이 되는 한약재는 바로 당귀와 천궁입니다.

- 당귀

조골세포 활성 촉진과 파골세포 증식 억제 효과가 있어 뼈를 더욱 튼튼하게 해줍니다.

- 천궁

골절 사고 당시 생긴 어혈을 제거하는 효과가 있으며, 손상된 근육의 회복을 도와줍니다.

접골탕은 골절 치료 기간을 단축시키고 싶으신 분들 외에도 나이가 많아 뼈가 잘 붙지 않는 어르신분들, 작은 충격에도 골절이 생기기 쉬운 어린이들에게도 필요한 한약입니다.

새끼발가락 골절 후기, x-ray 변화 과정

새끼발가락이 골절되었는데,
개인 사정이 있어 1달동안 치료받지 못했습니다.

아직 골진이 안나왔다고 하는데,
걱정이 많습니다.

작은 부위여서 회복이 빨리 될 줄 알고
방심했었는데 후회가 많습니다.

지금부터라도 할 수 있는 방법이 없을까요?

발가락의 뼈는 작고 가늘기 때문에
골절이 많이 나타나는 부위 중 하나입니다.

집에서 맨발로 걸어 다니다가 문지방 또는 무거운 가구나 가전 제품이 부딪혔을 때에도 심한 통증과 함께 부어 오르면서 뼈에 문제가 가는 경우가 많습니다. 또 떨어지는 물건을 피하지 못해서 골절되기도 합니다.

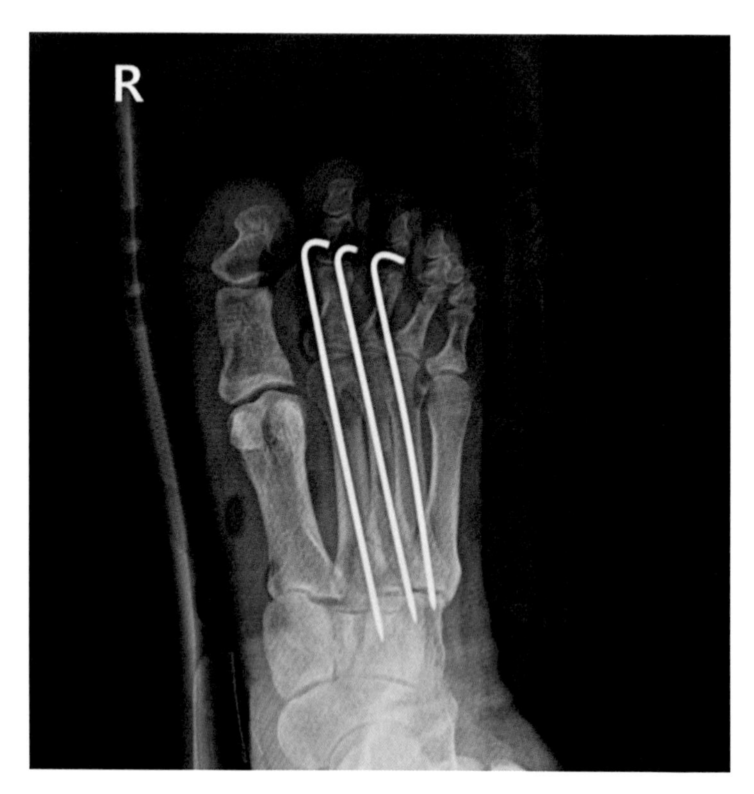

발가락이 심하게 다치게 되면 보행시 균형을 제대로 잡기 힘들어져 가까운 거리를 이동하는데에도 통증으로 많이 불편할 수 밖에 없습니다.

그래서 많은 분들이 빠르게 낫기 위한 방법을 다방면으로 찾아보시는 것입니다.

이번 포스팅에서는 새끼발가락 골절을 치료한 후기를 치료 과정동안 촬영한 x-ray 사진으로 보여드리도록 하겠습니다.

새끼발가락 골절 증상

새끼발가락 골절 증상의 가장 기본적인 것은 붓기와 통증입니다. 발톱 밑으로 멍이 들기도 하고, 충격이 심했다면 발톱이 빠지기도 합니다.

눈에 띌 정도로 발가락이 꺾이거나 변형되지 않았어도 통증과 붓기가 너무 오랫동안 지속된다면 발가락 뼈에 이상이 간 것이기 근처에 있는 정형외과를 찾으셔야 합니다.

새끼발가락 골절 문제를 계속 방치하게 되면 통증의 정도가 커지고, 염증도 더 심해져집니다. 결과적으로 뼈가 자기 위치를 벗어나게 되어 수술이 불가피할 수도 있습니다. (전위골절)

따라서 골절이 의심될 때는 빨리 x-ray 검사를 통해서 상태를 확인하고 깁스를 빨리 해주어야 합니다.

새끼발가락 골절 진단 및 치료

골절이 의심되는 상황이라면 먼저 X-Ray 촬영을 통해서 골절의 정도를 확인해야 합니다.

만약 이때 골절이 심하지 않거나 금이 간 정도의 상황이라면 발가락 테이핑이나 부목을 이용해서 움직임을 제한하고 뼈가 자연스럽게 붙을 수 있도록 치료합니다.

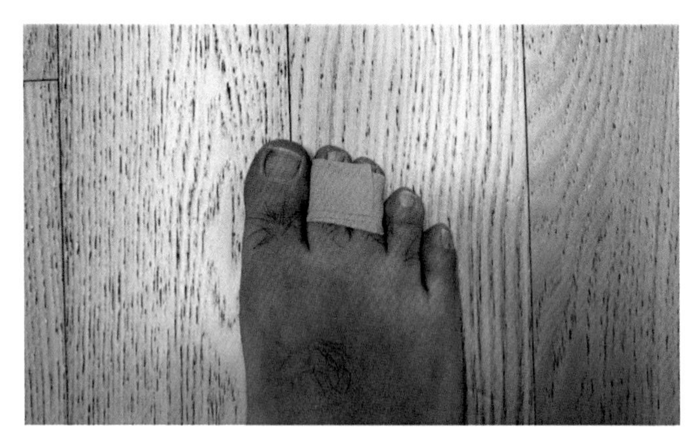

골절이 의심될 때는 옆 발가락과 함께 테이핑 하여 움직임을 최소화해주어야 합니다.

이때에는 통증 완화를 위해 소염제, 근육 이완제 같은 약물치료도 진행될 수 있습니다.

하지만 골절이 정말 심하게 되었거나 처음보다 많이 악화된 경우, 예를 들면 개방 골절, 다발성 골절 등이 있다면 수술을 통해 핀으로 고정해서 어긋나지 않게 자리를 잡아주어야 합니다.

그리고 한약 복용도 좋은 효과가 있습니다.

새끼발가락 골절 후기

이 환자분은 개인적 사정으로 골절 발생 후 1달 넘게 제대로 된 치료를 받지 못하셨습니다. 그동안 골절 부위는 더 벌어졌지만, 깁스를 하지 못하는 사정이 있습니다.

시간이 많이 걸릴 수 밖에 없음을 환자분께 설명드리고 한약 복용을 시작하였습니다. 계속 직장 생활을 하시면서 4개월간의 한약 복용으로 완치되었습니다.

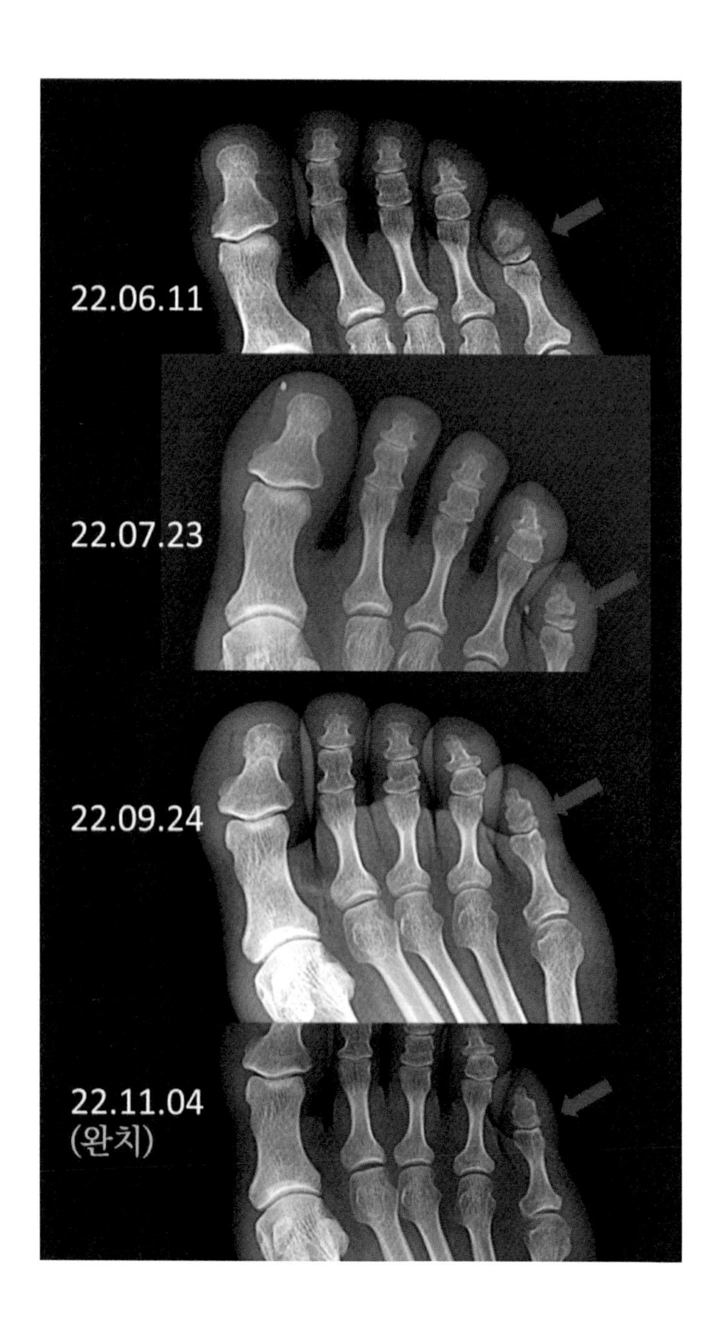
22.06.11
22.07.23
22.09.24
22.11.04
(완치)

골절 회복, 빠르게 하기 위해 해야 할 일은?

골절 회복을 빠르게 하기 위해서는 먼저 병원에 빨리 방문해 적절한 치료를 받는 것입니다. 그리고 이후에는 최대한 움직이지 않고 자극을 주지 않으면서, 찜질을 통해 붓기를 줄여주는 것이 좋습니다.

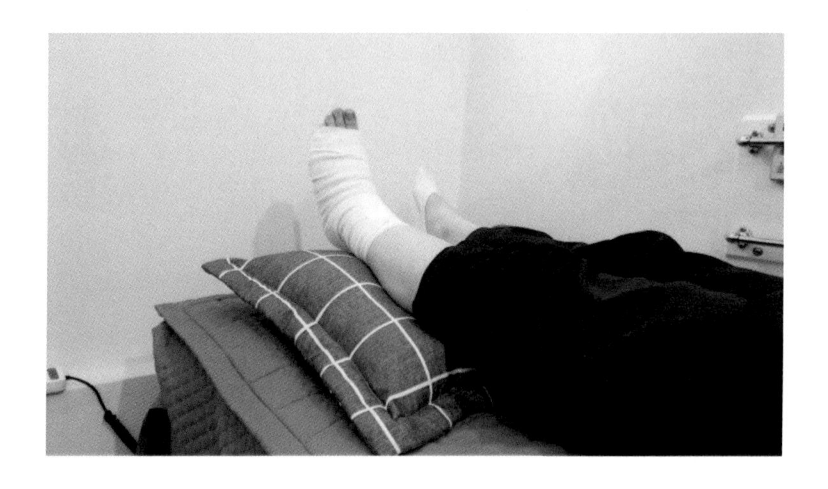

이후에는 뼈와 골절 회복에 도움이 되는 다양한 음식과 한약 등을 섭취하는 것도 좋습니다. 대표적으로 칼슘이 풍부한 멸치, 우유 등의 제품이 있고, 홍화씨 역시 뼈 건강에 도움이 됩니다.

약의 도움을 받고 싶으시다면 접골탕이라는 한약을 섭취하는 것이 좋습니다.

접골탕의 치료 원리

접골탕은 손상된 부위에 골진 분비를 촉진시켜서 뼈가 더욱 빨리 붙도록 도와주는 원리를 가지고 있습니다.

골진은 우리 뼈에 문제가 나타났을 때 자연스럽게 만들어내는 진액인데, 이는 빈 곳을 단단하게 채워주는 역할을 하게 됩니다.

그래서 골절 후 병원에서 진액이 나왔다. 골진이 아직 안나왔다 이렇게 안내를 해주는 것입니다.

접골탕에는 뼈 건강에 좋다는 당귀를 비롯해 천궁, 구기자, 토사자, 황기 등 다양한 한약재들이 들어가며, 원내에서 직접 탕전하고 있어서 더욱 안심하고 복용하실 수 있습니다.

접골탕은 골절로 인해 불편함을 겪고 있는 환자분들뿐 아니라, 나이가 들어서 뼈가 약해지신 분들이나 골다공증 때문에 걱정이 많으신 분들에게도 좋은 한약입니다.

중족골 골절, 수술 없이 지연유합이 회복된 사례

"중족골 골절 후 비수술로 회복하고 있는 중입니다. 병원에서는 지연유합이라고 하시고 1달 더 지켜보고 수술을 하자고 합니다. 빨리 직장에 복귀해야 하는 상황인데 회복이 늦어져 걱정이 큽니다. 혹시 한약을 먹으면 회복에 도움이 될 수 있을까요?"

저희 한의원에는 지연유합 진단을 받고 접골탕 복용을 위해 찾아오시는 환자분들이 많습니다.

지연유합이란 처음 예상했던 것 보다 골유합이 느려지는 경우로 보통 3개월 이상의 시간이 경과하였다면 진단할 수 있습니다.

위 사례의 환자분은 골절 발생 후 3개월동안 골유합이 없어 걱정이 많으셨는데, 아래 x-ray 경과와 같이 한약 복용으로 치료되셨습니다.

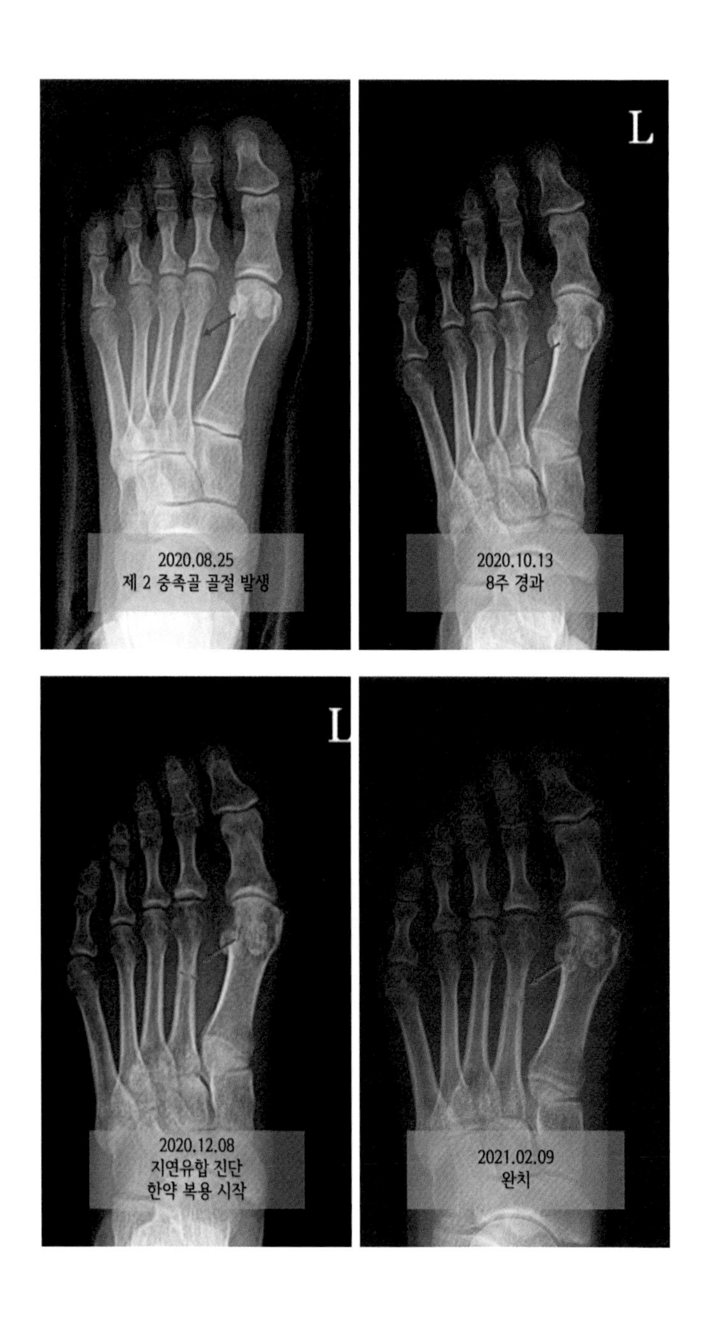
2020.08.25
제 2 중족골 골절 발생
L
2020.10.13
8주 경과
L
2020.12.08
지연유합 진단
한약 복용 시작
2021.02.09
완치

이 분은 우수한 치료 사라 생각하여 중족골 지연 유합 비수술 회복 case report로 SCI 해외 저널에 발표하여 학계에 보고하기도 하였습니다.

사람의 신체 부위 중 발은 굉장히 중요한 역할을 하고 있습니다. 신체 부분 중 가장 아래쪽에 위치하기 때문에 체중을 모두 지지해야 하며, 우리가 제대로 보행하거나 뛸 수 있도록 해주기 때문에 관리를 잘 해주는 것이 중요합니다.

하지만 체중이 많이 실리는 곳인 만큼 걷다가 넘어지거나 발을 헛디딜 경우, 중족골 골절이 발생할 위험이 커지게 됩니다. 특히 중족골은 발의 중간에 위치하는 뼈로, 길쭉하면서 가늘어 충격이 가해지면 쉽게 부러질 수 있습니다.

오늘은 이 중족골 골절에 대해 더 자세히 알아보고 빠르게 회복하기 위해 참고하면 좋은 내용도 소개해드리도록 하겠습니다.

중족골 골절

중족골 골절 됐을 경우 기본적으로 나타나는 증상은 발등의 통증과 멍, 그리고 심한 붓기 입니다. 이땐 체중일 싣지 않아도 극심한 통증이 느껴지기 때문에 제대로 서있는 것조차 힘들어 일상생활에 큰 영향을 미칠 수밖에 없습니다.

살짝 금이 간 정도라면 고정을 통해 움직이지 않게 하고 휴식을 취하는 것으로 회복할 수 있지만, 완전히 부러졌다면 정복수술을 해야 하고, 이후 재활치료도 진행되어야 합니다.

그래서 이 기간 동안에는 제대로 된 움직임을 할 수 없어 생계유지에 타격을 받게 될 수밖에 없어 많은 분들이 빠른 회복을 원하실 수 있습니다.

경골 골절 후 회복 사례 접골탕 복용

운동을 하다가 다리를 다쳤는데,
경골 골절 판정을 받고 수술을 진행했습니다.

수술 후에도 시간이 꽤 지났는데 아
직 온전하게 회복되지 않고
경미한 통증, 불편함이 느껴지는데
원래 이렇게 회복이 오래 걸리는 편인가요?

더 빠르게 회복할 방법은 없을까요?

경골은 비골과 함께 종아리를 이루고 있는 뼈입니다. 움직임이 많은 부위이고 위로 체중을 많이 지탱하고 있기 때문에 순간적으로 균형을 놓치게 되면 골절로 쉽게 이어집니다.

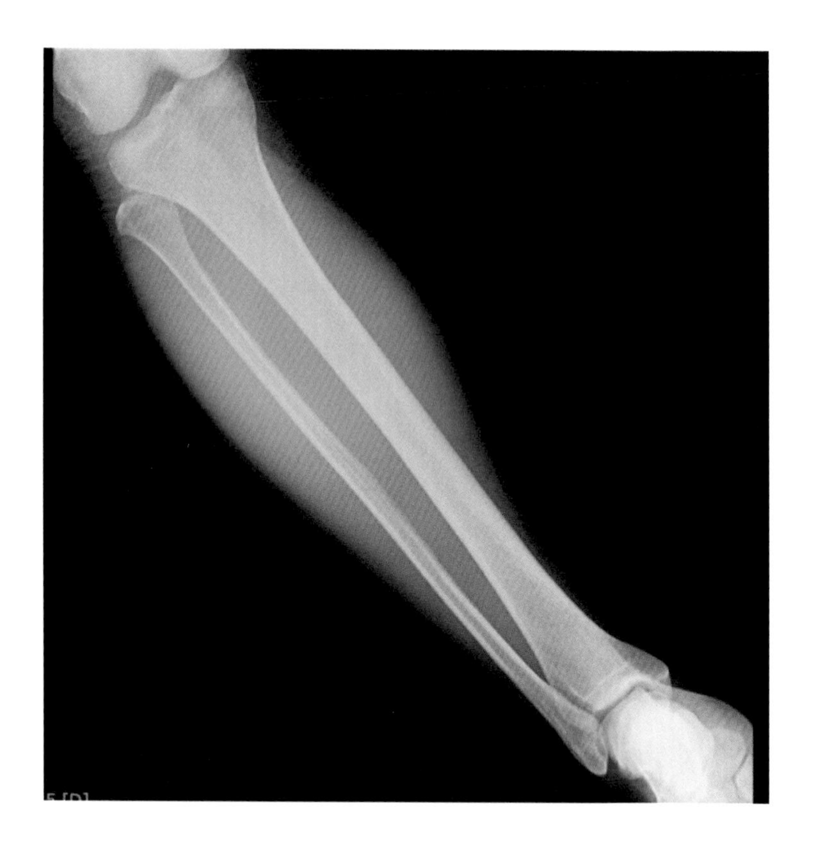

넘어지거나 외상이 없더라도 골절이 생기기도 합니다. 달리기, 점프 같은 행동을 많이 하는 운동을 즐기시는 분들은 다리에 큰 부담이 가게 됩니다.

그리고 이런 부담이 계속해서 가해지게 되면, 어느 순간 정강이뼈(경골) 피로골절이 발생합니다.

피로골절은 별다른 충격이 가해지지 않았음에도, 장기간 작은 충격들이 누적되면서 뼈에 쌓여서 조금씩 무리가 가 결국 뼈에 골절이 생기는 것을 말합니다.

오늘은 계단에서 넘어지면서 자주 발생하는 이 경골 골절에 대해서 보다 자세히 알아보고, 회복을 빠르게 하기 위해서 알아두면 좋은 정보에 대해서도 소개해드리도록 하겠습니다.

경골 골절 증상

경골 골절의 가장 기본적인 증상은 정강이뼈 안쪽 경계부를 따라 나타나는 통증입니다. 국소적이지 않으며 전체적으로 모호하게 아픈 분산형으로 나타나는 경우가 많습니다.

만일 피로골절이라면, 통증은 걷거나 다리에 힘이 들어가는 행동을 하면 더욱 심해지고, 휴식을 취하면 사라지는 특징이 있습니다.

그래서 많은 분들이 그냥 휴식을 취하고 나아지길 기다리는 경우가 많은데, 너무 오랫동안 문제가 지속되면 검사를 받아보는 것이 좋습니다.

경골 골절 진단

골절된 것인지 확인하기 위해 진행되는 검사는 먼저 X-Ray 검사가 진행됩니다. 만약 골절선이 보이지 않는다면 뼈 스캔 검사나 CT, MRI를 통한 정밀 검사를 진행하게 될 수도 있습니다.

경미한 피로골절이라면 대부분 보존적 비수술치료를 통해 좋은 결과를 얻을 수 있습니다.

특별한 고정 없이 휴식을 취하면서 약물 치료를 하는 경우도 있지만, 만약 골절 상태가 심한 경우에는 깁스 고정을 하거나 수술을 하는 경우도 있습니다.

하지만 외상으로 여러조각으로 골절되었거나, 위치를 많이 벗어나게 되면 수술적 고정이 필수입니다.

오랫동안 운동을 쉬는 것이 치명적인 운동선수라면 뼈에 좋은 음식을 챙겨 먹거나, 한약 등의 도움을 받아 더욱 빠르게 회복해볼 수 있습니다.

한약 회복 사례

이 환자분은 수술 직후부터 계속 한약을 복용하셨고, 2달 후 목발 보행, 3달 후 자가 보행을 시작할 정도로 빠른 속도로 회복되셨습니다.

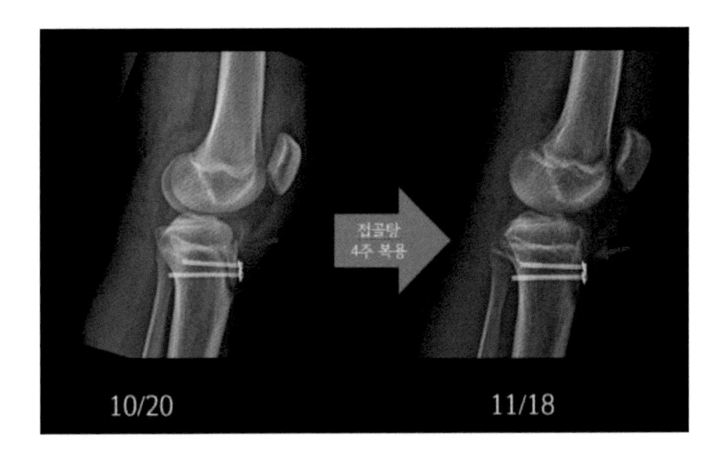

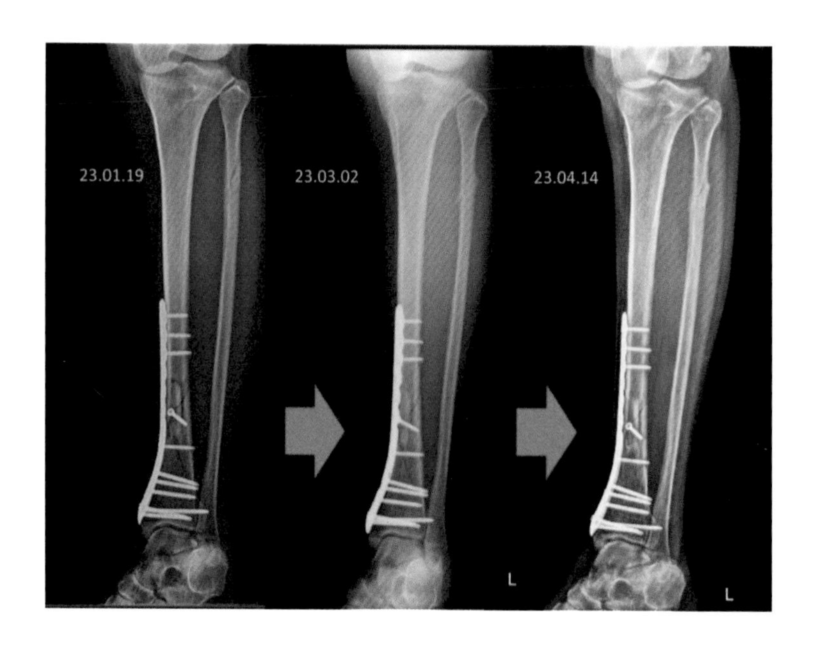

골절 회복을 위한 골절 한약

저희 한의원에서는 골절 환자를 위해 한약을 처방해 회복에 도움을 드리고 있습니다.

단순하게 빠르게 회복하여 일상으로 복귀하려는 분들도 있겠지만, 골다공증 등으로 인해서 뼈가 약하거나 다른 문제로 오랫동안 유합되지 않은 분들이 복용해도 효과를 기대해볼 수 있습니다.

이렇게 느리게 유합이 이루어지는 경우를 지연유합이라고 합니다. 경희다복한의원에서는 지연유합 환자를 치료한 사례를 해외 SCI 저널에 논문으로 발표하여 임상 성과를 인정받고 있습니다.

업그레이드된 접골탕 2.0 미국 특허 등록

접골탕에는 조골세포 활성을 촉진해서 뼈 세포를 증식 시키는 당귀를 비롯해 골절 시 생긴 어혈을 없애고 근육 회복을 도와주는 천궁, 그 외에 황기나 구기자, 토사자, 속단, 보골지 같은 다양한 한약재들이 황금 비율로 배합되어 있습니다.

이렇게 만들어진 접골탕은 뼈가 붙는 데 꼭 필요한 골진의 생성을 촉진하고, 뼈를 파괴하는 파골세포의 활동을 억제하여 경골 골절 환자의 회복에 도움을 줍니다.

ORIF (개방적 내고정술) 이후 접골탕 2.0 회복 case

진단서를 발급받으면, 생소한 의학 용어가 많이 등장합니다. 골절 수술 환자분들은 ORIF 라는 용어를 가장 많이 물어보십니다.

골절 이후에 피부를 절개하는 수술을 통해서 뼈를 맞추고 고정하는 치료법을 개방적 정복술 및 내고정술 ORIF (Open Reduction and Imternal Fixation) 이라고 합니다.

개방적을 다른말로 관혈적이라고 표현하기도 합니다.

이와 대비되는 개념으로 CRIF 라는 것도 있습니다. 여기서 C는 Closed 라는 의미로 피부를 절개하지 않고 밖에서 핀을 고정하는 수술 방법입니다.

한약 복용 케이스

경골 고평부 골절로 ORIF 수술을 받으시고 저희 한의원을 찾아오신 환자가 있었습니다. 평소 레저를 즐기는 젊은 환자분이었는데, 스키장에서 스노보드를 타다가 크게 넘어진 케이스였습니다.

경골에서 무릎 관절에 가까운 부위를 고평부라고 하는데, 십자인대와 측부인대, 반월상 연골이 붙어 있는 부위이기 때문에 골절 후 관절염 발생 위험이 높은 곳입니다.

이 환자분은 수술 이후에 빠른 회복을 위해서 접골탕 복용을 시작하여, 3개월 후에는 목발없이 보행이 가능할 정도로 회복되셨습니다.

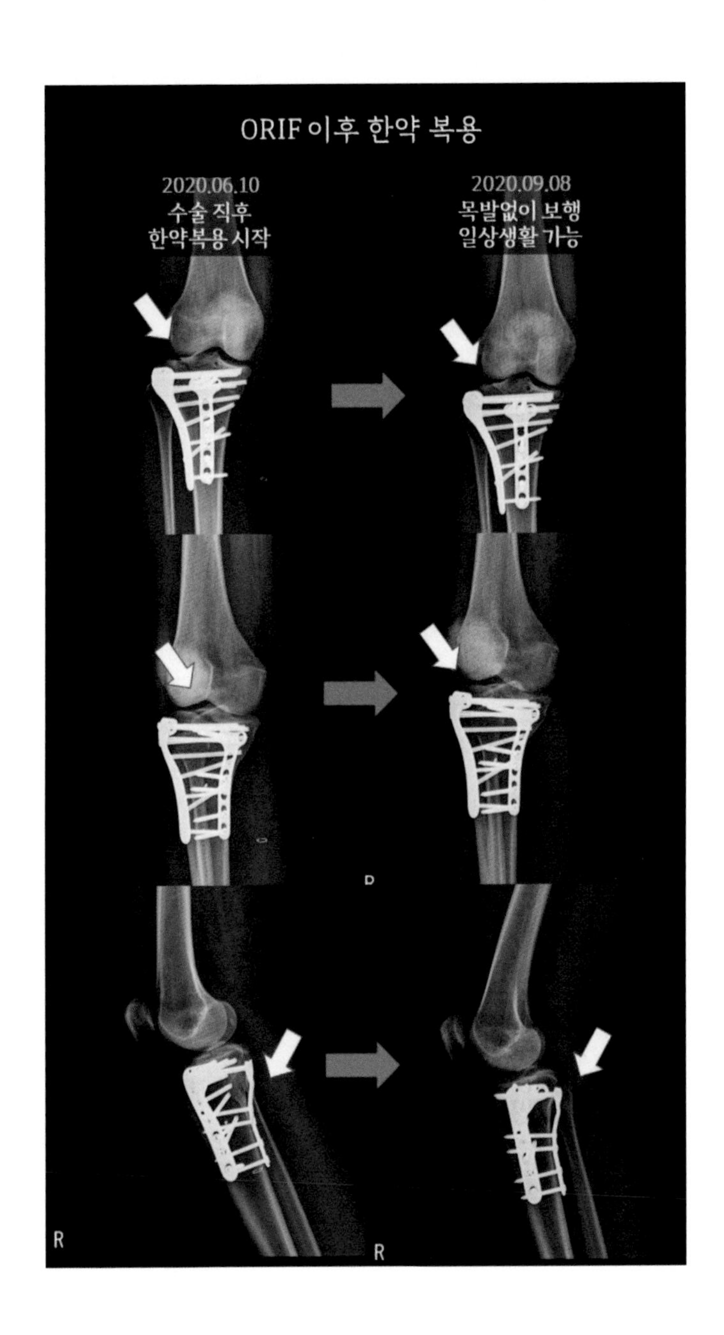
ORIF 이후 한약 복용
2020.06.10
수술 직후
한약복용 시작
2020.09.08
목발없이 보행
일상생활 가능
R
R

ORIF 이후 한의 재활 프로토콜

골절 수술 후 재활 치료는 3단계로 나눌 수 있습니다. 첫 단계는 처음 4주까지 이며, 실밥 제거 전후로 1-1과 1-2 단계로 다시 나눕니다. 골절 회복의 염증기에 해당하는 시기입니다.

수술 부위 감염 예방이 일차적 목표입니다. 통증을 줄이기 위해 아이스팩을 2시간 간격으로 20분씩 실시하며, 수술 부위를 심장보다 높게 위치하여 부종을 줄여줍니다.

운동을 제한하고 수면시에도 보조기를 착용하여 움직임을 최소화합니다.

[슬개골 ORIF 이후 한의 재활 프로토콜*]

단계	1단계 (수술 직후 ~ 4주)		2단계 4주~8주		3단계 8주 이후
세부단계	1-1 실밥 제거 전	1-2 실밥 제거 이후 통증 부종 감소 시작	2-1 통증과 부종 소실 목발을 사용하면서 점진적 체중 부하 시작	2-2 방사선 영상으로 골유합 시작 소견	3 목발없이 전체 체중부하 가능
목표	수술부위의 감염 예방 및 조직의 치유, 통증 및 부종을 조절		수술부위의 통증 및 부종 소실, 무릎관절의 가동범위 증진 및 하지 전반에 걸친 근육의 위축을 방지		정상 보행 및 무릎관절의 완전한 가동범위 회복
과제	수술부위 통증 및 부종을 최소화하기 위하여 아이스팩을 지속적으로 사용 수술부위 높이를 심장보다 높게 유지 근력운동을 제한하고, 보조기를 지속적으로 착용 수면 시에도 보조기를 착용하도록 하여 수면 중 움직임으로 인하여 수술부위에 영향을 미치는 것을 최소화		근육 강화 운동을 시작 통증을 경감시키기 위하여 운동 후에는 해당 부위에 아이스팩을 시행 보조기를 지속적으로 착용 2-1단계에는 체중 부하 및 수면 시 에는 0° 제한 보조기를 착용 2-2단계부터는 수면 시에는 보조기를 탈착		보조기구 없이 완전한 체중부하가 가능하여 일상생활로의 복귀가 가능한 수술 후 8주 이

* Geum, J.-H., Woo, H.-J., Kim, J., & Lee, J.-H. (2020, October 31). Clinical Effectiveness of Korean Medical Rehabilitation Treatment after Patellar Fracture: A Report of 4 Cases. *Journal of Korean Medicine Rehabilitation*. The Society of Korean Medicine Rehabilitation. https://doi.org/10.18325/jkmr.2020.30.4.203

2단계는 4~8주의 시기입니다. 목발 등 보조기구를 사용한 상태에서 점진적으로 체중부하를 실시하는 단계입니다.

근육의 위축을 방지하기 위해 근육 강화 운동을 시작하고, 운동 후에는 아이스팩으로 통증을 경감시켜 줍니다. 활동중에는 보조기를 착용하되 관절 운동범위를 점차 늘여줍니다.

방사선 영상으로 골유합 시작이 확인되면 수면중에는 보조기를 뺄 수 있습니다. 골절 회복의 복원기에 해당합니다.

3단계는 목발없이 전체 체중부하가 가능한 8주 이후의 시기로 보조기구 없이 완전한 체중부하가 가능하고, 일상 생활로의 복귀를 준비하는 단계입니다. 골절 회복의 재형성기에 해당합니다.

재활 기간 침치료가 많은 도움

2017년 발표된 발목 골절 수술 후 한방 재활치료 프로토콜 적용의 임상적 효과: 증례 보고 논문을 살펴보면, 통증 감소와 근력 회복을 위해 침치료를 소개하고 있습니다.

통증 부위에 따라 원위취혈의 경우 足少陽經筋 손상 시 翳風(TE17), 足太陽經筋 손상 시 養老(SI6), 足陽明經筋 손상 시 迎香 (LI20), 足太陰經筋 손상 시 神門(HT7), 足厥陰經筋 손상 시 太淵(LU9), 足少陰經筋 손상 시 大陵(PC7)를 자침하였고, 근위 취혈 시 足太陽膀胱經의 飛揚(BL58), 跗陽(BL69), 申脈(BL62), 金門(BL63), 京骨(BL64), 足少陽膽經의 光明(GB37), 丘墟(GB40), 足臨泣(GB41), 地五會(GB42)을, 足陽明胃經의 豊隆(ST40), 解谿(ST41), 衝陽(ST42), 陷谷(ST43)을, 足厥陰肝經의 太衝(LR3), 中封(LR4), 蠡溝(LR5), 中都(LR6), 曲泉(LR8)을, 足太陰脾經의 太白(SP3), 孔孫(SP4), 商丘(SP5), 三陰交(SP6)를, 足少陰腎經의 太谿(KI3), 大鐘(KI4), 水泉(KI5), 照海(KI6), 復溜(KI7)를 취혈하였습니다.

추가적으로 환자의 동반 증상에 따라 발적이 있고 부종이 동반되면 陰陵泉(SP9)과 血海(SP10), 두통에 百會(GV20), 구역감에 中脘(CV12)과 天樞(ST25), 전신 통증에 外關(TE5), 몸이 무거울 때 京骨(BL64), 신경이 예민하고 불면에 神門(HT7)과 內關(PC6)을 변증에 따라 추가해서 시술하였습니다.

연구진들은 침 외에도 부항, 한약 치료 등의 한의학적 치료와 재활치료를 시행하여, ORIF 이후 석고 고정 기간과 임상적 골유합 시기를 단축시킬 수 있었다고 보고하였습니다.

고관절 골절 후 한약 복용이 도움이 될까? 실제 사례 포함

"80대 어머니가 고관절이 골절되어
수술을 앞두고 있습니다.

수술 후 회복을 돕기 위한
한약을 지어드리려 하는데 효과가 있을까요?"

해마다 요맘때가 되면 가장 많은 상담을 받는 내용이 바로 어르신들의 고관절 골절입니다.

왜냐하면 겨울철 꽁꽁 얼어붙은 길에서 미끄러져 생기는 엉덩이 관절 주위의 골절은 6~70세 이상 골다공증을 가지고 있는 고령층에서 많이 발생하기 때문입니다.

고령층에서 발생한 고관절 골절은 여러가지 합병증으로 인해 생명이 위독하게 될 가능성이 높고 정상으로 회복하기는데 시간이 오래 걸려 반드시 주의가 필요합니다.

또한 한쪽 고관절에 골절이 발생하게 되면 반대편 고관절도 골절될 위험성이 높아질 뿐만 아니라 양쪽 고관절이 모두 골절된 경우 이로 인한 장해율이나 사망률이 매우 높은 편입니다.

자료에 따르면 제대로 된 치료가 이뤄지지 않을 경우 욕창 등의 부작용으로 노인의 2년내 사망률이 무려 70%일뿐만 아니라, 1년내 내 사망 확률도 25%나 된다고 합니다.

따라서 수술 후 얼마나 빨리 회복되느냐에 따라 예후가 달라질 수 있는 만큼 오늘 이 글의 내용을 참고하셔서 회복에 도움을 받으시기 바랍니다.

고관절 골절이란?

엉덩이 관절이라고도 불리는 고관절은 골반과 대퇴부를 잇는 관절입니다.

고관절 골절이라고 하면 치골, 좌골, 장골로 이루어진 골반뼈 골절 또는 대퇴골 경부 골절을 말합니다.

이는 걷거나 뛰고 앉고 일어서는 운동을 돕는 부위로 매우 중요한 역할을 합니다.

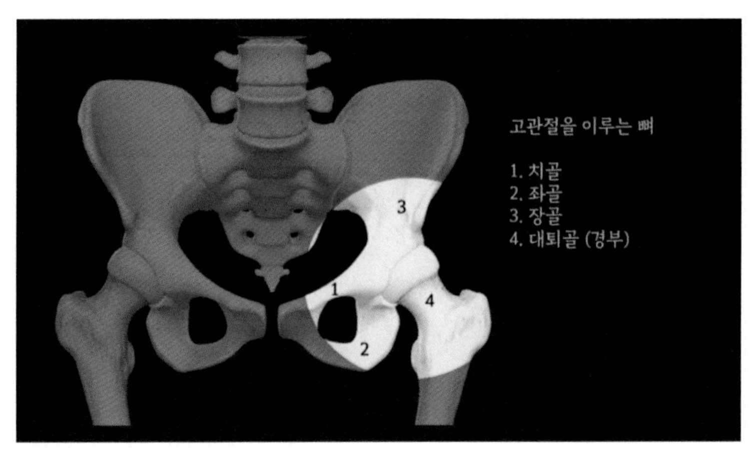

일단 고관절이 부러지면 연령과 상관없이 수술로 치료하는 경우가 많습니다.

왜냐하면 다른 부위에 비해 석고 고정과 같은 비수술 치료가 어려울 뿐만 아니라 회복 기간이 길어져 오랜 기간 누워있게 되면 어르신들의 목숨을 위협할 수도 있기 때문입니다.

따라서 수술을 통해 최대한 빨리 움직임이 가능하도록 하고 수술 후에도 뼈의 회복을 도울 수 있는 노력을 해 주어야 합니다.

예상 치료 기간

고관절 (대퇴골 경부) 골절 치료기간

골절 부위	상병번호	고정기간(주)			종결	재취업
		경도	중등도	고도		
관절 안 Intra-articular	S72.0	12	14	16	24	36
관절 밖 Extra-articular	S72.0	10	12	14	24	28

고정 기간 : 석고 고정이 필요한 시간
종결 : 일상 생활이 가능한 시점, 병원 치료가 끝나고 형태의 회복이 마무리되는 시점.
재취업 : 본격적인 활동이 가능한 시점, 기능의 회복이 마무리되는 시점

회복기간은 환자 개인의 건강 상태, 기저질환, 부위와 충격 강도에 따라서 다르지만, 일반적으로 완전히 회복하는데는 6개월 이상이 소요됩니다.

추운 겨울에 더욱 주의해야 하는 이유는?

겨울철 기온이 급강하하게 되면 나이와 상관없이 빙판길 사고가 많이 발생합니다.

젊은 사람들의 경우 미끄러져 넘어지더라도 가벼운 염좌나 타박상 정도로 끝나지만 60대 이상의 노년층의 경우 균형감각이 저하되어 있고 근력도 약할 뿐만 아니라 반사신경의 둔화로 인해 부상이 심각한 경우가 많습니다.

특히 뼈가 약해진 골감소증, 골다공증 환자는 별거 아닌 충격에도 골절이 쉽게 일어나고 이로 인해 거동이 어려워져 누워만 있다 보면, 욕창은 물론 심장과 폐에 생기는 합병증으로 인해 목숨을 위협받게 됩니다.

특히 겨울철에는 바깥 활동이 줄어들다 보니 자외선 노출이 적어지고 이로 인해 비타민 D의 합성이 줄어들 수밖에 없습니다.

또한 골흡수를 높이는 부갑상선 호르몬의 분비는 높아져 뼈가 약해지게 됩니다.

따라서 겨울철 이동시에는 최대한 사고가 나지 않도록 주의하고 스트레칭을 비롯한 꾸준한 운동을 통해 낙상사고로 큰 부상을 입지 않도록 미리 대비하는 것이 중요하다 할 수 있겠습니다.

고관절 수술 후 한약 복용이 도움이 될까?

뼈가 부러진 후 회복되는 과정에는 매우 많은 요소가 관여합니다.

호르몬과 영양상태, 골절의 정도, 골절 부위로의 원활한 혈액공급 등이 회복 여부를 결정하는데 영향을 줍니다.

고관절이 부러진 경우에는 가볍게 걷기와 같은 일상적인 움직임조차 어렵기 때문에 골유합과 기력회복을 돕는 한약을 복용하는 것이 도움이 됩니다.

실제 치료 사례

저희 경희다복한의원에 방문하는 골절 환자 중 고관절 부위의 골절 치료를 위해 오시는 분들의 비중이 큽니다.

아무래도 골절치료 기간이 길다보니 조금이라도 치료기간을 줄여보고자 하는 마음이 크기 때문일 것입니다.

특히 나이가 많은 분들의 경우 뼈가 잘 붙지 않을 가능성이 매우 높고, 골다공증이 심한 상태라면 더더욱 이전 상태로 완전히 회복되기까지 매우 긴 시간이 필요합니다.

따라서 뼈를 잘 붙게 해주는 골절치료 한약을 복용한다면 회복기간을 단축하고 합병증과 사망의 위험으로부터 벗어날 수 있습니다.

- 2020.10.28 : 치골 골절 발생 (교통사고)
- 2021.04.21 : 6개월간 유합 징후 없음 (불유합)
- 2021.04.22 : 한약 복용 시작
- 2021.08.04 : 완치 진단

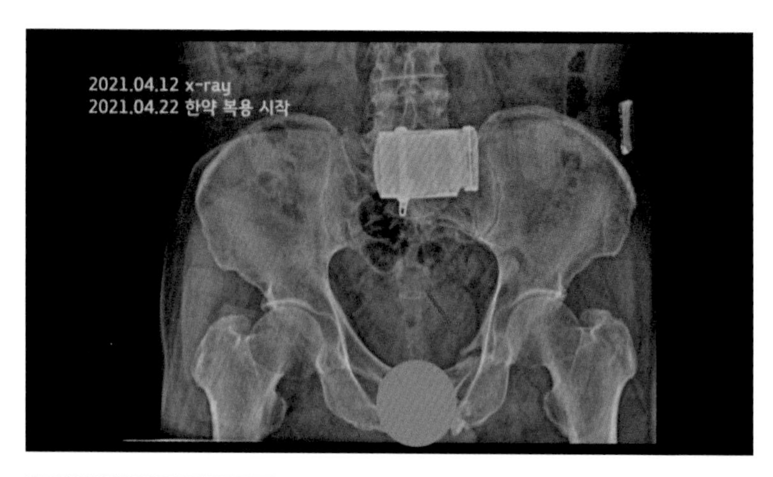
2021.04.12 x-ray
2021.04.22 한약 복용 시작

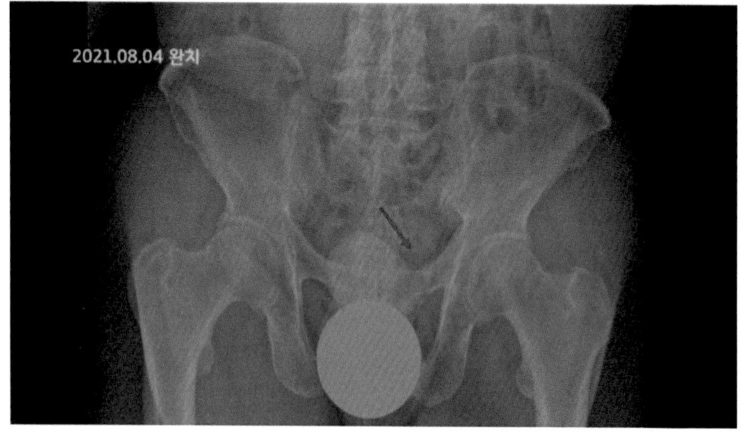
2021.08.04 완치

골절 회복에 도움이 되는, 경희다복한의원의 접골탕

접골탕은 골절의 회복을 돕는 생약재 조성물로 만들어 특허를 받은 골절치료 한약입니다.

2006년 전국 한의학학술대회에서 논문을 발표한 후 2007년 골절회복에 관한 특허를 등록하였고, 지금까지 약 15년간 골절로 인해 고통받는 환자들에게 도움을 드리고 있습니다.

접골탕은 뼈 건강에 도움을 주는 여러가지 한약재를 배합하여 골진의 생성을 돕고 골다공증의 예방에도 도움을 주는데요, 이러한 효과를 과학적 실험을 통해 수차례 검증하였습니다.

특히 중년 남성에게 20주간 접골탕을 투여한 후 골밀도를 특정한 결과 요추의 골밀도 수치는 약 13.6%, 대퇴골 골밀도 수치는 22.2% 개선되는 케이스 논문을 발표하기도 하였습니다.

따라서 고관절 수술 후 통증을 줄여주고 보다 빨리 뼈를 붙게 해주기 위해 한약을 복용하신다면 골진의 분비도 촉진되고 뼈를 생성하는 조골세포의 활성도 높아져 회복에 많은 도움이 됩니다.

골다공증을 가진 어르신들은 한번 고관절 골절을 당하면 회복되기까지 너무나도 긴 시간이 걸립니다.

여러가지 합병증의 위험성 또한 도사리고 있기 때문에 골절치료 한약을 조금이라도 빨리 복용하신다면 회복에 많은 도움을 받을 수 있겠습니다.

현재 추운 날씨와 코로나로 인해 바깥 활동이 어려운 환자분들을 위해 비대면 진료를 시행하고 있습니다.

현재 상태와 질환에 관련된 자료를 함께 보내 주신다면 보다 자세한 상담진료가 가능하니 적극 활용해 보시기 바랍니다.

견갑골 골절의 치료를 위해서 할 수 있는 방법

오토바이를 타던 중 사고가 나서
등쪽으로 심하게 넘어졌습니다.

심상치 않은 통증에 병원에서
검사를 받아보니 견갑골 골절 판정을 받았습니다.

팔을 움직이지 않기 위해서
팔자붕대를 착용하고 있는데,
많이 불편하네요.

빨리 나을 다른 방법은 없을까요?

견갑골은 팔뚝의 움직임에 영향을 주는 부위입니다. 등 쪽에서 볼 때 2번째에서 7번째 갈비뼈를 덮고 있는 역삼각형 모양의 뼈이며, 좌 우에 각각 위치하고 있습니다. 보통 날개뼈라고 하는데, 영어로도 shoulder blade 라는 별명이 있습니다.

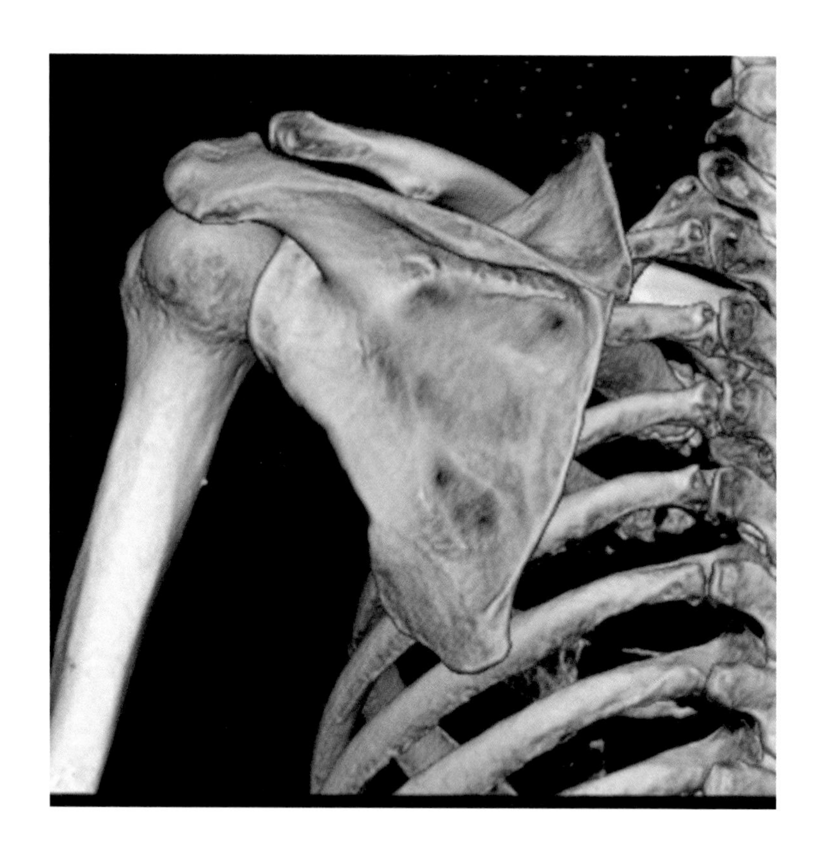

이 부분은 큰 충격이 가해지거나, 낙상 사고, 자동차 사고 등이 났을 때 등쪽으로 떨어지면서 직접적인 충격을 받아서 골절됩니다.

70% 이상이 빠른 스피드로 질주하는 사이클이나 오토바이에서 떨어질 때가 발생하고, 상완골, 쇄골, 갈비뼈 등의 골절이 동반되기도 합니다.

견갑골 몸통의 골절이 50~60%정도이고, 경부의 골절이 25% 정도를 차지합니다.

심한 경우에는 치료 후에도 일정 기간동안 팔을 제대로 움직이는 것이 어렵기 때문에 큰 불편함을 불러오게 되는데, 오늘은 견갑골 골절 후 어떻게 해야 조금이라도 빠르게 나을 수 있는지 확인해보는 시간을 가져보도록 하겠습니다.

견갑골 골절 치료 방법

어떤 큰 충격을 받은 이후 어깨 쪽, 어깨 뒤쪽에서 자꾸만 통증이 심하게 느껴지고 팔을 움직이기 힘들다면 골절 검사를 받아 보셔야 합니다.

무거운 것에 오랫동안 눌렸을 때도 날개뼈가 골절될 수 있고, 심한 통증과 함께 어깨 주변이 붓게 되고 멍이 들면서 갈비뼈와 어깨 관절까지 통증이 전해질 수도 있습니다.

경미한 견갑골 골절은 보존치료를 통해 회복할 수 있습니다. 심하지 않은 골절이라면 약물 치료를 통해 염증과 통증을 관리해주고, 팔 보조 기구 등을 2~3주 정도 사용해서 무리가 가지 않도록 해주는 것이 좋습니다.

일반적으로 비수술 보존치료는 6~8주 정도의 회복기간을 예상합니다.

만약 어깨에 힘이 전혀 들어가지 않고, 통증이 심하다면 추가적인 검사를 받아야 하고, 상황이 심각하다면 수술을 진행할 수도 있습니다.

견갑골 골절 환자의 10% 정도입니다. 수술은 보통 금속판, 나사못을 쇄골에 고정하는 방식으로 진행되며, 분쇄가 심하다면 불유합 상태로 치료가 종결되기도 합니다.

한약 복용 회복 과정

날개뼈는 매우 얇은 뼈입니다. 두께가 2mm정도인 곳이 있을 정도입니다. 따라서 골손실이 많은 골절이라면 완전히 회복되지 못하고 치료가 종결되기도 합니다.

이 환자분은 싸이클 선수였는데 전국 체전을 앞두고 훈련 중에 낙상으로 날개뼈가 골절되었습니다.
단체전에 출전해야 하는데, 자기 때문에 다른 팀원들까지 좋은 성적을 내지 못할까봐 걱정이 많았습니다.

한약을 복용하면서 회복을 시작했고, 빠른 재활을 시작하였고, 전국 체전에도 무사히 출전하여 메달을 목에 걸수 있었습니다.

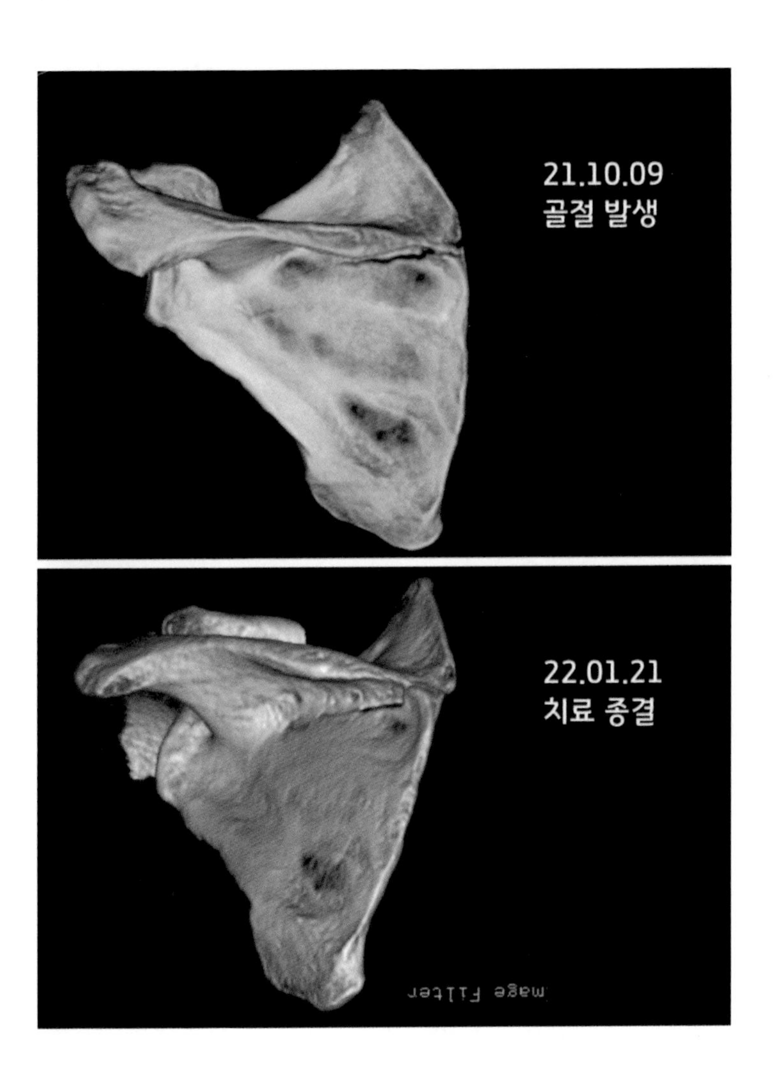

골절 후 빠른 회복을 위해서는?

만약 골절 후 뼈가 제대로 붙지 않아 오랫동안 불편함을 겪고 있다 거나, 빠르게 일상으로 복귀해야 해서 빠른 회복이 필요한 분들은 한약을 통해 도움을 받아볼 수 있습니다.

이렇게 접골탕 2.0 처방에는 한약을 탕전하면서 유효성분 추출을 높이는 경희다복한의원만의 디테일한 노하우가 그대로 녹아 있습니다.

특히 고령이시거나 당뇨, 골다공증 등의 기저질환이 있다면 회복이 늦기 때문에 한약 복용이 꼭 필요합니다. 환자에게 꼭 맞는 골절 한약, 접골탕이 함께 하겠습니다.

골반골절 회복이 늦어 한약으로 치료한 사례

골반뼈라고 통칭해서 부르지만, 천추 미추 무명골, 천추, 미추 3개의 뼈를 합쳐서 부르는 단어입니다.

여기서 다시 무명골은 장골, 치골, 좌골로 나뉘어 집니다. 그리고 천장관절과 고관절을 이루고 있습니다.

- 골반뼈는 무명골와 천추, 미추 3가지 뼈로 구성되어 있고,
무명 뼈는 다시 장골 좌골 치골로 나뉘어집니다.
- 2개의 관절이 이어져 있는데, 천장관절과 고관절입니다.

2019년 자료를 보면 꼬리뼈 골절 22674명, 천골골절 17665명, 장골 골절 2438명, 치골 골절 7090명 순서로 많이 발생 합니다.

골반골절의 주된 원인

젊은 층에서는 교통사고 등의 고에너지 손상으로 인한 골반골절이 많고, 어르신들은 뼈가 약하기 때문에 저에너지 손상이나 골다공증성 골절 때문에 많이 발생합니다.

골반골절 환자의 60% 가량이 교통사고 때문이라는 보고가 있고, 정면추돌 교통사고 골절 환자 중 하지부 골절 환자를 조사한 결과 55%정도가 대퇴골 골절 환자이고 42%는 정강이 골절로 조사되었습니다.

특히 사고시 대쉬보드에 발을 올리고 있으면 추돌시 충격이 골반에 집중되면서 대퇴골두와 골반골절의 위험이 높습니다.

치료 사례

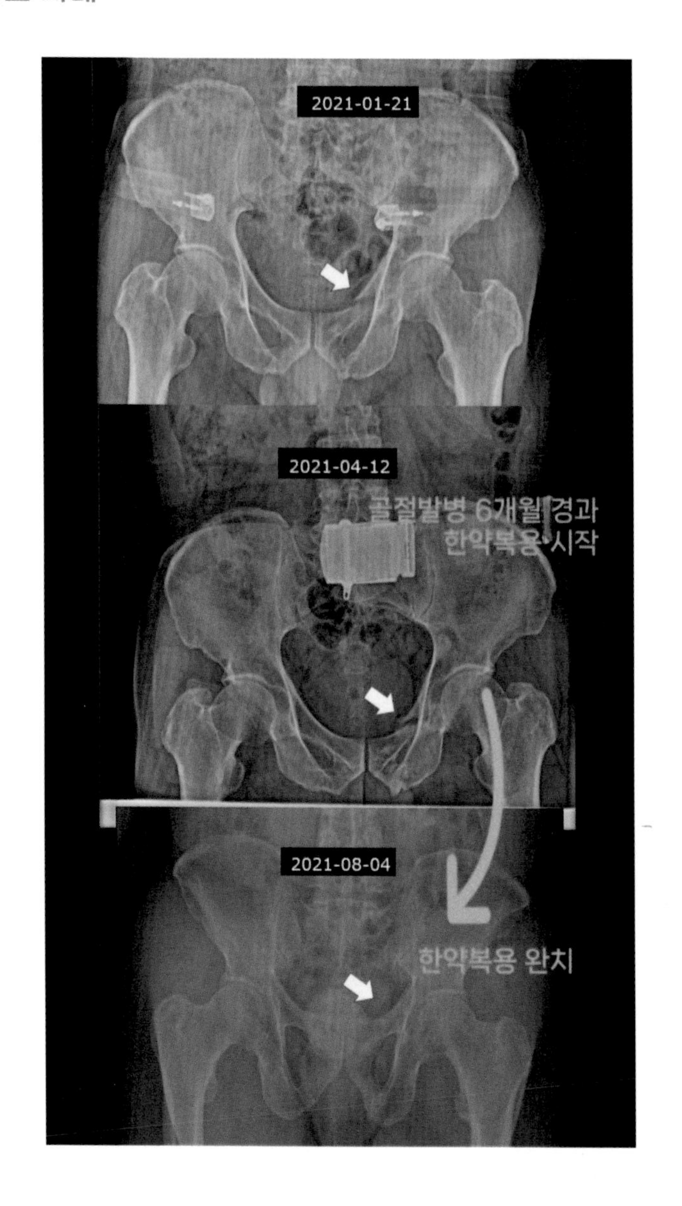

참고 문헌 :

Liying Wu, Youguo Hao, Chuanqiang Dai, Zhibang Zhang, Munazza Ijaz, Sobhy M. Ibrahim, Ghulam Murtaza, Zhiguang Yao, "Network Pharmacological Study of Achyranthis bidentatae Radix Effect on Bone Trauma", BioMed Research International, vol. 2021, Article ID 5692039, 14 pages, 2021.

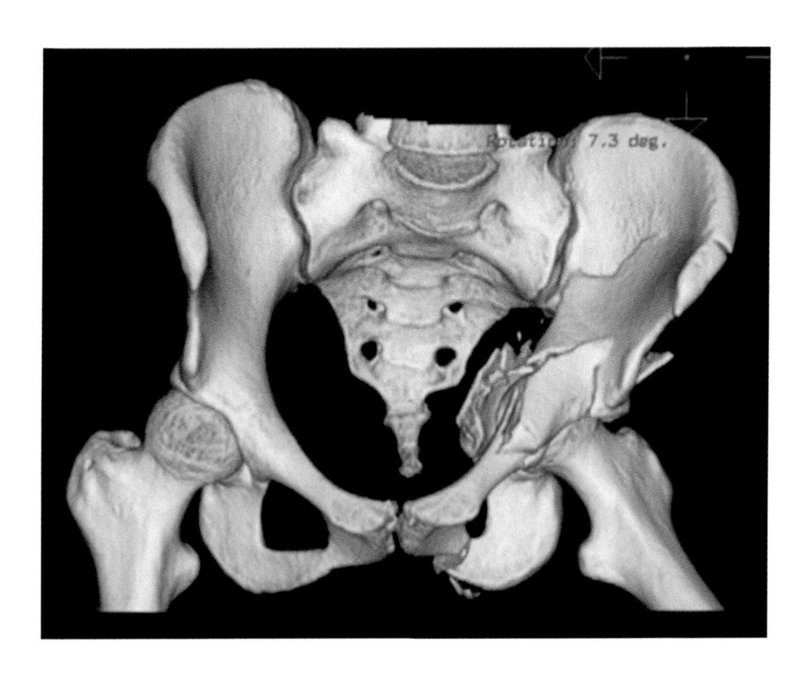

치골 골절, 한약 회복 사례

우리나라에 매년 6900명 정도의 치골 골절 환자 발생합니다.

젊은 층에서는 교통사고처럼 외부에서 오는 큰 충격으로 발병하지만, 골다공증 환자나 뼈가 약한 고령층에서는 침대에서 떨어지면서 발생하는 골다공증성 골절이 원인입니다.

자기 키보다 낮은 높이에서 떨어지는 경미한 낙상 때 골절이 발생하면 골다공증성 골절이라고 합니다.

그래서 전체적으로 환자 분포를 살펴보면 칠팔십대 여자 환자가 제일 많습니다.

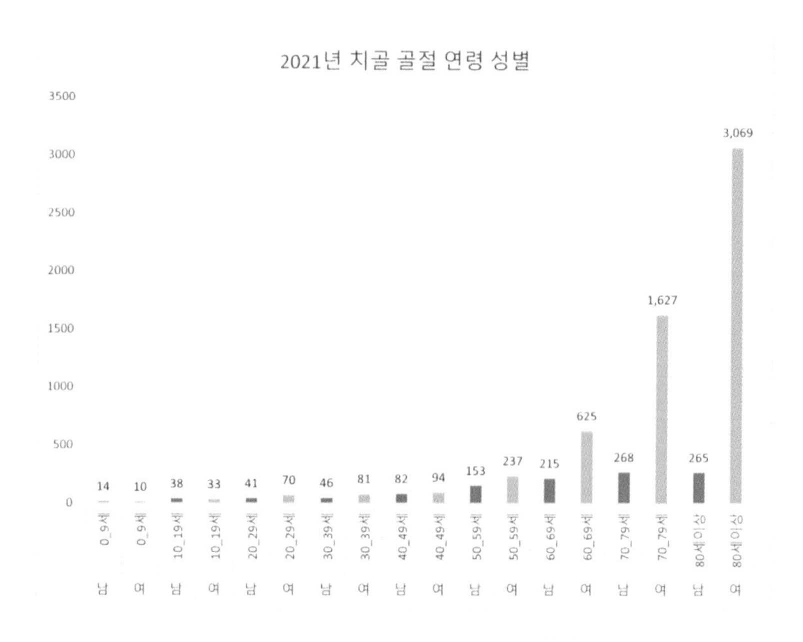
2021년 치골 골절 연령 성별
3500
3000
2500
2000
1500
1000
500
0
14
10
38
33
41
70
46
81
82
94
153
237
215
625
268
1,627
265
3,069
0_9세
0_9세
10_19세
10_19세
20_29세
20_29세
30_39세
30_39세
40_49세
40_49세
50_59세
50_59세
60_69세
60_69세
70_79세
70_79세
80세이상
80세이상
남
여
남
여
남
여
남
여
남
여
남
여
남
여
남
여
남
여

2021년 치골 골절 환자 성별

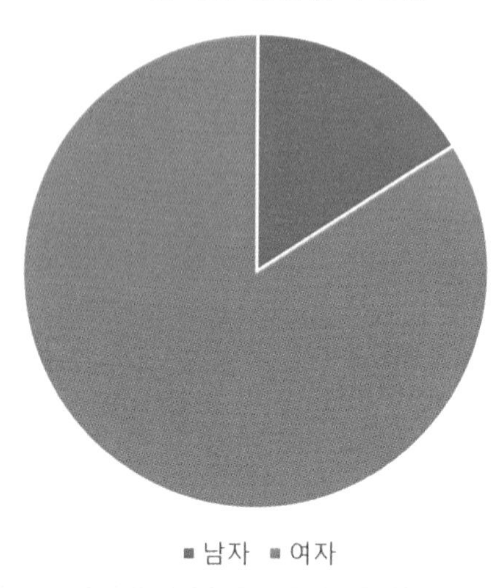
남자
여자

치골 (pubis) 의 해부학적 위치

치골은 우리가 흔히 말하는 고관절을 이루는 뼈입니다. 관절의 정의가 뼈와 뼈가 만나서 움직임을 만들어내는 인체 구조입니다.

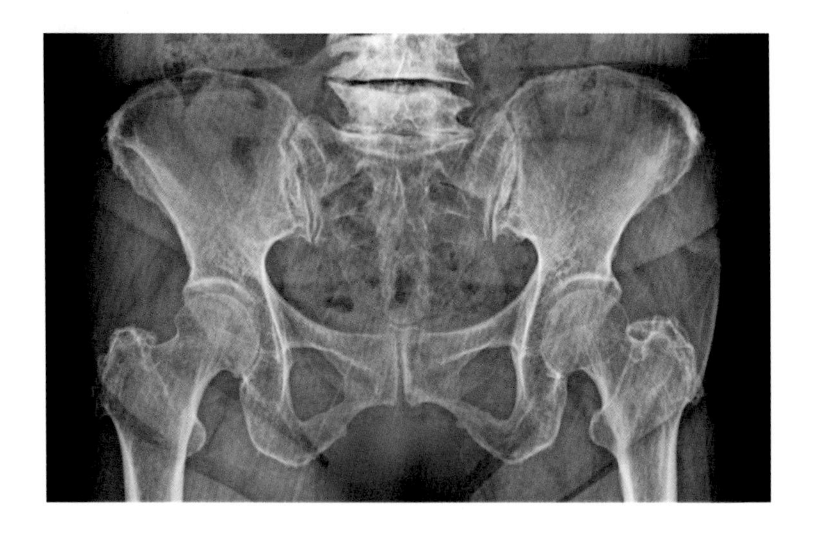

그래서 관절을 영어로는 만남을 의미하는 'joint' 라고 합니다. 고관절을 이루는 뼈는 아래 그림과 같이 치골(pubis) 외에도 좌골(ischium), 장골(ilium), 대퇴골(femor)이 있습니다.

그리고 치골, 좌골, 장골을 합쳐서 관골(hip bone)이라고 합니다.

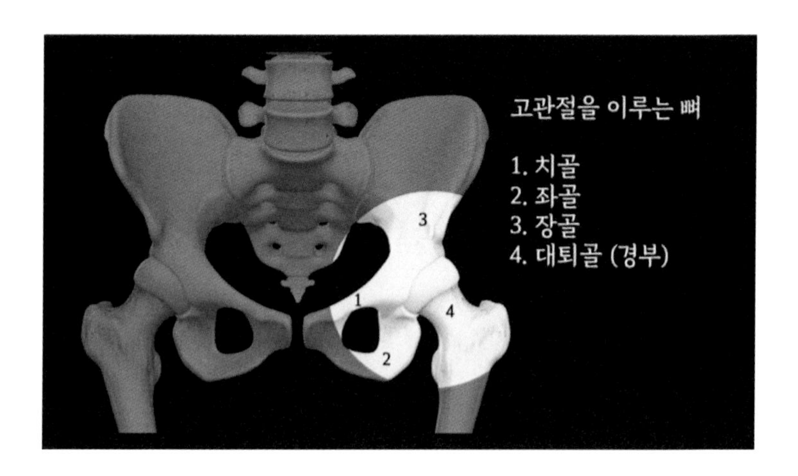

교통사고와 치골 골절

교통사고 전방추돌시 다리가 고관절쪽으로 밀리면서 치골 골절이 발생합니다. 충격량이 크면 뼈가 여러 조각으로 뿌러지는 분쇄골절이 생기기도 합니다.

혹여라도 조수석에서 발을 앞 대시보드에 올려놓고 있다가 사고가 나면 골반 골절로 이어지니 꼭 주의하셔야 합니다.

치골 골절 회복 사례

저희 한의원을 찾아오신 환자도 교통사고 때문이셨습니다. 골절 이후 6개월간 골유합 징후가 없어 걱정이 이만저만이 아니었습니다.

병원에서는 불유합일 수 있다는 이야기를 듣고 한약 복용을 위해 한의원으로 내원하셨습니다. 그리고 한약 복용으로 회복의 가능성이 있다고 판단하고 3개월간 한약을 복용하고 완치되셨습니다.

치골 골절 한약 회복
(불유합)

✓ 2020.10.28 : 치골 골절 발생 (교통사고)

✓ 2021.04.21 : 6개월간 유합 징후 없음 (불유합)

✓ 2021.04.22 : 한약 복용 시작

✓ 2021.08.04 : 완치 진단

한약의 효과는 개인별로 다르게 나타나며, 소화불량 등의 부작용이 있을 수 있습니다. 한의사와 상담하세요.

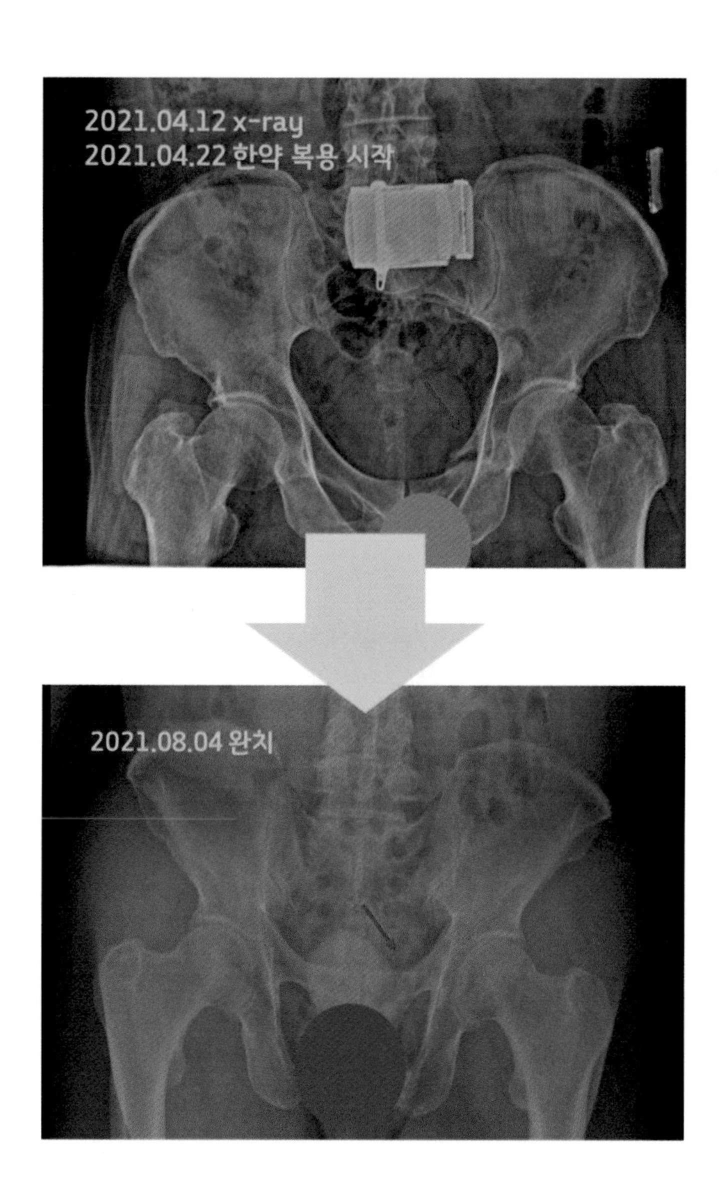
2021.04.12 x-ray
2021.04.22 한약 복용 시작
2021.08.04 완치

치골 골절 회복 요령

회복기간 동안 뼈의 위치가 어긋난다면 나중에 후유증으로 관절염이 생길 수도 있습니다. 그렇기 때문에 골절 후 6주간은 체중을 실으면 안됩니다.

목발이나 보행기, 휠체어를 사용하셔서 이동하셔야 합니다. 샤워할 때도 튼튼한 의자를 이용해서 넘어지거나 미끄러지지 않도록 하시고 앉은 자세에서 씻어야 합니다.

도움되는 음식과 한약

기본적으로 칼슘이 많은 음식과 단백질 섭취가 필요합니다. 칼슘이 많은 음식은 대표적으로 우유, 멸치, 아몬드가 있습니다.

한가지 음식만 고집할 필요 없이, 각자 평소에 소화가 잘되는 음식 중에 칼슘이 많은 음식을 찾아보시면 됩니다.

예를 들어 유당(젖당, lactose)를 분해, 소화하지 못하는 유당불내증 환자라면 우유 대신 시금치나 멸치를 찾으시면 됩니다.

아니면 약국에서 칼슘 영양제를 복용하시는 것도 방법입니다. 이때는 칼슘 흡수를 도와주는 비타민 D가 같이 포함되어 있는 제품을 추천드립니다.

원래 비타민 D는 야외에서 햇빛을 쐬는 것만으로도 인체에서 자연스럽게 생성되는데, 골절 환자분들은 주로 실내에서만 생활하시기 때문에 따로 챙겨주셔야 합니다.

흡연을 피해야 합니다.

회복에 좋은 습관을 만드시면서, 동시에 하지 말아야 할 것도 있습니다. 대표적으로 흡연입니다.

흡연시에는 불유합의 가능성이 2배 이상 높아집니다. 이 외에도 커피는 하루 2잔 이하로 제한해야 합니다.

지연유합과 불유합

골절의 대표적인 후유증으로 지연유합(delayed union)과 불유합(nonunion)이 있습니다.

지연유합은 골절 유합이 진행되고 있지만 예상보다 느리게 회복되는 것으로 보통 3개월이 지난 시점에서 완전한 골유합이 없으면 진단합니다.

불유합은 골절 유합이 멈춰 추가적인 수술이 없으면 영원히 회복되지 않는 상태입니다.

발병 후 6개월이 지난 시점과 비교하여, 3개월간 추적 관찰하여 9개월째에도 골유합이 더 이상 진행되지 않았다면 불유합입니다.

경희다복한의원에서는 지연 유합 상태에서 한약 치료로 완치된 사례를 해외 SCI 저널에 발표한 바 있습니다.

mdtoday.co.kr › news

접골탕 골절 치료 논문 **SCI** 국제학술지 게재

경희다복한의원은 경희대학교 한의과대학 이향숙 교수팀과 공동연구를 통해 **접골탕** 치료 성과를 분석한 결과를 최근 **SCI**급 국제학술지에 발표했다고 25일 밝혔다. 이번 연구를 통해 골절 발생 후 3개월이 지나도록 회복 징후가 없는 상태에서 한약 ...

2022.05.25.

www.segyebiz.com › newsview

접골탕 골절 비수술 치료 사례, **SCI** 국제 학술지 게재 - 세계일보

시리즈'가 **SCI**급 저널 '탐구: 과학과 치유 저널(Explore: The Journal of Science & Healing, IF=1.775)'에 최근 발표됐다고 8일 밝혔다. 이번 논문 '개인 맞춤 한약으로 치료한 임상 증례 시리즈 (Individualized herbal prescriptions for delayed union: A case series)'는 골절 발생 후 회복 징후가 없는 상태에서 수술없이 **접골탕**을 바탕으로 한...

2022.06.08.

www.akomnews.com › bbs

'**접골탕**' 골절치료 임상연구, 국제학술지 게재 > 뉴스 | 한의신문

경희다복한의원(대표원장 최영진)은 경희대학교 한의과대학 이향숙 교수팀과 공동연구를 통해 골절치료기간 단축을 위한 '**접골탕** 처방의 치료 성과'를 보고한 임상 증례 논문을 국제학술지에 30일 게재했다고 밝혔다. 이번 논문은 **SCI**급 저널 '탐구: 과학과 치유 저널(Explore: The Journal of Science & Healing, IF=1.775)'에 발표됐다. ...

2022.05.30.

논문에 발표된 접골탕 2.0 처방은 특허받은 한약 조성물에 환자 상황에 많은 한약재가 추가되어 조제되는 개인 맞춤 한약입니다.

꼬리뼈 실금, 미세골절로 앉아있기 힘들 정도의 통증이 있다면

얼마 전 계단을 내려가다가 넘어져서
엉덩이를 다친 이후로
의자에 앉아있으면
꼬리뼈 쪽이 너무 아파서
오래 앉아있을 수 없습니다.

일하는 데 지장이 생겼는데
꼬리뼈 실금 갔을 가능성이 있을까요?

어떻게 치료해야 하나요?

꼬리뼈 금

계단을 조심해야 합니다.

길을 걷다가 빗길에 미끄러지거나, 발을 헛디뎌서 계단에서 넘어질 때 엉덩방아를 찧게 되면 엉덩이, 꼬리뼈 쪽에 타박상이 발생합니다.

순간적인 충격으로 인해 근육이 미세 파열되는 정도라면 3~5일 내에 낫기 때문에 너무 걱정하지 않아도 됩니다.

하지만 충격으로 인해 꼬리뼈 실금이 갈 정도로 다쳤다면 증상이 더 심하고 치료 기간도 8~12주로 더 길어집니다.

오늘은 엉덩이에 강한 충격을 받아서 꼬리뼈 실금이 갔을 때 나타날 수 있는 증상, 그리고 치료 방법에 대해 자세히 알아보도록 하겠습니다.

꼬리뼈가 다쳤을 때 나타나는 증상

일단 엉덩방아를 찧는 즉시 강한 통증이 느껴지게 되고, 앉았다 일어설 때 특히 허리가 펴지지 않으면서 통증이 심해집니다.

그리고 오래 앉아 있을수록 꼬리뼈부위 통증이 증가하는 특징이 있습니다.

이런 경우 단순한 타박상일 수도 있지만, 엉덩이골 근처를 눌렀을 때 깊숙한 곳부터 아프다면 골절, 금이 간 것일 수 있으니 주의해야 합니다.

발병 후 초기 3일정도는 냉찜질을 해주어야 합니다. 하루에 3~4번 이상 수시로 아이스팩을 수건에 싸서 환부에 20분 가량 시행하면 됩니다.

아니면 세수대야에 시원한 물을 받아서 좌욕하는 식으로 엉덩이를 시원하게 해주는 방법도 괜찮습니다.

골절이라면 뼈에 가해지는 압력이 커질수록 악화하는 영상이 보이고, 걷거나 움직일 때 보다 앉았을 때 심한 것이 특징입니다. 만약 엉덩이골 안쪽이 아닌, 허리와 엉덩이 사이 겉에서 통증이 느껴지는 것은 타박상일 가능성이 더욱 큽니다.

꼬리뼈 실금 응급상황은?

꼬리뼈 골절과 동시에 신경손상이 동반되면 응급상황입니다. 대표적인 증상이 대소변 변의를 느끼지 못하고 실수하는 것입니다. 집에서 휴식중에 신경 손상 증상이 보인다면 바로 응급실을 찾으셔야 합니다.

꼬리뼈 실금 치료 방법은?

꼬리뼈 실금이 의심된다면 먼저 검사를 제대로 받아야 합니다. 이땐 엑스레이와 CT, MRI 등의 영상 촬영을 진행해서 뼈의 상태를 살펴보게 되고, 이상이 있을 때 골절, 금이 간 진단을 내리게 됩니다.

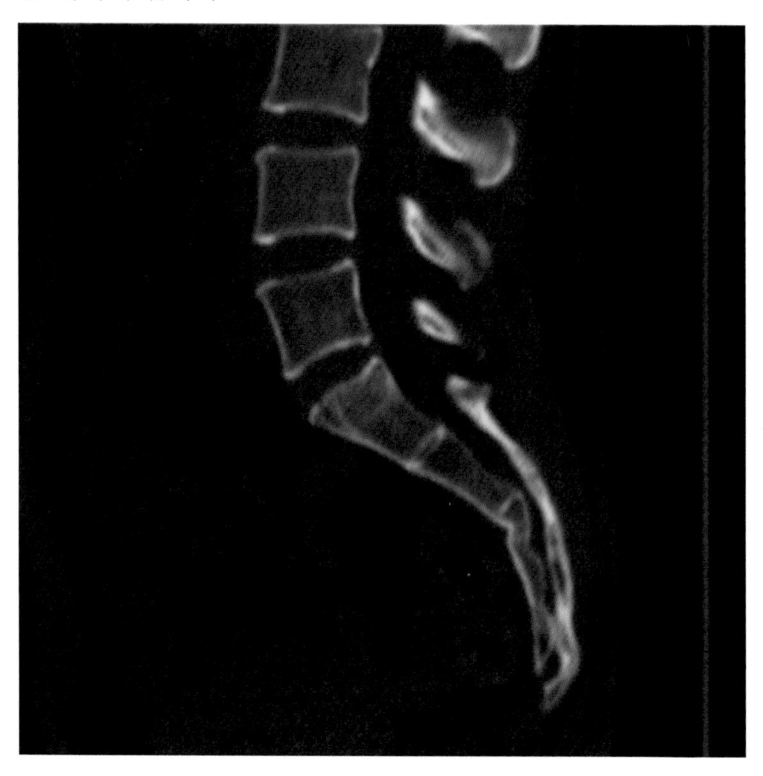

꼬리뼈는 다른 부위처럼 부목과 석고로 고정하는 것이 힘든 부위이기 때문에 엉덩이에 압박이 가해지지 않도록 주의하고 일상생활을 이어 나갈 수 있도록 유의해야 합니다.

사무실이나 집에서는 도넛방석을 사용하고, 잠을 잘때는 옆으로 누워서 자는 자세로 통증을 줄여주어야 합니다.

서 있는 자세로 꼬리뼈에 압박이 생기지 않도록 하고, 산책을 자주 해주는 것도 회복에 도움이 됩니다.

반면에 운전은 되도록이면 피하는 것이 좋습니다. 또 골절 발생 후 1주일이 지나면 핫팩이나 뜨거운 물로 좌욕을 해주어야 합니다.

한약을 통한 꼬리뼈 골절 관리

저희 한의원에서도 뼈에 이상이 생겼을 때 빠른 회복을 위해 접골탕이라는 한약을 처방해 도움을 드리고 있습니다.

아래 x-ray 환자는 50대 여자분이셨는데 계단에서 미끄러지면서 골절을 당하셨습니다. 접골탕을 복용하시면서 완치되셨습니다.

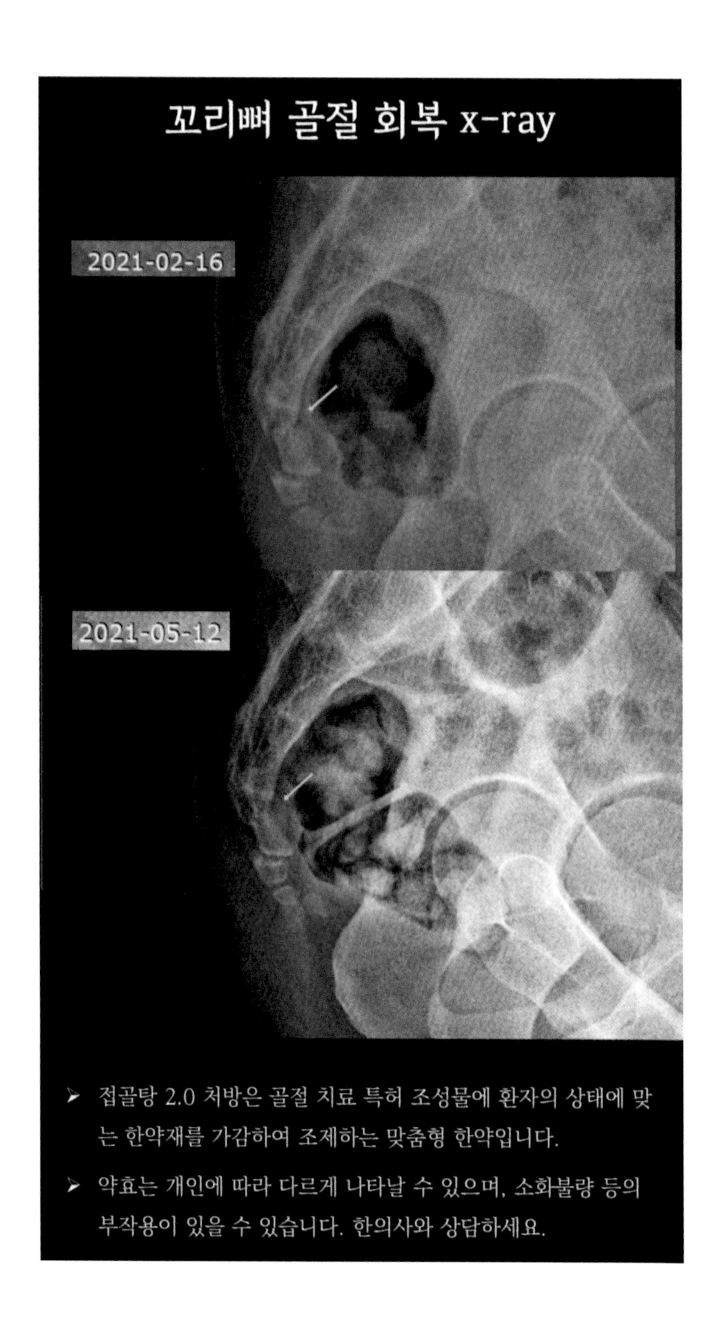
꼬리뼈 골절 회복 x-ray
2021-02-16
2021-05-12
➢ 접골탕 2.0 처방은 골절 치료 특허 조성물에 환자의 상태에 맞는 한약재를 가감하여 조제하는 맞춤형 한약입니다.
➢ 약효는 개인에 따라 다르게 나타날 수 있으며, 소화불량 등의 부작용이 있을 수 있습니다. 한의사와 상담하세요.

개별 맞춤으로 처방되는 한약

접골탕은 오랜 기간의 임상 경험 및 노하우를 바탕으로 환자 상황에 맞는 개별 맞춤 처방이 이루어지고 있습니다.

골절 및 불편함이 생겼을 때 회복 기간을 줄이기 위한 다양한 한약재를 황금비율로 조합합니다.

예를 들어 골절 초기에는 활혈거어(活血祛瘀)를 위해 당귀 천궁 같은 한약재가 중요한 역할을 합니다.

중기에는 접골속근(接骨續筋) 효과가 있는 우슬, 두충, 속단이 필요하고, 골절 후반부나 지연유합에는 보기양혈, 건장근골(補氣養血, 健壯筋骨)하는 황기, 보골지, 토사자 등이 증량해야 합니다.

경희다복한의원에서는 좋은 한약재를 선별하여 조제합니다.

예를 들어 당귀는 유효성분인 데커신이 많은 얇은 뿌리 부위(당귀미)를 사용하고, 황기는 롤러로 압축하여 사용하고,

보골지와 토사자는 초(炒)하는 수치과정을 통해 유효성분이 잘 우러나올 수 있도록 합니다.

꼬리뼈 통증이 너무 오래 지속되면 가만히 앉기만 해도 통증이 느껴지기 때문에 사무직 업무를 하시는 분들은 일을 제대로 하지 못할 수도 있습니다.

골절도 한의원에서!
접골탕 이야기

발행일 | 2024년 02월 01일

지은이 | 최영진
펴낸이 | 마형민
기　획 | 임수안
편　집 | 박소현, 김재민
펴낸곳 | (주)페스트북
주　소 | 경기도 안양시 안양판교로 20
홈페이지 | festbook.co.kr

ISBN 979-11-6929-445-4 (03510)
값 36,000원